DOM
CZĘŚĆ 2

JERZY JANICKI
ANDRZEJ MULARCZYK

DOM
CZĘŚĆ 2

Adaptacja
TERESA KALIŃSKA
EWA STOCKA-KALINOWSKA

Warszawskie Wydawnictwo Literackie
MUZA SA
Warszawa 1999

GALERIA

Projekt okładki: *Maciej Sadowski*
Redakcja: *Krystyna Goldbergowa*
Redakcja techniczna: *Sławomir Grzmiel*
Korekta: *Janina Zgrzembska*

Dziękujemy firmie Fus Star
fotografującej gwiazdy filmowe,
prowadzonej przez pierwszego polskiego
kaskadera Krzysztofa Fusa,
za udostępnienie zdjęcia
wykorzystanego na okładce książki

ISBN 83-7200-339-4

Warszawskie Wydawnictwo Literackie
MUZA SA
Warszawa 1999

Coś się kończy, coś zaczyna

Śmierć starego Popiołka definitywnie zamknęła długi rozdział w życiu mieszkańców na Złotej. Dom pozostał ten sam, ale coś się w nim zmieniło. Nieodwracalnie. I nie chodziło tylko o świeżo wyremontowaną fasadę, która – co tu gadać – cieszyła oczy, ale z odejściem pana Ryszarda zabrakło w kamienicy pod 25. duszy. Edwarda Prokopa trudno było uznać za godnego następcę Popiołka. Nie był ani uprzejmy, ani miły, ani życzliwy ludziom. Kręcił się teraz po posesji jako tak zwany gospodarz domu; mały, cherlawy jakiś, z rozbieganymi oczkami i wiecznie przylepionym do wargi niedopałkiem papierosa. Od razu postanowił pokazać lokatorom, kto tu rządzi. „Jak im się pozwoli, to na łeb wlezą – myślał, wspinając się po schodach. – Ot, choćby taki Kazanowicz... Niby doktor, człowiek wykształcony, a utrudnia. Państwo ludowe zapewniło mu miejsce w Domu Matysiaków, a on stawia opór. Ale już moja w tym głowa, żeby opuścił mieszkanie". Energicznie nacisnął dzwonek, lecz bez efektu. Zza drzwi odpowiedziało mu milczenie. Coraz bardziej rozzłoszczony uderzył pięścią we framugę.

– Nie ma co się chować! I tak wiem, że pan tam jest! – wrzasnął. – Lokal ma być dzisiaj zwolniony! – Wyciągnął z kieszeni śrubokręt i zaczął odkręcać mosiężną tabliczkę z nazwiskiem doktora. W środku panowała cisza. Przedwojenne solidne drzwi tłumiły wszystkie dźwięki, nawet wydobywający się z nastawionego na cały regulator radia pełen uniesienia głos spikera, który obwieszczał, że właśnie „dziś Warszawa obchodzi uroczyście swoją dwudziestą trzecią rocznicę wyzwolenia przez bohaterską Armię Czerwoną i walczące u jej boku Ludowe Wojsko Polskie". Łomot za drzwiami nasilił się. Ryczące radio nie było już w stanie go zagłuszyć. Kazanowicz skulił się, zatkał dłońmi uszy. Prześladowca nie ustawał.

– Jako gospodarz domu żądam z całą życzliwością, żeby pan otworzył! Nie?! No to się pan przekona, kto tu rządzi! Dla mnie dostać się do środka to małe piwo przed śniadaniem. – Potrząsnął pękiem kluczy i wytrychów i zaczął grzebać w zamku. – Pan już jest wymeldowany! Pana tu nie ma!

– Co tu się dzieje? – w drzwiach sąsiedniego mieszkania stanął Kostek Bawolik. – Włamuje się pan do doktora Kazanowicza?

– On już od dzisiaj ma zaklepane miejsce w Domu Matysiaków. Sam mu to załatwiłem – oświadczył dozorca nie bez dumy.

– A pytał go pan o zgodę? – Bawolik złapał Prokopa za rękę, usiłując wyrwać mu wytrych. – Ten człowiek mieszka tu od sprzed wojny, a pan dopiero od miesiąca.

Tylko prychnął pogardliwie:

– Ale na razie ja tu rządzę!

Tymczasem w pokoju pana Sergiusza spiker zachłystywał się entuzjazmem: „Te dwadzieścia trzy lata, które upłynęły od chwili wyzwolenia Warszawy, pozwoliły nam zbudować nową, jeszcze piękniejszą stolicę naszego socjalistycznego państwa". Doktor przykręcił głośnik, nie spuszczając jednak oczu z drzwi. Miał nadzieję, że prześladowca rozpłynie się w powietrzu. Niestety... klamka znów się poruszyła. Przerażony rozejrzał się dokoła jakby szukając sprzętu, którym mógłby zabarykadować drzwi. Wreszcie zniechęcony pokręcił głową i zrezygnowanym krokiem wolno ruszył w stronę okna.

Jasińska, cała rozdygotana, ciągle jeszcze nie mogła otrząsnąć się z szoku. Wszystko stało się tak szybko. W jednej chwili przyglądała się bawiącym na podwórku małym Talarom, a już w następnej ujrzała spadającego na bruk doktora. Nie pamiętała, czy krzyknęła, czy nie, ale nagle wokół niej pojawili się sąsiedzi: Andrzej Talar, Wrotek, Halina w płaszczu narzuconym na mundur celniczki, Bawolik i zapłakana Teresa. Zbici w grupkę, milcząco obserwowali, jak lekarz z sanitariuszem przenoszą rannego do karetki, a potem odjeżdżają na sygnale.

– Proszę się rozejść... Proszę się rozejść... Nic się nie stało. – Prokop wydawał się zupełnie nie poruszony tym, co się wydarzyło.

– Nic się nie stało?! – ryknął wnuk Jasińskich i ruszył w stronę ciecia.

Nim zaskoczony Prokop zdołał uskoczyć, Mietek, wyższy od mikrego dozorcy co najmniej o głowę, rzucił nim o ścianę domu. Z przyjemnością powtórzyłby to jeszcze raz, gdyby nie interwencja Gienka Popiołka:

– Zostaw go, Pocięgło, robił, co mu kazali.

– No tak... – Mietek niechętnym spojrzeniem obrzucił milicyjny mundur sąsiada. – A za to to się u nas tylko nagradza.

Pogadałby z tym zbuntowanym studencikiem, ale w tych okolicznościach Gienek nie chciał dolewać oliwy do ognia. Zwłaszcza że zanosiło się na kolejną interwencję. Lokatorzy otoczyli bowiem Prokopa i zdenerwowani oskarżali go o spowodowanie nieszczęścia.

– Nawet wyrzutów sumienia pan nie ma! – Bawolik wykonał gest, jakby wiązał sobie stryczek na szyi. – Ja na pana miejscu zrobiłbym to... – zacisnął fikcyjną pętlę.

Dozorca wzruszył ramionami.

– Zażalenia to do ADM-u – odciął się butnie, ale pospiesznie podążył za młodym Popiołkiem do bramy.

Od tego dnia w domu na Złotej rozpoczęła się regularna wojna podjazdowa. Kto kogo? Oni Prokopa czy Prokop ich? Wierzyli, że w jedności siła, że solidarne działanie zmusi administrację do zmiany dozorcy. Miara przebrała się w dniu, kiedy Teresa Bawolikowa bezskutecznie usiłowała dostać się na strych, żeby rozwiesić pranie.

– Żąda dziesięć złotych za każde otwarcie strychu – wzburzona przekazywała grupce lokatorów ostatnie rozporządzenie dozorcy. – Kostek chce wystąpić do ADM-u o wyrzucenie go.

Uznali, że czas najwyższy, żeby zacząć działać. Bawolik napisał projekt i zaczęło się zbieranie podpisów. Oczywiście podpisali Bawolikowie, Talarowie, Jasińska i jej wnuk Mietek. Pierwsza niespodzianka czekała ich u Lermaszewskich.

– Ja w to nie wchodzę – oświadczył Heniek. – To podejściowy człowiek. I jakie ma chody! Lepiej jest ustawiony niż kurew przy ruskich koszarach. Mnie obiecał glazurę do wykończenia warsztatu. Było tak? Tatuś powie.

– A mnie bez talonu akumulator załatwił – dorzucił ojciec. – Nawet starego nie musiałem zdawać.

Bawolika zatkało.

– A to, do czego doprowadził pana Kazanowicza, to dla was nic nie znaczy?! Przecież to cham!

– Chama też urodziła mama – skwitował Heniek.
– Potrzebny mi ten protest jak Cyrankiewiczowi fryzjer.
Następnie podpisu odmówił Jasiński. Łudzili się, że Mietkowi uda się nakłonić dziadka i że tym samym będą mieli „partię za sobą", ale się przeliczyli.

– Partia, towarzysz Jasiński i Prokop to ta sama orkiestra – z lekceważeniem podsumował chłopak zwracając naddartą petycję Bawolikowi.

Zebrali się wszyscy w mieszkaniu Wrotka. Czekali na Halinę, która długo coś nie wracała z pracy. Wreszcie zjawiła się objuczona zakupami jak wielbłąd.

– Musisz cały dzień paradować w tym mundurze? – syknął przez zęby Mundek.

– Ty na ten mundur nie wybrzydzaj, bo dzięki niemu mogę w konsumie kupować – odparowała, wypakowując prawdziwe rarytasy: cytryny, a przede wszystkim kawał dorodnej cielęciny.

– Jak ja ci zazdroszczę. – Ewa stanęła na progu kuchni.
– Ja po zwykłe rosołowe stałam godzinę, a i tak dla mnie zabrakło.

– Wzięłam też dla ciebie. – Halina podała Talarowej paczkę. W jej geście było tyleż prawdziwej życzliwości, co i dumy z własnej zaradności, a także leciutka pogarda dla bezradności sąsiadki. – No, gdzie jest ta lista? – zapytała wkraczając do pokoju. – Najwyższa pora skończyć z tym łobuzem! A w ogóle to nie wiem, czy to chamidło nie jest z tych… – znacząco przyłożyła rękę do ucha.

– Spółdzielnia „Ucho" – sprecyzował Bawolik.

Przytaknęła, składając energiczny podpis.

– Ja sama pójdę z tym jutro do administracji, żeby tę kreaturę stąd zabrali.

– Ten dom nie będzie już miał kogoś takiego jak Popiołek – westchnęła Ewa. Ale czy to rzeczywiście ciągle jeszcze był ten sam dom? Gdzie się podziała ich wzajemna lojalność, że jeden za wszystkich i wszyscy za jednego? – Co się z nami porobiło? – spojrzała na sąsiadów ze smutkiem.

– I czy to już zawsze tak musi być, że jak nam plują w gębę, to udajemy, że deszcz pada? – dorzucił Mietek.

– Ażebyś wiedział, chłopcze, że musi. – Wrotek skierował wzrok na Andrzeja. – Przez nasz wieczny oportunizm! Oni mogą sobie pozwolić na wszystko.

– Zawsze mówisz „oni", „oni"! – zdenerwował się Andrzej. – To w końcu jest nasz kraj, a nie jakichś „onych"!

Mundek wycelował palec w Talara.

– Tak, „nasza" jest cenzura, „nasz" Pałac Mostowskich, „nasza" wieczna przyjaźń ze Związkiem Radzieckim.

– Ale gdyby nie ten ustrój, to ja osobiście do tej pory pasałbym krowy.

Mundka mimo wieloletniej przyjaźni coraz częściej irytowała postawa Andrzeja. Ten jego wieczny „pozytywizm" i niechęć do wyciągania wniosków z oczywistych faktów. Ot, choćby teraz, przed chwilą. Na własne uszy usłyszeli odczytany przez telewizyjnego spikera komunikat, że decyzją Wydziału Kultury KC PZPR zawieszono przedstawienie „Dziadów" Mickiewicza w Teatrze Narodowym.

– Najpierw zatrzymują sztuki, a potem zacznie się zatrzymywać widzów – przekonywał.

Talar odpowiedział tylko tyle:

– Wam, artystom, wszystko nie w smak. A tu po prostu trzeba pracować. Polityką niech się zajmą inni.

Wrotek triumfował:

– I to jest właśnie oportunizm!

W tym momencie rozległ się dzwonek u drzwi. Halina pobiegła otworzyć.

– Tak jak pani sobie winszowała! Enerdowski! – z przedpokoju dobiegł konfidencjonalny głos ciecia. W objęciach trzymał wielką paczkę. Oddarł kawałek opakowania i oczom uszczęśliwionej Haliny ukazał się przedmiot pożądania tysięcy kobiet: lśniący nowością zlewozmywak!

– Och, panie Edziu, że też pan pamiętał! – szepnęła kokieteryjnie i z czułością pogłaskała przytargany przez dozorcę sprzęt. Wolała nie pytać, jak i gdzie Prokop go zdobył. Wiadomo było, że to rzecz nie do kupienia. A o tym, że kradziona, wygodniej nie wiedzieć... – Panie Edziu! Jaki pan kochany! Co byśmy bez pana robili?! – rozszczebiotana nie usłyszała nawet trzaśnięcia drzwi prowadzących do pokoju.

Za to Mundek nie wiedział, gdzie oczy podziać. Zażenowany i wściekły spojrzał na Andrzeja, który nie ukrywał satysfakcji:

– To jest właśnie oportunizm.

Na Krakowskim Przedmieściu, w okolicach pomnika Mickiewicza, mimo szybko zapadającego mroku tłum gęstniał. Przeważała młodzież, ale było też wielu tak zwanych statecznych obywateli, takich chociażby, jak Basia i Łukasz Zbożni.

Łukasz z troską spojrzał na żonę. Od pewnego czasu nie wyglądała dobrze: podkrążone oczy, blada cera... „Bierze za dużo dyżurów w pogotowiu – pomyślał.

– No tak, ale jego asystencka pensja na długo nie starczała... Coś jednak muszę zrobić – postanowił – inaczej ta harówka ją wykończy. A do tego nerwy..." Przypomniał sobie, jak mocno Basia przeżyła wypadek doktora Kazanowicza, swojego dawnego sąsiada ze Złotej. Z tego, co słyszał od żony i teściów, to był porządny

11

człowiek, tyle że oświęcimskie przeżycia kompletnie go wykończyły. Wojna, okupacja, powstanie odbiły się na nich wszystkich. A teraz kolejne pokolenie podejmuje nierówną walkę. Bo że protesty studentów niczym dobrym się nie skończą, tego był pewny. Z megafonu rozległ się młodzieńczy głos:

– My, młodzież studiująca, protestujemy przeciwko zdjęciu ze sceny dramatu Mickiewicza „Dziady"! Protestujemy przeciwko polityce odcinania się od postępowych tradycji narodu polskiego!

– Dobry wieczór, panie adiunkcie! – młoda, szczupła blondyneczka w ogromnych okularach, białym kożuszku, czerwonej czapeczce i rękawiczkach ukłoniła się Zbożnemu z szacunkiem, po czym zawołała z satysfakcją: – Wiedziałam, że pan tu będzie!

Odpowiedział uśmiechem i zacytował potępionego wieszcza:

– „Przepraszam, bal proszony, mam dotąd bilety".

Wpadła mu w słowo:

– „Jeśli kto władzę cierpi, nie mów, że jej słucha..." „Dziady". „Bal u senatora".

Mimo niepokoju nie potrafił opanować śmiechu.

– Szkoda, że nie masz przy sobie indeksu! Piątka murowana.

Dziewczyna pomachała mu ręką i zniknęła w tłumie. Basia z czułością przytuliła się do męża. Z pewnością myślała o tym samym co on: jak się to wszystko skończy. Czy ci młodzi wiedzą, jaką cenę być może przyjdzie im zapłacić? Łukasz wspomnieniami wrócił do powstania, do zrywu ich pokolenia. Czy daliby się wtedy powstrzymać? Odprowadzał studentkę wzrokiem. Mignęła mu jeszcze jej czerwona czapeczka w grupce kolegów, ktoś do niej podbiegł, o coś pytał, podsuwał jakiś papier.

– Podpiszesz? To jest petycja do Sejmu. – Mietek Pocięgło dwoił się i troił, żeby zebrać jak najwięcej podpisów. – Socjologia? – zapytał podsuwając dziewczynie długopis.

Potrząsnęła głową, ściągając zębami rękawiczkę.

– Polonistyka – odpowiedziała z na wpół zakneblowanymi ustami. Rękawiczka upadła Mietkowi pod nogi. Schylili się po nią jednocześnie, zderzając przy tym głowami. Wybuchnęli śmiechem.

– Piąty rok germanistyki – przedstawił się chłopak.

– Mietek.

– A ja Gośka.

Zajęci sobą, zlekceważyli zatrzymujące się przed pałacykiem, w którym mieściła się Prokuratura Generalna, milicyjne suki. Gdyby Mietek spojrzał w tamtą stronę, być może dostrzegłby wśród niebieskich mundurów sąsiada ze Złotej – Gienka Popiołka – który odbierał właśnie rozkazy od przełożonego:

– Wy, Popiołek, bierzcie się za Dziekankę, a ja przeczeszę tych tutaj...

Stłoczeni w oknach akademika studenci nie przestawali skandować:

– Niepodległość bez cenzury! Nie ma chleba bez wolności!

W tłumie pojawiły się transparenty z podobnymi hasłami.

Wypadki potoczyły się błyskawicznie: klin milicjantów wbił się w manifestujących, wywlekając z gromady poszczególnych studentów. Krzyki atakowanej młodzieży potęgowane były jeszcze przez osobliwy koncert w wykonaniu mieszkańców akademika, którzy akompaniowali milicyjnej akcji waleniem w pokrywki.

Zdarzenia tamtego dnia bezładnie kłębiły się w głowie Mietka, powracały poszczególne obrazy, migały obce twarze jak w koszmarnym śnie: najpierw zbieranie podpisów pod petycją do Sejmu, potem tumult, atak milicji i tajniaków i wreszcie twarz spotkanej wcześniej dziewczyny w białym kożuszku poplamionym ściekającą z rozciętej głowy krwią... Nie potrafił już odtworzyć kolejności wypadków. Ruszył dziewczynie z pomocą, ale ubrani po cywilnemu agenci byli szybsi. Chciał ją odciągnąć, wyrwać z ich łap, nie zdążył. Została mu w dłoni tylko jej czerwona rękawiczka. A potem, kiedy jeden z nich prowadził go z wykręconymi do tyłu rękoma, to nieoczekiwane spotkanie z Gienkiem Popiołkiem.

– Co on zrobił?

– Podpisy zbierał, obywatelu poruczniku!

– A to skurkowany dywersant! Zostawcie go mnie! Już ja z nim zatańczę.

Kiedy tajniak zniknął w tłumie, Gienek, sycząc przez zęby: „Spierdalaj, Mietek, i żebym cię tu więcej nie widział", wypchnął go poza milicyjny kordon.

O tamtym dniu Gienek Popiołek także długo nie mógł zapomnieć. Najpierw spotkanie z tym gówniarzem od Jasińskich, któremu zachciało się protestów i walki z władzą ludową, wytrąciło go z równowagi, a potem nieoczekiwane starcie z Basią Lawinówną, panią doktor, która wzięła się nie wiadomo skąd i uparła się, że musi opatrzyć tę pannicę z rozbitą głową.

– Co by pan Popiołek powiedział, gdyby pana zobaczył w tej roli?

– Tata to był cieć. A ja jako syn stróża zawsze jestem za porządkiem.

Miał teraz inne zmartwienie na głowie niż rozterki moralne. Studentka z rozbitą głową po wylegitymowaniu okazała się córką wysoko postawionego towarzysza z KC. Początkowo nie mógł w to uwierzyć, że nawet dzieci tych, co rządzą Polską, biorą udział w studenckich burdach, ale wystarczył jeden telefon dla potwierdzenia tożsamości dziewczyny. Czekał teraz na przybycie jej ojca.

Na szczęście rządowa limuzyna zjawiła się błyskawicznie i sekretarz Lejczer wybawił go z kłopotu.

Przez szybę ruszającego ostro fiata 2300 Gosia zauważyła wysuwającą się z podcieni pobliskiego kościoła postać z czerwoną rękawiczką w dłoni.

Chłopak chciał podbiec, oddać własność dziewczynie, ale w ostatniej chwili coś go powstrzymało.

– To cały nasz spadek po Sierpuchowie – westchnął Andrzej wyjmując z komody modlitewnik matki, różaniec, drewniany krzyżyk, poduszeczkę do igieł, futerał z okularami, obrazek świętego Józefa... – Po ojcu tylko to mi zostało – podał Leszkowi brzytwę.

– A to? – Leszek wydobył z dna szuflady dwie spięte gumką obrączki.

– Tego nie ruszaj – powiedziała stojąca w progu Ewa.

– To u nas zostanie.

Zmierzył ją ironicznym spojrzeniem i zacisnął pięści.

– Bo co? Bo złoto idzie w górę? Zawsze pod fryzurą miałaś liczydła.

Ewa błagalnie spojrzała na męża, oczekując z jego strony wsparcia czy choćby jakiejś reakcji, ale jak zwykle nie doczekała się. Nie po raz pierwszy Andrzej zachowywał się w taki sposób, chcąc uniknąć zadrażnień i pogorszenia i tak już nie najlepszych stosunków Leszka z bratową. Dopiero kiedy Ewa demonstracyjnie wyszła z pokoju, zapytał:

– Dlaczego ty ją tak traktujesz?

Leszek, patrząc twardo bratu w oczy, odpowiedział pytaniem na pytanie:

– A dlaczego Bronek leży na cmentarzu?

Od dawna już nie poruszali tego tematu. Omijali go jak bolącą ranę. Ale dzisiejszy dzień był szczególny i wspomnienia, różne wspomnienia, same jakoś powracały. Wrócili właśnie z kościoła Wszystkich Świętych. Byli całą kamienicą na mszy w intencji zmarłej przed kilkoma miesiącami Marii Talarowej. Zjawił się nawet Gienek Popiołek po cywilnemu i pułkownik Poznański skurczony jakiś i postarzały. W pewnej chwili, kiedy kościelny krążył już z tacą, Andrzej usłyszał stukot obcasów. Do kościoła weszła Basia. Poczuł leciutki ucisk w dołku, taki sam jak przed laty, ilekroć szedł na spotkanie z nią... Wolno przesunął się w jej stronę.

– Dziękuję, że przyszłaś.

– Twoja matka to była bardzo dobra kobieta – odpowiedziała szeptem. – Zapamiętałam jej przykazanie: „Żyj tak, żeby nikt przez ciebie nie płakał".

– Jeszcze to pamiętasz? – patrzył na byłą żonę ze wzruszeniem. Tyle lat jej nie widział, a w jego oczach nic się nie zmieniła... Basia. Jego Basia. Ciągle ta sama. W głowie pojawiły się, jak kadry z dawno nie oglądanego filmu, obrazy z młodości: Basia w Otwocku, lekcja tańca, Basia w studenckiej czapce, Basia w ślubnej sukni i noc poślubna... – Wiesz, mam w domu zdjęcia twoich rodziców... Może chciałabyś odebrać... – zapytał z niejasną nadzieją, że może uda mu się z nią spotkać.

– Kiedyś, przy okazji – uśmiechnęła się zdawkowo, przeżegnała i wyszła z kościoła.

– A masz jakieś zdjęcia rodziców? – Leszek wyrwał brata z zadumy.

– Zdjęć to on ma bardzo dużo – z drugiego pokoju usłyszeli głos Ewy. – A te dla niego najważniejsze trzyma na wierzchu – dorzuciła zgryźliwie. Nie umiała opanować zazdrości i rodzących się podejrzeń. Bo właściwie po co

Basia zjawiła się w kościele? Czy tylko ze względu na pamięć o byłej teściowej, czy może z zupełnie innych powodów?

Andrzej milczał. Dobrze wiedział, o co Ewie chodziło. O tę kopertę z fotografiami Basi, którą ma w biurku. Przeglądał je czasami, kiedy zostawał sam. Trudno, ale tego za nic się nie wyrzeknie. Nigdy.

Po tym wszystkim, co wydarzyło się podczas niedawnych demonstracji, Mietek nie wierzył, że jeszcze kiedyś spotka Gośkę, a jednak nie przestawał o niej myśleć. Czerwoną rękawiczkę na wszelki wypadek miał stale przy sobie, gdyby jakimś cudem natknął się na jej właścicielkę. Stało się to 8 marca. Większość rodaków zaczynała właśnie świętować Dzień Kobiet, kiedy Warszawę zelektryzowała wiadomość, że w mieście coś się dzieje. Mietek natychmiast pognał na uniwersytet. Brama była zamknięta, a wokół kłębiły się zastępy milicjantów. Szukał sposobu przedostania się do środka, kiedy ją zauważył. Trzymała w ręku jakieś papiery, daremnie próbując pokonać ogrodzenie. Ścigany okrzykami stróżów porządku, Mietek ruszył pędem w stronę dziewczyny. Chwycił ją mocno za ramiona i razem przeskoczyli na dziedziniec, zanim dosięgły ich milicyjne pałki. A potem pobiegli do sali kolumnowej.

– Czy my się skądś znamy? – Gosia uważnie wpatrywała się w swego wybawcę, przypominając sobie okoliczności, w których spotkali się po raz pierwszy.

W odpowiedzi Mietek bez słowa wyciągnął z kieszeni czerwoną rękawiczkę i pomachał nią. Dziewczyna uśmiechnęła się i pokazała drugą identyczną.

– Pasują do siebie – ucieszył się. – A my? – zapytał z nadzieją.

17

Wyrwała mu z ręki swoją własność, oburzona, że myślał o podrywie, kiedy inni włączali się w walkę, narażali na niebezpieczeństwo. Chciała odejść, ale wtedy usłyszała rozbawiony głos Łukasza Zbożnego:

– To klasyka! Początek jak w „Rękawiczce" Schillera!

Zatrzymała się. Pokusa popisania się przed uwielbianym wykładowcą była zbyt silna.

– „Rycerz jej śmiało rękawiczkę rzucił"... – zacytowała z całą powagą fragment dramatu.

– A może on będzie Gomułką? – zaproponował Zbożny.

Nie pytając zdezorientowanego Mietka o zdanie, uznała, że to dobry pomysł jak zresztą wszystko, co robił lub mówił Łukasz. W jej oczach był najwyższym autorytetem i naukowym, i moralnym. Uczył ich samodzielnego myślenia i wyrażania własnych sądów w czasach, gdy najbezpieczniej było nie zastanawiać się i ślepo podążać za „jedynie słuszną linią partii". Owiany legendą poeta, powstaniec – był ucieleśnieniem romantycznego bohatera. Zwłaszcza dla niej, bo tak bardzo różnił się od ludzi, których spotykała w domu ojca. Stał teraz ukryty za filarem i obserwował, jak młodzież z zapałem próbuje satyryczny utwór, który wyszedł spod jego pióra. Z coraz większą troską o ich los słuchał, jak z brawurą parodiują pierwszego sekretarza, jak skandują radośnie:

– A literaty? Za kraty! A studenty? W sołdaty!

– Ogłosimy narodowi całą prawdę bez żenady!

– ... Nie Mickiewicz z Nowogródka, lecz Gomułka stworzył „Dziady"! – chórem zakończyli występ.

Rozległ się śmiech, oklaski i okrzyki:

– Autor! Autor!

– Dlaczego pan ucieka? – zaróżowiona z emocji Gośka dopadła Łukasza, kiedy próbował wymknąć się z sali.

– Przed własną grafomanią. Nie znoszę częstochowskich rymów ani „polit-operetek" – odparł.

Studenci jednak bezwzględnie domagali się autora. Zatrzymał się więc, ukłonił trochę przesadnie, jakby był na scenie, i powiedział:

– Jesteście kochani... Przepraszam za to „dzieło", ale kiedy liryk bierze się za publicystykę, to zamiast Brechta wychodzi „polit-operetka"!

Błysnął flesz raz i drugi. Ktoś robił zdjęcia. Zaniepokojona Gośka zaczęła wzrokiem szukać fotografa. Spostrzegła go, jak chował już sprzęt do torby. Nie znała go. Nie był z ich roku, ale w końcu Mietek też był obcy wśród polonistów.

Podjęli przerwaną próbę już z udziałem Łukasza, który podjął się roli dyrygenta, przewodząc śpiewanej na melodię znanej pieśni masowej wyliczance:

Moczarowcy i ormowcy,
Partyjniacy i tajniacy,
Stalinowcy i ubowcy,
Sekretarze i pałkarze,
Albośmy to jacy-tacy:
Beton i ciemniacy!

Wszyscy byli podekscytowani i radośni. Dreszcz emocji wywołany tym, że po raz pierwszy w życiu robią coś naprawdę zakazanego, wyzwalał w nich dodatkowe pokłady energii.

– Ciekawe, co by twój ojciec na to powiedział? – zapytał Mietek, kiedy skończyli.

– A twój? – rzuciła zaczepnie.

Wzruszył ramionami.

– Ja nie mam ojca.

– Zazdroszczę ci... – szepnęła już innym tonem.

Chciał ją pocieszyć, powiedzieć, że to nie jej wina, bo rodziców się nie wybiera, i takie tam truizmy, ale nie zdążył. Drzwi do sali gwałtownie się otworzyły i ledwie żywy ze zmęczenia chłopak zawołał:

– Słuchajcie! Ktoś bramę rozwalił! Tam się coś dzieje!

Kiedy u Jasińskich na ekranie telewizora Nefryt pojawiała się „Stawka większa niż życie", zamierał wszelki ruch. Wanda z niemym zachwytem wpatrzona w kapitana Klossa nie reagowała na nic, co działo się w domu. Nawet natarczywy dzwonek telefonu nie był w stanie oderwać jej od ulubionego serialu. Jasiński niezadowolony podniósł słuchawkę.

– Ścisz to, nic nie słychać! – wrzasnął. – Co? Teraz? O tej porze? Po nocy?... – wyprężył się, jakby niewidzialny rozmówca kazał mu stanąć na baczność. – A, chyba że tak... – odłożył telefon i pospiesznie zaczął wciągać spodnie.

– Ty dokąd? – żona zainteresowała się, dopiero kiedy sięgał za klamkę.

– Do fabryki – wyjaśnił zdawkowo. – Jest mobilizacja całego aktywu. Mówi to tobie coś?

– Ale po nocy? Jakiego aktywu? – nie odrywała wzroku od telewizora bez reszty pochłonięta akcją.

– Ormowskiego! – odpowiedział zamykając za sobą drzwi.

Zajechali pod bramę uniwersytetu autokarami z napisem nad przednią szybą „Wycieczka" i z zamazanymi wapnem oknami. Jakiś młody człowiek desperacko próbował powstrzymać ich, kiedy wtaczali się na dziedziniec uczelni, ale kierowca autobusu, w którym był Jasiński, ani myślał hamować. Chłopak uskoczył spod kół w ostatniej chwili. Rozległy się okrzyki młodzieży:

– Co to za wycieczka?! Co tu jest do zwiedzania?!
W odpowiedzi z autobusów wysypali się „aktywiści" uzbrojeni w kije i przystąpili do wykonywania zadania.

– Pryskaj przez Oboźną! – Mietek pociągnął Gośkę w stronę budynku, przez który można było wydostać się z pułapki.

– A ty?! – zawołała zwalniając biegu.

Odpowiedział, że zostaje. Nie mógł w takiej chwili opuścić kolegów i uciec.

– To ja też zostaję – oświadczyła.

– Na uniwersytecie doszło wczoraj do nieodpowiedzialnych ekscesów grupki studentów, do których dołączyły się elementy chuligańskie i awanturnicy z kręgów bananowej młodzieży. Wobec narastania napięcia wśród zgromadzonych i ustawicznego obrzucania aktywu robotniczego obelgami zostały zastosowane bardziej energiczne środki i innego rodzaju argumenty...

Jasiński zdecydowanym ruchem wyłączył radio.

– Gdzieś był? – zwrócił się do wnuka.

Mietek sycząc z bólu podniósł się z tapczanu. Kompres z mokrego ręcznika zsunął się na podłogę, ukazując zmasakrowane plecy chłopaka.

– Nie poznajesz? – z trudem uniósł opuchnięte powieki, by spojrzeć dziadkowi w oczy.

Stary nie panował już nad sobą. Nie pojmował, dlaczego właśnie jemu, ideowemu komuniście, który wierzył w ten ustrój bez zastrzeżeń, przytrafiło się coś tak strasznego, że we własnym domu, na własnej piersi wyhodował nieodpowiedzialny element!

– Gdzieś był?! – ryknął.

– Tam gdzie dziś moje miejsce – odparł Mietek.

21

– Twoje miejsce jest przy książce! – wrzasnął Jasiński.
– Mówi to tobie coś? Wam tylko trochę popuścić,
pozwolić na piosenki, teatry, kabarety, to potem małpiego
rozumu dostajecie!
– Stachu! – jęknęła prosząco Wanda, ale żaden z nich
jej nie słuchał. Ani mąż, ani wnuk. Zwarli się jak zawsze,
kiedy dochodziło między nimi do wymiany zdań wszystko
jedno na jaki temat. A im Mietek był doroślejszy, tym
bardziej na pierwszy plan w kłótniach z dziadkiem wysu-
wały się sprawy światopoglądowe.
– Czy to studenci albo literaci zaszwejsowali cię w pięćdziesiątym szóstym? – szydził chłopak. – Jakoś szybko
zapominacie o lekcjach historii!
– Nie po to był Październik, żeby tacy jak ty rozwalali
jego zdobycze! – Jasiński trzęsącymi się ze zdenerwowania
rękoma próbował zapalić papierosa. Jakże w tej chwili
nienawidził tego swojego nie chcianego wnuka! Przez
takich jak on wszystko w tym kraju kulało.
– No powiedz! Kto jestem? No kto? Wichrzyciel?
Wróg socjalizmu? Polityczny bankrut?! – prowokował
Mietek zajadle.
– Przede wszystkim gówniarz! – stary uderzył pięścią
w stół. – Dosyć! – krzyknął, kiedy Wanda próbowała
wtrącić, że Miecio mówi tylko głośno, o czym wszyscy
szepcą, to znaczy o tych „zdobyczach" socjalizmu polega-
jących jedynie na ciągłych podwyżkach. – Nie będę trzymał
wrogów we własnym domu! W „Wolnej Europie" jest jego
miejsce! – zakrztusił się. Nerwy puściły mu całkowicie.
– To jest w Monachium, a to dobre pod każdym względem
miejsce dla niego!
Wanda oniemiała. Z przerażenia zatkała sobie uszy
dłońmi. Nie chciała słuchać dalszego ciągu. Jasiński trzymał
się za serce. Bała się wzroku wnuka. Ten rzucił dziadkowi

pełne pogardy spojrzenie, naciągnął sweter na obolałe plecy i bez słowa wybiegł z domu.

W pierwszej chwili pomyślał o Gośce. Tak. Musi się z nią zobaczyć. Za wszelką cenę! Pobiegł w aleję Róż. Posiniaczony, w rozdartej kurtce robił dziwne wrażenie w eleganckiej, dygnitarskiej dzielnicy. Żołnierz pełniący służbę przed domem, w którym mieszkał sekretarz Lejczer, przyjrzał mu się uważnie, kiedy powiedział, do kogo przyszedł. O wejściu nie było mowy. Wartownik zadzwonił na górę, odpowiedziano, że dziewczyny nie ma w domu. Mietek wiedział, że była. Widział zarys jej sylwetki w oknie na pierwszym piętrze.

Kiedy przywlókł się do szpitala, Lidka kończyła właśnie dyżur. Wiedziała oczywiście o zajściach na uniwersytecie, o pobitych i rannych studentach, ale łudziła się, że najgorsze ominęło jej syna. Widok Mietka przeraził ją.

– Jezus Maria... Byłeś tam, tak?! – zawołała.

– Jak ja go nienawidzę – wyrzucił przez zaciśnięte zęby.

Dobrze wiedziała, kogo chłopak ma na myśli i że posiniaczona twarz syna to zasługa „aktywu robotniczego", do którego jej ojciec z dumą siebie zaliczał.

– Wy nie możecie żyć pod jednym dachem... – westchnęła przemywając Mietkowi rozcięty łuk brwiowy.

– Znalazłam już dojście do spółdzielni mieszkaniowej. – Pogłaskała go czule po głowie. Był jej taki bliski, bliższy niż ktokolwiek na świecie, nie tylko dlatego, że był jej dzieckiem, ale dlatego, że tyle razem wycierpieli.

– Mamo, a skąd pieniądze?

Ta nierealna bajka o własnym mieszkaniu od dawna w trudnych chwilach była dla nich pocieszeniem. Obydwoje wiedzieli, że na spełnienie tych marzeń nie mają szans. Tym razem jednak w Lidce była jakaś ostateczna determinacja.

– Łapówki brałam za przyjęcie na oddział, a teraz do partii pójdę, do samego diabła, ale... ale będziesz miał to mieszkanie! – głos jej zadrżał. – Inaczej się pozabijacie! Zadzwonił telefon. Lidka podniosła słuchawkę. Powiedziała „słucham" i twarz jej skamieniała. Wanda Jasińska szlochając wzywała córkę do domu, tak jakby ona jedna mogła jeszcze pomóc.

– Co się stało? – zaniepokoił się Mietek obserwując zmienioną twarz matki.

– Nie żyje... Zawał... – odpowiedziała głucho. – Zaraz po twoim wyjściu... – spojrzała na Mietka, ale w jej oczach nie było wyrzutu, nie było nic... żadnego uczucia.

– Mój Boże... – szepnęła. – Dziadek nie żyje, a ja nawet nie płaczę...

Podszedł do niej bez słowa i mocno objął ramieniem.

O Prokopie można było powiedzieć wszystko co najgorsze: że chamski, arogancki, bezczelny, psuje wszystko, do czego się zabierze, ale idiotą nie był. Doskonale zdawał sobie sprawę, że lokatorzy z przyjemnością by się go pozbyli, lecz wcale się tym nie przejmował. Tu i tam napomknięte słówka o bliskich stosunkach z przedstawicielami najwyższych władz świetnie go zabezpieczały. Kłopot polegał na czymś innym. Już kilka nocy z rzędu śnił mu się doktor Kazanowicz. Niby ten sam, ale jakiś inny... Zbliżał do niego wykrzywioną w grymasie twarz, zupełnie jakby mu groził. Na samo wspomnienie tej sceny cieć wstrząsnął się, sięgnął po butelkę z wódką, nalał pełną szklankę i bez mrugnięcia wychylił do dna. „Wyrzuty sumienia? – zastanowił się przez moment. – Bzdura! Takie dyrdymały dobre są dla frajerów!" Ponownie napełnił szklankę. Tak był zajęty tymi rozmyślaniami, że nie usłyszał pukania, toteż zdziwił się ujrzawszy administratora, któremu podlegał ten odcinek Złotej.

– Pan to ma szczęście, panie Prokop – oświadczył od progu.

Dozorca obojętnie wzruszył ramionami.

– Ażeby pan wiedział – ciągnął swoje administrator. – Dziś w nocy mieliśmy włamanie do ADM-u. Ukradli maszynę do pisania, piecyk elektryczny...

– Nie moja broszka, panie Maciejak. – Prokop sięgnął po szklankę, jednak zatrzymał się w pół gestu słysząc:

– Nie ma pan już żadnych sęków, bo przy okazji złodzieje zabrali i to... – wyciągnął z teczki petycję lokatorów i położył przed cieciem. – A jakby co, będzie pan pamiętał, kto panu oddał przysługę. – Do administratora również dotarły plotki, że dozorca ma możnych protektorów.

On jednak nie raczył odpowiedzieć. Wpatrując się bezmyślnie w przeciwległą ścianę, podniósł szklankę do ust.

– Nie wie pan, panie Kuźniak, jak długo to jeszcze potrwa? – Personalny FSO, oddelegowany przez fabrykę na pogrzeb Jasińskiego, wyraźnie się niecierpliwił. – Że też nie udało się panu namówić rodziny zmarłego na porządny, cywilny pogrzeb. – Nie wychodząc ze służbowej warszawy, z niesmakiem spoglądał w stronę wypełnionego ludźmi małego, bródnowskiego kościółka.

Jasińska postanowiła wyprawić mężowi pogrzeb jak należy. Może i jej Stasiek wadził się z Panem Bogiem i do końca był za partią i swoimi partyjniackimi sprawami, ale ona za nic nie dopuści, żeby skazany był na potępienie wieczne. Czy się to komu podoba, czy nie!

– Z wdową trudna rozmowa... – tłumaczył Kuźniak, reprezentujący podstawową organizację partyjną FSO.

– Ale przebieg ceremonii ustaliliście? – W głosie personalnego pobrzmiewały nutki niepokoju. Nie chciał się potem tłumaczyć na dzielnicy, że za państwowe pieniądze urządzają katolicki pochówek, i to z pocztami sztandarowymi, i orkiestrą.

– Ja wdowę lojalnie uprzedzałem: owszem, wszystko pójdzie na koszt państwa, ale nie będzie księdza przy grobie. Już i tak ustąpiliśmy jej z tym nabożeństwem.

– Bóg da, obejdzie się bez kłopotów – westchnął personalny. – A nie zapomnieliście tekstu pożegnalnego przemówienia?

– A skąd?! Nauczyłem się prawie na pamięć. – Kuźniak wyciągnął z kieszeni kartkę i zaczął uroczyście: – „Żegnamy oto oddanego towarzysza, który służył sprawie socjalizmu i partii..." – Coś mu się nie zgadzało, więc rzucił okiem na papier. – Pomyliłem się... „Służył sprawie partii i socjalizmu. Wierny syn klasy robotniczej do ostatka trwał na posterunku, zwalczając wichrzycieli i wrogów socjalizmu".

W tym momencie przy drzwiach do kościoła zrobiło się zamieszanie. Część osób wychodziła na zewnątrz, inni rozstępowali się na boki, żeby przepuścić niesioną na ramionach przez kolegów zmarłego jasną sosnową trumnę. Tuż za nią pojawiła się Jasińska w czerni, podtrzymywana pod rękę przez córkę.

– A Mietka nie ma – szepnęła do męża Teresa Bawolikowa. – Widać nawet śmierć ich nie pogodziła.

Przedstawiciele władzy ruszyli w kierunku formującego się konduktu. Nagle znieruchomieli. Co za skandal! Do żałobników dołączył kościelny z dużym krzyżem w rękach, a chwilę po nim ksiądz. Tego już personalnemu było stanowczo za dużo. Szybkim krokiem zbliżył się do wdowy i syknął jej do ucha:

– Co pani wyrabia, pani Jasińska?! Miało być bez księdza! Inaczej ani przemówienia, ani pocztu sztandarowego, ani orkiestry nie będzie.

Stojący tuż obok Andrzej Talar podszedł jeszcze bliżej.

– Orkiestra będzie – powiedział cicho, lecz stanowczo.

Rajmund Wrotek ujął sąsiadkę pod drugie ramię i z aprobatą pokiwał głową.

– Cofniemy wypłatę za pogrzeb państwowy – groził dalej personalny.

I matka, i córka były zgodne:

– Obejdzie się.

– Czy to ostatnie słowo?

– Nie, nie ostatnie – spokojnie poinformował go Mundek. Po czym ściszając głos dodał: – Ostatnie będzie... spierdalaj stąd! Ale już! – I nie zwracając uwagi na natręta podprowadził wdowę do złożonej na wózku trumny.

W tym samym czasie Andrzej apelował do zdezorientowanych członków fabrycznej orkiestry:

– Ludzie, komu wy przyszliście zagrać ten ostatni raz? Towarzyszowi czy człowiekowi, koledze z pracy?

Popatrzyli po sobie, a potem, zupełnie ignorując znaki dawane przez Kuźniaka, wszyscy jak jeden mąż ustawili się w czworobok i zaczęli grać. Kondukt ruszył powoli przy dźwiękach „Marsza żałobnego" Chopina.

– Spójrz... tam między grobami... Mietek... – Teresa pociągnęła męża za rękaw. – Jednak przyszedł.

Chłopak wyraźnie nie mógł się zdecydować: podejść do rodziny czy nie? Co tu gadać, dziadek nie był dla niego kimś specjalnie bliskim. Jako dzieciak nie mógł pojąć, czemu nigdy nie miał dla niego dobrego słowa, nie wziął na kolana, nie pogłaskał po głowie. Tak samo oschły był dla jego matki, a swojej jedynej córki, Lidki. Kiedyś stary mu wykrzyczał, że jest szwabskim bękartem. A potem ktoś powiedział Mietkowi, że matka w ostatnich dniach powstania została zgwałcona przez kilku niemieckich żołnierzy i on jest „owocem" tego wydarzenia. Niełatwo było mu żyć z tą świadomością, ale nigdy, w przeciwieństwie do dziadka, nie obwiniał o to matki. Kiedy widział, jak bez słowa przyjmowała złośliwości i docinki ojca, narastała w nim ponura złość. Jednak tym, co ostatecznie przekreśliło jakąkolwiek możliwość porozumienia, były ich poglądy polityczne. Dla starego każdy największy absurd czy podłość, byle poparte autorytetem partii, były usprawiedliwione i słuszne. Krytyczne uwagi wnuka, który zasypywał go przykładami podwójnej moralności, zakłamania i zwykłej nieuczciwości jego towarzyszy, przyjmował niczym świętokradztwo. Krzyk – to był najczęściej stosowany argument w ich sporach. Ale niechęć do dziadka nie miała wpływu na uczucia, jakie żywił do matki i babki. Spojrzał w ich stronę: dreprczące w marcowym błocie i raz po raz otulające się specjalnie na tę okazję pożyczonymi, podszytymi wiatrem płaszczami wydały mu się tak bezradne i zagubione, że przestał się wahać. Kilka kroków i już był przy nich. Lidka nie powiedziała słowa, ale podziękowała synowi czułym spojrzeniem.

Personalny, obserwując niknący w oddali kondukt, nie mógł opanować złości.

– Pogratulować, towarzyszu Kuźniak. Załatwiliście wszystko, że lepiej nie można. – Zerknął na leżące na dachu służbowej warszawy nikomu już niepotrzebne wieńce. – I żebyście wiedzieli, że kosztami za to obciążę was osobiście.

– Jakie tam koszty? – Kuźniak nie wyglądał na zbytnio przejętego. – Podmieni się szarfy i po sprawie. Jutro pogrzeb starego Pitołka z W4. Też zasłużony. Będzie jak znalazł.

★

Prokop skinął na szwagra, żeby podstawił kolejne naczynie. Przez chwilę pracowali w milczeniu: jeden rozlewał mętnawy bimber do przygotowanych butelek, drugi korkował je skręconymi z gazety szpuntami.

– Wpadnie parę groszy. – Cieć pakował butelki do parcianego plecaka, lekceważąc całkowicie podejrzany syk wydobywający się z aparatury bimbrowniczej.

– Edziu, mówię ci, to kiedyś tak pierdyknie, że koniec balu, panno Lalu! – zaniepokoił się szwagier.

– Zaraz uszczelnię – uspokoił go, sięgając po klucz francuski. – Ja u marszałka Spychalskiego na daczy całą instalację gazową montowałem. Dla mnie taki cycek to małe piwo przed śniadaniem.

Mężczyzna popatrzył na brata swojej żony z politowaniem.

– Komu ty wstawiasz takie gadki? Mnie? – W tym momencie spod zbyt silnie przykręconej mutry buchnął strumień gorącej pary. – Zostaw, bo dokumentnie roz-pieprzysz. Prawdziwa z ciebie złota rączka. Fachowiec! Zna się na wszystkim: od bideta do Bizeta! – prychnął wzgardliwie i polecił: – Chwytaj za plecak i targamy pierwszą partię do mojego auta.

Gdyby ktoś usłyszał, z jaką dumą powiedział: „do mojego auta", mógłby przypuścić, że jest właścicielem co najmniej mercedesa. Tymczasem na podwórku stały zapar-kowane tylko dwa samochody: pokryta łatami szpachli wiekowa syrenka i nowiusieńki fiat 125, wokół którego zgromadziło się kilkoro lokatorów.

– Prawda, jakie cudo? – Halina Wrotkowa z dumą gładziła lakier.

– Piękny – z nabożnym podziwem przyznała Jasińska.

– A błyszczy...

29

Bawolika i Lermaszewskich bardziej interesowały szczegóły techniczne: ile wyciąga, jak wiele pali na setkę? Ze skromnym uśmiechem, ale w duszy dumny jak paw, Mundek udzielał wyjaśnień.

Z piwnicy wyszli Prokop ze szwagrem, uginając się pod ciężarem kilkudziesięciu butelek z bimbrem. Dozorca natychmiast zauważył nowiutki samochód. „Specjalnie kłują mnie w oczy – pomyślał wściekły. – No, nic, jeszcze dobiorę się im do skóry. Przekonamy się, czyje będzie na wierzchu!" Kupno przez jednego z podległych mu lokatorów nowego samochodu uznał za wyzwanie i osobistą obrazę.

– O, kur..! – zaaferowany potknął się o krawężnik. Sekunda i plecak wymknął mu się z rąk. Usłyszał dźwięk pękającego szkła, a po chwili chodnikiem popłynęła struga intensywnie pachnącego płynu.

Lokatorzy nie starali się ukryć rozbawienia.

– Perfumy lepsze jak od Diora – Wrotek ostentacyjnie zatykał nos. – Teraz już wiem, dlaczego w sklepach drożdży brakuje. Z czego ten bimberek, z kartofli czy cukru? – zapytał konfidencjonalnie.

Prokop nie odpowiedział. Pośpiesznie wepchnął ociekający alkoholem plecak do bagażnika i mruknął do szwagra:

– Ale nam poszło… Jak kurwie w deszcz. Teraz dopiero będą mieli na mnie haka.

A na uniwersytecie wrzało. Wszyscy – wykładowcy, studenci – zdawali sobie sprawę, że zawieszenie socjologii i filozofii to nie koniec restrykcji. Pantoflową pocztą dowiadywali się, że to tego, to tamtego wzywano do Pałacu Mostowskich, ale poza nielicznymi wyjątkami nie znany był klucz, według którego wręczane były te „zaproszenia". Na polonistyce też szumiało od plotek. Dzisiaj na przykład

dziekan polecił stawić się przed swym obliczem ulubieńcowi
młodzieży – adiunktowi doktorowi Łukaszowi Zbożnemu.

– Czego od niego chce? – Gosia nerwowo dreptała
przed gabinetem dziekana.

A ten czytał Zbożnemu:

– „... szósty Kaliński, siódmy Stec, ósma Kosmala".
Czy to pańska grupa?

– Zgadza się. To najlepsi studenci, jakich miałem.
Wszyscy zdają na piątki.

– Przykro mi – dziekan bezradnie rozłożył ręce. – Mają
być relegowani. Najprawdopodobniej chłopców czeka
wojsko.

– Ale oni są naprawdę dobrzy!

– Wiem, próbowałem przemówić w ich sprawie, ale
rektor jest nieugięty.

– Nic się nie da zrobić? – nalegał Zbożny.

Znów rozłożenie rąk.

– Raczej nie. Chyba...

– Chyba że co...? – poderwał się Łukasz.

– Chyba że ujawnią autora tej, nawiasem mówiąc,
okropnej literacko „polit-operetki".

Dalsza rozmowa nie miała sensu. Nie bawiąc się w cere-
giele pożegnania, adiunkt ruszył do drzwi, zamykając je
może nieco zbyt głośno jak na przyjęte zwyczaje. Nie
oglądając się za siebie, wybiegł na dziedziniec. Przed
biblioteką dogoniła go Gosia. Nie zatrzymał się, więc
w biegu pytała:

– Relegowani?!

– Tak. Wszyscy, których wzywano na przesłuchania.

– A dlaczego mnie nikt nie przesłuchiwał? Czy ja
jestem gorsza od innych?

Nie mógł powstrzymać się od lekkiej kpiny:

– Przeciwnie, jesteś lepsza.

31

– Aha, nietykalna! Bo tatuś sekretarz?! – Tak bardzo zależało jej na szacunku i sympatii Zbożnego, a tymczasem... Zastanawiała się przez chwilę, po czym oświadczyła: – Panie doktorze, ja się zgłoszę, powiem, że to ja napisałam. Mnie nic nie zrobią. Przynajmniej choć raz na coś przyda mi się ojciec.

Tak była przejęta wydarzeniami tego dnia, że całkowicie zapomniała, iż przed godziną właśnie tu, przed biblioteką, miała się spotkać z Mietkiem. Chłopak czekał cierpliwie, lecz teraz wcale nie był zachwycony, widząc, jak zarumieniona dziewczyna skacze wokół wykładowcy. „Kocha się w nim?" – pomyślał z niepokojem i postąpił w ich kierunku.

Łukasz natychmiast rozpoznał studenta. To jego przyprowadziła mała Lejczerówna na ich pechowy występ. Zakładając, że chłopak słyszał przynajmniej część ich rozmowy, zaapelował:

– Niech pan postara się wybić Małgosi z głowy te szalone pomysły.

Nie ustępowała:

– Proszę mi pozwolić, bardzo proszę! Pan już swoją cenę dawno zapłacił!

Zbożny westchnął tyleż wzruszony, co zmartwiony:

– I co ja najlepszego narobiłem. Zamiast trzeźwych pozytywistów wychowałem nowe pokolenie romantyków. – Skinął młodym głową i oddalił się w stronę Pałacu Kazimierzowskiego.

Gosia chciała biec za nim, przekonywać, ale Mietek schwycił ją za rękę i pociągnął do bramy. Opierała się przez chwilę, wreszcie jednak dała za wygraną.

– Mam nadzieję, że ten Zbożny to dobry poeta – powiedział pozornie bez związku.

– Nie rozumiem?

– Mówią, że prawdziwi poeci umierają młodo.

– Tak źle mu życzysz?

– Jeśli flirtuje z tobą, to owszem!

Roześmiała się i przyśpieszyła kroku. Nie widziała, że Zbożny łukiem zawrócił do gmachu polonistyki i po chwili pukał do drzwi gabinetu dziekana. Ten, nieco zdziwiony, podniósł głowę znad papierów.

– Zapomniał pan o czymś, kolego?

Łukasz potwierdził. Sprzeniewierzyłby się samemu sobie, gdyby dopuścił, by jego wychowankowie odpowiadali za błędy, które sam popełnił.

Gosia i Mietek zawędrowali do Łazienek. Chłopak nie miał zbyt wiele pieniędzy, ale na dwie kawy nawet z ciastkiem powinno starczyć. Był przekonany, że przy kawie łatwiej mu będzie zadać nurtujące go od wielu dni pytanie. Wreszcie zebrał się na odwagę:

– Kochasz się w nim?

Uśmiechnęła się kokieteryjnie i zadeklamowała:

– „Dziś dla miłości nie róże, lecz osty! Nie masz już dla niej łatwych dróg i prostych..."

– Znów cytat ze Zbożnego? – mruknął daleki od zachwytu.

– Pomyłka – odpowiedziała z przekorą. – Tym razem z Jasnorzewskiej-Pawlikowskiej.

Nie była to odpowiedź wprost, miał jednak nadzieję, że odczytał ją właściwie. Trochę nieporadnie wyciągnął z kieszeni małą czerwoną rękawiczkę, położył na stoliku i delikatnie nakrył ręką. Czekał... Po chwili poczuł na swojej dłoni lekko zaciskające się palce Gosi.

„Czego ten facet chce ode mnie" – zastanawiał się Talar, kiedy przy wejściu do fabryki przywitał go sympatycznie wyglądający blondyn, pytając:

– Jak się sprawuje fiacik, panie Andrzeju?

– Czy my się znamy? – Mimo wysiłków nie mógł skojarzyć twarzy tego człowieka z żadnym nazwiskiem ani sytuacją. A jednak było w nieznajomym coś, co bez sprzeciwu kazało mu podążyć za nim do pomieszczeń zakładowej straży przemysłowej. Bardziej zaciekawiony niż zaniepokojony obserwował, jak tamten podchodzi do potężnej kasy pancernej, przegląda papiery, a wreszcie rzuca na biurko kilka fotografii. Na jednej z nich bez trudu rozpoznał siebie w towarzystwie Jurka Korna i efektownej, piersiastej Włoszki. Na tle Fontanny di Trevi obaj panowie obejmowali dziewczynę więcej niż serdecznie.

– Jak pan widzi, wiemy o panu to i owo... – mężczyzna znacząco zawiesił głos. – Tak, Włochy to bardzo interesujący kraj. N a s również... I gdyby pan chciał, moglibyśmy wzajemnie bardzo sobie pomóc.

Talar dosłownie zbaraniał. Jakich „nas"?! Chociaż zaczynał się domyślać, jaką instytucję reprezentuje nieznajomy, nie rozumiał, czego chce akurat od niego. Przecież jest zwykłym inżynierem, a nie szpiegiem! Postanowił przerwać tę idiotyczną rozmowę. Wymówił się koniecznością natychmiastowego stawienia się u dyrektora. Kiedy jednak usiłował wstać z krzesła, blondyn powstrzymał go gestem.

– Jest do obsadzenia etat w biurze radcy handlowego w Rzymie – kusił.

– Daj pan spokój, a co ja mam z handlem wspólnego?

– N a m w zupełności wystarczy, że ma pan tam różne znajomości, a po pewnym przeszkoleniu zorientowałby się pan, co n a s z ich zbrojeniówki interesuje. To jak? Występujemy o paszporciki tym razem dla całej rodziny?

– Blondyn najwyraźniej uważał, że jego oferta nie zostanie odrzucona.

– Ale... ale mój starszy syn nie może przerwać szkoły...
– Andrzej rozpaczliwie szukał argumentów, które pozwoliłyby mu nie drażniąc tajniaka wycofać się z głupiej sytuacji. – Zresztą ja odpowiadam za montaż pierwszej serii fiata 125.

Nie zdawał sobie sprawy, że tamten jest fachowcem i czyta w nim jak w otwartej książce. W ciągu swej kariery spotykał wielu podobnych do siedzącego przed nim inżyniera. Na pozór porządni i niezaangażowani, ale jak ich przycisnąć, zrobią, co się im każe. Na razie nie chciał nalegać zbyt mocno, powiedział tylko z udaną troską:

– Na pana miejscu cieszyłbym się, że mimo wszystko okazujemy panu zaufanie.

– O co znów chodzi?

– Cóż, niepotrzebnie wdawał się pan w pogawędki z redaktorem Trojanowskim z „Wolnej Europy".

– Ale ja nie wiedziałem, że... że on... – jąkał się Talar. – A w ogóle rozmawialiśmy tylko o sporcie. Górnik Zabrze grał wtedy z Romą... – nagle zreflektował się.

– Skąd pan o tym wie?!

– Podobno inżynier Korn to pański bliski przyjaciel? – zapytał z zafrasowaną miną, a kiedy Andrzej potwierdził, dodał z wrednym uśmieszkiem: – I jak tu ufać przyjaciołom? Radzę wrócić do domu i nad wszystkim spokojnie się zastanowić. A tak przy okazji – przy pańskim fiacie mirafiori to prawdziwa rakieta. Pomyślałbym nad zamianą.

– Spójrz na tę fotografię! – Andrzej, prawie krzycząc, podtykał żonie wyrwane przed chwilą z albumu „włoskie" zdjęcie. – Kogo tu widzisz?!

– No... ciebie i Jurka Korna... Dałbyś już spokój głupstwom, naprawdę jestem zmęczona. – Otworzyła siatkę z zakupami. – Dwie godziny stałam za mięsem i tylko taki ochłap dostałam. Już sama nie wiem, co gotować.

– To nie żaden Korn, ale zwyczajny chwiej! – przerwał jej ostro. – A ten z lewej to też wcale nie twój mąż, tylko kandydat na kapusia!

Patrzyła, jak miota się po kuchni.

– Myśleli, że jak pomachają mirafiori przed nosem i ciepłą posadką we Włoszech, to zaraz mnie kupią?! I kto wie, może mieli rację, bo zamiast po męsku powiedzieć „nie", zacząłem się jąkać, tłumaczyć, wyszukiwać preteksty...

Drzwi do pokoju otworzyły się z hukiem.

– Mamo! Tato! – od progu wołał Kajtek. – Co to znaczy „człowiek tkwiący w zgniliźnie rynsztoka"?!

– Co ty za głupstwa wygadujesz? – zdenerwowała się matka, jednocześnie z przyzwyczajenia napominając: – Tyle razy prosiłam, żebyś nie trzaskał drzwiami.

– To nie są żadne głupstwa! – zaperzył się chłopiec. – Tak w telewizorze powiedział Gomułka. I jeszcze, że taki człowiek ma moralność alfonsa. Co to znaczy „alfonsa"?

Ewa ścisnęła rękami skronie. Może to deszcz, a może zmęczenie, ale od rana pękała jej głowa. Gdyby tylko przez chwilę mogła odpocząć w ciszy. Przysiadła ciężko na kuchennym stołku i patrząc na rozbijające się o szyby krople, powiedziała cicho:

– Potem... o wszystkim porozmawiamy, potem... Teraz tatuś odwiezie cię na angielski. Pada i pada, a ja już nie mam siły do twoich wiecznych przeziębień.

Obydwaj, i ojciec i syn, czuli się w najwyższym stopniu rozczarowani: żeby w taki sposób okazywać im lekceważenie? Jednak o ile młodszy bez dyskusji wycofał się do przedpokoju, o tyle starszy rzucił zgryźliwie:

– Przyznaj wprost, że chciałabyś, żebym się zaprzedał. Mieszkałabyś sobie w Rzymie, jeździła mirafiori, a nie wystawała w kolejkach po byle chabaninę. – Z lekceważeniem wskazał na leżący na stole, a zdobyty z takim trudem kawałek mięsa.

Z żalem patrzyła na zamykające się za mężem drzwi.

Utarczka z Ewą wcale nie poprawiła mu nastroju. Wiedział, że naskoczył na nią właściwie bez powodu, nie miał jednak ochoty wracać do domu i kajać się. Ostatecznie po własnej żonie może się człowiek spodziewać odrobiny zrozumienia. Ale, prawdę powiedziawszy, polityka, o ile nie zahaczała o sklepowe półki, niewiele ją obchodziła. Na ogół zresztą zupełnie mu to nie przeszkadzało, bo podobnie jak ojciec uważał, że miejsce kobiety jest przy dzieciach i rodzinie.

Wycieraczki fiata z trudem zgarniały strugi deszczu. Zastanawiał się, czy czekać na syna w samochodzie, czy wstąpić gdzieś na kawę? Lepiej to drugie. Ostrożnie włączył się do ruchu. Co za pieska pogoda! Nie bez współczucia ogarnął wzrokiem ludzi stłoczonych pod parasolami na przystankach, potem spojrzał w stronę postoju. Tu też czekał spory tłumek. Część kandydatów na pasażerów straciła najwidoczniej nadzieję na pojawienie się taksówki, bo zdesperowani machali na przejeżdżające prywatne samochody, najczęściej bez skutku. On zresztą też nie miał zamiaru nikogo podwozić, ale kiedy zatrzymał się na światłach, w boczną szybę zapukała przemoknięta kobieta.

– Błagam, niech mnie pan podrzuci na Saską Kępę – usłyszał znajomy głos.

– Basia?

Z Hożej na Ateńską, gdzie w Domu Matysiaków przebywał Sergiusz Kazanowicz, nie było daleko, ale zdążył jej opowiedzieć, co mu się dzisiaj przytrafiło. Najbardziej wzburzony był zdradą człowieka, którego do tej pory uważał za przyjaciela.

– Spodziewałabyś się po nim? Ty przecież też znałaś Korna.

Basia nie wydawała się specjalnie zaskoczona.

– Niektórzy ludzie są jak z plasteliny. Na szczęście nie ma obowiązku podawać im ręki – skwitowała krótko.

To była cała j e g o B a s i a sprzed lat; albo czarne, albo białe, nic pośrodku. On miewał różne wahania, pokusy, ale nie ona. Pewnie dlatego w końcu go opuściła dla swojej pierwszej wielkiej miłości – Łukasza Zbożnego. Było – minęło, chociaż żal pozostał.

– Jak to się stało, że to, co kiedyś było ważne, teraz stało się... takie byle jakie? – zadumał się. – Czasami czuję się jak wiejski kundel, który pójdzie za każdym, kto ma w ręku kawałek kiełbasy.

– O czym ty mówisz?! Nigdy nie byłeś żadnym kundlem! – zaprzeczyła gorąco.

– Kiedyś liczył się każdy dzień – ciągnął ze smutkiem – a teraz... wszystko przecieka między palcami...

– Tak nie można – w geście pocieszenia dotknęła dłoni byłego męża. – Masz przecież dom, dzieci...

To lekkie muśnięcie jeszcze silniej pobudziło wspomnienia. Boże, jak on ją kochał! Zdawał sobie sprawę, że nie powinien wracać do przeszłości, ale nie potrafił się powstrzymać.

– Czy ty mnie kiedykolwiek kochałaś? Chociażby przez jeden dzień? – zapytał z jakąś bezsensowną nadzieją.

Milczała skrępowana. Na szczęście dojechali już na miejsce. Andrzej zaparkował przed podjazdem, lecz kiedy zwrócił się w jej stronę, spłoszona, zanim wyskoczyła na deszcz, rozsypała na podłogę fiata całą zawartość torby. Jednym ruchem zgarnęła rozrzucone drobiazgi, skinęła głową i pobiegła do wejścia.

– Zaczekam tu na ciebie! – zawołał.

Nie odwracając głowy odkrzyknęła:

– Nie ma potrzeby! Jestem umówiona z matką!

Ostatnimi czasy Lawinowa bez przerwy czymś się zamartwiała. Ale też powodów jej nie brakowało: najpierw choroba męża, potem próba samobójstwa wieloletniego przyjaciela rodziny – doktora Kazanowicza, kłopoty zięcia na uniwersytecie, a teraz jeszcze i Basia... Pod pretekstem wystawienia recept dla ojca odwiedziła córkę i rozpoczęła śledztwo.

– Na nasze ostatnie spotkanie spóźniłaś się.

– Tak. Byłam u ginekologa – przyznała. Nie było sensu ukrywać dłużej przed bliskimi, że jest w ciąży. I natychmiast uprzedziła spodziewane pytanie: – Nie, Łukasz jeszcze o niczym nie wie. Nie mówiłam mu, bo boję się, że wszystko może się skończyć jak poprzednim razem. Wtedy też miałaś zostać babcią.

– Gdybyś posłuchała lekarzy i doleżała ciążę, nic by się nie stało – przypomniała matka. – Tym razem będziesz ostrożniejsza.

Basia nie wyzbyła się obaw. Była teraz o ładne parę lat starsza.

– Rodzić pierwsze dziecko w tym wieku czy to nie szaleństwo?!

– Mówisz, jakbyś była staruszką! – oburzyła się Lawinowa, jednocześnie czule przytulając córkę. I ona, i mąż od tylu lat bezskutecznie marzyli o wnukach. Tylko że czasy są teraz takie niespokojne... Mimo wszystko uśmiechnęła się pokrzepiająco. – Przekonasz się, wszystko będzie dobrze! – Przez chwilę siedziały w milczeniu. – Aha, żebym nie zapomniała, ojciec prosi o eufilinę.

– Zaraz przepiszę. – Basia sięgnęła do torby po bloczek z receptami i pudełeczko z pieczątką lekarską. Niestety, pieczątka zniknęła bez śladu. „Gdzie ja ją mogłam posiać? – zastanawiała się gorączkowo. – W szpitalu? A może w samochodzie Andrzeja?"

Uniosła głowę, słysząc zgrzyt klucza w zamku. Na pewno Łukasz, a ona zapomniała o kupieniu czegoś do jedzenia. Znów będzie z niej podkpiwał, że miał pecha żeniąc się z najgorszą gospodynią w całej Warszawie! Tym razem jednak nie miał ochoty ani na przekomarzania, ani na jedzenie. Ciężkim krokiem, nawet nie zdejmując ociekającego deszczem płaszcza, przeszedł do pokoju i usiadł przy stole.

– Stało się – obwieścił ponuro. – Zebrała się komisja w mojej sprawie.

– Pewnie to już koniec twojej kariery! – wyrwało się Basi.

– Nie mnie jednego upolują – Łukasz nie miał złudzeń.

– Przyznaj, że sam im to ułatwiłeś. – Chociaż wielokrotnie przysięgała sobie, że nie będzie robić mężowi spóźnionych wyrzutów, tym razem nie mogła się pohamować. – Nieczęsto trafia się zwierzyna, co sama szuka myśliwego.

Wzruszył ramionami. Przecież dokąd mógł, nie ujawniał się! Ale człowiek musi odpowiadać za swoje czyny.

– Wyrzucą cię! – teściowa załamała ręce. „Co teraz będzie, co będzie?! – lamentowała w duchu. – Z czego on utrzyma rodzinę?! A Basia stoi niczym słup soli zamiast

powiedzieć mu o ciąży!" – Powiedz mu wreszcie, dziewczyno! – zażądała.

Zdezorientowany podniósł oczy na żonę.

Tej nocy Ewa postanowiła załagodzić napięcie, jakie
od kilku dni było między nią a Andrzejem. Ubrana
w nylonową, prześwitującą koszulkę zakręciła się przed
lustrem. „Ciągle jeszcze mogę się podobać – pomyślała
zadowolona. Dwie ciąże nie zaszkodziły wcale jej figurze. – Jeszcze tylko odrobina perfum..." – Przechyliła
ozdobny flakonik, ale nie wypłynęła z niego nawet jedna
kropelka.

– A tak je lubiłam – powiedziała zalotnie, przysiada-
jąc na łóżku obok męża. – Te perfumy to był twój
najpiękniejszy prezent z Włoch. A wiesz dlaczego? Bo
nazywały się „Zapach miłości". – Pochyliła się nad nim
kusząco.

W ciemności, bardziej z przyzwyczajenia niż autentycz-
nej chęci, Andrzej poddał się woli żony. Kiedy się wreszcie
rozdzielili, Ewa z czułością, ale i wdzięcznością pocałowała
męża w ramię. W takich chwilach czuła, że rzeczywiście
stanowią jedność. „On chyba też..." – pomyślała i, żeby
się upewnić, zajrzała mu w oczy. Leżący tuż obok
i błądzący nieobecnym wzrokiem po suficie mężczyzna
wydał się jej daleki i obcy.

– O czym myślisz? – spytała z lękiem.

Nawet na nią nie spojrzał, a po sekundzie sam zadał
pytanie:

– Co się w życiu naprawdę liczy?

To beznadziejne... Dalsze oszukiwanie siebie byłoby
głupotą. Jest jej mężem, ojcem jej dzieci, ale nie należy do
niej. Tłumiąc napływające do oczu łzy, wyszeptała:

41

– Czy ty mnie w ogóle kiedykolwiek kochałeś?

Niedzielny ranek także nie przyniósł Ewie ukojenia. Na próżno tłumaczyła sobie, że ponosi ją wyobraźnia. Kiedy, sprzątając samochód, znalazła pieczątkę z nadrukiem: „Doktor Barbara Lawina-Zbożna. Internista", już wiedziała: Andrzej ciągle spotyka się z tamtą! Musiałaby być ostatnią idiotką, gdyby uwierzyła w jego tłumaczenia, że to była tylko kwestia przypadku, jednorazowe podwiezienie eksżony! I te jej zdjęcia od tylu lat przechowywane w biurku! Ale dosyć już tego! Zdecydowanym ruchem wyciągnęła szufladę i z wściekłością zaczęła rwać na strzępy fotografie znienawidzonej rywalki.

Tej wiosny Mietek wkuwał jak szalony. Chciał jak najszybciej mieć wszystkie egzaminy z głowy, żeby bez przeszkód móc spotykać się z Gosią. Gdy o niej myślał, nie mógł powstrzymać ciepłego uśmiechu. Takie małe blond chuchro w ogromnych okularach, a nie wiedzieć kiedy okręciła go sobie wokół palca. Nie zawsze jednak wszystko między nimi dobrze się układało. Czasami wydawało mu się, że dziewczyna w pełni odwzajemnia jego uczucia, a raptem wyrastał mur nie do przebycia. Zupełnie jakby nie miała do niego zaufania. Nic to, w końcu przecież będzie musiała mu uwierzyć! Podniósł głowę znad skryptów i z nadzieją zerknął na milczący telefon. Może zadzwoni?...

I rzeczywiście. Z trudem opanował się, żeby nie wyrwać matce słuchawki z ręki, a kiedy powiedziała, że to Gosia, jednym susem znalazł się przy aparacie. Nawet nie zauważył, że matka dyskretnie opuściła pokój.

– Mów głośniej! Nic nie słyszę! – Hałas z tamtej strony prawie zagłuszał słowa dziewczyny, zrozumiał jednak, że dzwoni z lotniska na Okęciu. – Co ty tam robisz?!

– Okęcie to miejsce, z którego na ogół odlatuje się w świat – głos Gosi to się przybliżał, to znów oddalał.

– Dopiero teraz do ciebie dzwonię, bo nie chciałam cię martwić...

„Nie chciała go martwić?! Też coś! Był wprost nieprzytomny ze zdenerwowania! Ona nie może wyjechać! Nie teraz... nigdy!"

– Nie zrobisz mi tego! – wrzasnął do słuchawki.

– Czekaj na mnie! Zaraz tam będę! – Wcale nie zwrócił uwagi na stojącą w przedpokoju przerażoną matkę, wyszarpnął z szuflady biurka czerwoną rękawiczkę i wypadł na schody.

Chociaż Gosia starannie zaplanowała scenę pożegnania z Mietkiem, teraz obserwując, jak wyskakuje z taksówki i roztrącając ludzi przedziera się w kierunku hali odlotów, nie czuła się zbyt pewnie. Czy czasem nie przesadziła? Trudno, raz nareszcie musi mieć pewność! – utwierdziła się w poprzednio podjętej decyzji. Z udaną beztroską ruszyła naprzeciwko chłopaka, ale kiedy stanęła z nim twarzą w twarz, przestraszyła się. To wcale nie był miły i łagodny kolega, którego do tej pory znała. W furii schwycił ją za ramiona.

– Co to wszystko ma znaczyć?!

Starała się nie okazywać lęku.

– Wyjeżdżam na stypendium do Londynu. Ojciec to załatwił. Chce, żebym była jak najdalej od wszystkiego, w co się tu wplątałam.

Potrząsnął nią.

– Tego się można było spodziewać! Panience się znudziło?! Panienka ucieka?!

Był taki groźny i... i wspaniały, że cichutko i bezradnie szepnęła:

– Kiedyś przecież wrócę...

43

To „kiedyś" przechyliło czarę goryczy. Chce, niech jedzie, on na pewno nie będzie jej zatrzymywał! I żeby nawet ślad tu po niej nie został! Wyciągnął z kieszeni wiatrówki czerwoną rękawiczkę i rzucił pod stopy dziewczyny. Nie miał jej nic więcej do powiedzenia. Odwrócił się i ruszył w kierunku wyjścia. Gosia przez chwilę stała nieruchomo. Nie tak to sobie wyobrażała. Nie spodziewała się aż tak gwałtownej reakcji Mietka. Ale skoro tak się wściekł, chyba musi mu na niej naprawdę zależeć! Porwała leżącą na ziemi rękawiczkę i puściła się w pogoń.

– Mietek! Poczekaj, proszę!

Długo nie reagował, lecz wreszcie zatrzymał się.

– Czego chcesz? – burknął niechętnie.

– Proszę, weź ją z powrotem. – Wyciągnęła dłoń z rękawiczką.

– Po co mi ona? – Chciał odejść, nie patrzeć dłużej w te ogromne, a jak się okazało, tak fałszywe oczy. Musiał jej jednak coś powiedzieć: – Raz w życiu uwierzyłem, że mam kogoś naprawdę tylko dla siebie. Byłaś pierwszą, którą... – nie miał siły skończyć.

– Którą co...?

Naleganie w jej głosie wydało mu się czymś z gruntu nieprzyzwoitym. Zabaweczkę sobie z niego zrobiła! Jak chce wiedzieć, co on o tym myśli, to się dowie!

– Wiesz, co ci powiem?! To, co ze mną zrobiłaś, nazywa się... k u r e w s t w o!

Wszystkiego mógł się spodziewać, tylko nie rozświetlonej twarzy dziewczyny i zdumionego pytania:

– To ty mnie naprawdę kochasz? Mietek! – chwyciła go za rękaw wiatrówki. – Tak się rzeczywiście mogło stać! Ojciec załatwia mi stypendium zagraniczne. A ja... ja chciałam... nie, musiałam się przekonać, czy tobie naprawdę na mnie zależy!

– To ty nie wyjeżdżasz? – ciągle jeszcze nie był pewny, co jest prawdą, a co grą. Gdyby nie miała takiej radosnej, triumfującej miny, nic pewnie by się nie wydarzyło. A tak ręka Mietka uniosła się i wymierzyła dziewczynie siarczysty policzek. Aż się zachwiała i okulary spadły jej z nosa. Oboje się schylili, żeby je podnieść, i jak podczas pierwszego spotkania pod pomnikiem Mickiewicza stuknęli się głowami. Tym razem temu zderzeniu nie towarzyszył wybuch śmiechu.

– Aż tak mnie kochasz? – mrużąc krótkowzroczne oczy Gosia wpatrywała się z napięciem w klęczącego obok niej chłopaka.

Nie odpowiedział, tylko przyciągnął ją do siebie. Nie obchodziło go, ile osób im się przygląda. Musiał, koniecznie musiał, natychmiast ją pocałować...

Kiedy wreszcie oprzytomnieli na tyle, by zauważyć, że tarasują przejście wózkom bagażowym, Mietek podniósł dziewczynę, objął i prowadząc w stronę pobliskiego przystanku autobusowego, podzielił się niepokojem:

– Dzisiaj to była próba, ale co zrobisz, kiedy ojciec naprawdę będzie chciał cię gdzieś wysłać?

– Po prostu mu powiem, że nie jestem zainteresowana, bo wychodzę za mąż.

Niestety rozmowa z ojcem nie była ani tak łatwa, ani tak prosta, jak się Gosi początkowo wydawało. Rozparty w stylowym fotelu Lejczer nie przyjmował do wiadomości żadnych argumentów.

– Ty chyba oszalałaś?! Dla chłopaka chcesz zrezygnować z wyjazdu do Londynu?!

Nie miała zamiaru ustępować. Tu chodzi o jej uczucia i jej życie! Przyjrzała się ojcu krytycznie: siedział nadęty, wszystkowiedzący, za bogato rzeźbionym biurkiem, zaciskając dłonie na służącej za przycisk statuetce Lenina. No tak, wyglądał dokładnie na tego, kim był – przywykłym do bezwzględnego posłuszeństwa działaczem partyjnym najwyższego szczebla.

– Czy ty nigdy nikogo nie kochałeś? – zapytała wreszcie.

– Oczywiście oprócz towarzysza Włodzimierza Iljicza?

Nie znosił u niej tego sarkastycznego tonu, ale znał ją na tyle, iż wiedział, że na każdy przymus zareaguje gwałtownym sprzeciwem. Zaczął więc pojednawczo:

– Może się chociaż dowiem, kim jest ten szczęśliwy wybraniec?

Pociągnęła ojca do okna.

– To on! – wskazała dreptczącego pod domem chłopaka i dodała z dumą: – Kończy germanistykę i to z wyróżnieniem.

– Co to za rodzina?

– Klasowo w porządku, jeśli o to ci chodzi – zapewniła z ironią.

Nie pozwolił wyprowadzić się z równowagi.

– Chyba ma jakieś imię, nazwisko, adres?

– Czyżbyśmy już wypełniali ankietę personalną zięcia? – udawała, że nie zależy jej na zdaniu ojca, ale w gruncie rzeczy marzyła, żeby zaakceptował chłopaka. Bez dalszych wygłupów wyjaśniła rzeczowo: – Nazywa się Mieczysław Pocięgło, zamieszkały w Warszawie, ulica Złota 25. Bezpartyjny, wichrzyciel – nie mogła sobie darować, zaraz jednak potulnie spytała: – To jak, mam go zawołać?

Westchnął pozornie zrezygnowany:

– No trudno, Gąsiorku, miłość jest jak choroba... – popatrzył na wybiegającą córkę i już sam do siebie dodał: – Czasami trzeba z niej leczyć... A poza tym ja też cię kocham.

46

Już zdecydował. Na szczęście miał możliwości, żeby uchronić własne dziecko przed skutkami głupoty. Otworzył notes z telefonami i po chwili ostrym głosem zażądał:

– WKR-Śródmieście? Dajcie mi natychmiast majora Rozmusa! – a kiedy usłyszał, że oficer jest zajęty, huknął: – Gówno mnie obchodzi wasza odprawa! Tu mówi Lejczer z KC.

Ta mała wiolonczelistka

– Od lewego, skokami naprzód! Padnij! Czołgać się!
– poprzez maski przeciwgazowe do ubłoconych, umęczonych żołnierzy z trudem docierał głos podoficera. Jeden z ćwiczących na moment uchylił ryj maski, co zostało skwitowane kopnięciem w zelówki butów czołgającego się delikwenta i wrzaskiem: – Był atak gazowy czy nie?! Już byłbyś na cmentarzu!

Wszystko, co się wokół niego działo od kilkunastu dni, przypominało Mietkowi Pocięgle koszmarny sen. Jednego dnia plany wspólnych wakacji z Gosią, następnego wezwanie do wojska, a teraz poligon i wyżywający się na studentach-poborowych plutonowy.

– Na tor przeszkód! Bieeegiem marsz!

Poderwał się, żeby wykonać rozkaz, ale zmęczone mięśnie odmówiły posłuszeństwa. W pełnym uzbrojeniu ciężko runął na ziemię. Natychmiast na wysokości jego twarzy pojawiły się buty przełożonego.

– No, jak? Na pewno chce się wam pić, co? – zapytał z udaną troską.

– Tak jest, obywatelu plutonowy!

Wokół nich w nadziei na chwilowy chociażby odpoczynek zaczęli się gromadzić pozostali żołnierze. Plutonowy przyglądał się im z uwagą.

– Wody się zachciało?! – I niespodziewanie zaniósł się gromkim śmiechem, jakby za chwilę miał powiedzieć znakomity dowcip. – Jak chcecie wody, to se narysujcie! Ha, ha, ha...

Wpatrywali się w niego bez słowa.

Gosia obserwowała z okna podjeżdżający służbowy samochód ojca. Patrzyła, jak wysiada, mija prężącego się żołnierza ochrony, i zastanawiała się, co do niego czuje? Nienawiść? Pogardę? Kto mu dał prawo dla swojego widzimisię manipulować życiem innych? Ściskała kurczowo w dłoni list od Mietka. Dlaczego ojciec tak postąpił?! Czy on w ogóle ma sumienie?! W każdym razie, kiedy wszedł, sprawiał wrażenie bardzo z siebie zadowolonego. Już od drzwi oświadczył z dumą:

– Gąsiorku! Chodź no mi podziękować! – A ponieważ ciągle stała w miejscu, sam do niej podszedł i jedną ręką wskazując swój policzek, a drugą wręczając kopertę z angielskim nadrukiem, upomniał się: – Pocałować ojca w nagrodę. Jesteś już przyjęta na Oksford! – Brak reakcji ze strony córki trochę go zaniepokoił, lecz mimo to powtórzył: – Nie podziękujesz, Gąsiorku?

Przyglądała się ojcu, jakby widziała go pierwszy raz w życiu. Wstydziła się za niego! Mój Boże, jak bardzo się wstydziła! Nagle to luksusowe mieszkanie w alei Róż, luksusowe meble, a wreszcie i sam ojciec, wszystko wydało się jej w najwyższym stopniu obrzydliwe. I coś w niej pękło! Gwałtownym ruchem wyrwała mu list z Oksfordu i z pasją zaczęła rwać na strzępy. Potem podetknęła mu pod nos wymiętą kartkę z poligonu.

– Najpierw ci podziękuję za to, że tak troskliwie zająłeś się Mietkiem. Napisał, że to na specjalną prośbę towarzysza sekretarza skierowali go na karny poligon!

49

„Co za idiota wygadał?" – pomyślał trochę zmieszany. Nie to, żeby uważał, że postąpił niewłaściwie, ale będzie musiał znosić dąsy Gosi.

– Gąsiorku, ja przecież dla twojego dobra... – zaczął pojednawczo.

– Wiem! – przerwała ostro. – Żeby mnie przed nim ochronić! Żeby ocalić moją cnotę dla kogoś bardziej ideologicznie odpowiedniego! – Nie zaprzeczył. Ruszyła w kierunku drzwi i już z ręką na klamce rzuciła przez ramię: – Tym razem się przeliczyłeś! Osiągnąłeś coś wręcz odwrotnego!

Nie wiedziała, czy uda się jej zobaczyć z Mietkiem, gdy po awanturze z ojcem zdecydowała się pojechać na mazurski poligon. Mimo wszystko postanowiła zaryzykować. Włożyła ulubioną sukienkę chłopaka w kolorowe kwiaty, długie jasne włosy związała w koński ogon i tak uzbrojona ruszyła piaszczystą, leśną drogą w kierunku, gdzie – jak ją poinformowano – żołnierze rozbili namioty. Chociaż bardzo zdenerwowana, nie mogła nie dostrzec urody otaczającego ją krajobrazu: soczysta zieleń mieszanego lasu, wysokie paprocie, prześwitujące między drzewami niedalekie jezioro, a przede wszystkim zapach nagrzanej słońcem ziemi. „Wymarzone miejsce na wakacje" – pomyślała i wtedy dobiegł ją z naprzeciwka niezbyt równy, ale za to donośny śpiew kilkunastu męskich głosów:

... Przyjedź, mamo, na przysięgę,
Zaproszenie wysłał szef,
Syn ci wyrósł na potęgę...

Już byli w zasięgu jej wzroku, lecz z tej odległości nie rozpoznawała jeszcze twarzy. Plutonowy, kiedy spostrzegł młodą i cholernie ładną dziewczynę, dumnie wyprężył pierś i raźno polecił podkomendnym:

– Oddział! Wesolutko!

Przystanęła na skraju drogi i z napięciem wpatrywała się w maszerującego w trzeciej czwórce chłopaka. Mietek czy nie Mietek? W tym momencie żołnierz podniósł wzrok i... Tak, to był on!

Przez chwilę stał nieruchomo, dosłownie jakby go wmurowało w ziemię ze zdumienia, po czym roztrącając kolegów zaczął się przepychać w jej kierunku. Podbiegła mu naprzeciwko i po sekundzie już była w jego ramionach. Wtuliła się w niego całym ciałem ani nie słysząc pełnych aplauzu braw kolegów chłopaka, ani nie widząc zbaraniałej i mało życzliwej miny podoficera.

Gdyby to od plutonowego zależało, jego podopieczny o przepustce nie miałby co marzyć. Na szczęście oficer dyżurny nie był aż tak zasadniczy. Z nieukrywaną przyjemnością objął dziewczynę wzrokiem i wyznał z melancholią:

– Ja też jestem człowiekiem. I mężczyzną, niestety. – Popukał znacząco w zegarek i dodał: – Macie czas tylko do capstrzyku. Cztery godziny na miłość musi wam wystarczyć.

Objęci, wędrowali polnymi ścieżkami, byle dalej od ludzi, byle nie przepadła ani minuta darowanego czasu.

– Gdyby wiedzieli, czyją jesteś córką, może by nam dali czas do świtu? – Przystanęli na opustoszałym pomoście. Tylko gdzieś z daleka dobiegały głosy dokazujących w jeziorze dzieci.

Gosia zarzuciła mu ręce na szyję i cicho powiedziała:

– Przepraszam cię za ojca.

– Do diabła z nim! – Nie miał wcale ochoty rozmawiać o Lejczerze. W każdym razie nie teraz. – Ostatecznie mógłbym być mu nawet wdzięczny. Gdyby nie on, nie doszłoby do naszego dzisiejszego spotkania.

Zdjęła okulary i przymknęła oczy w oczekiwaniu pocałunku. A gdy znalazł się tuż-tuż przy jej ustach, wtuliła twarz w jego ramię i trochę zawstydzona wyszeptała:

– Wiesz, chciałabym stąd wyjechać inna, niż przyjechałam...

Nie od razu zrozumiał znaczenie tego, co powiedziała, ale kiedy dotarło to do niego, zalała go fala ogromnej czułości i miłości. Łagodnie, jakby była kruchym i cennym przedmiotem, przytulił ją do siebie, objął ramieniem i poprowadził w głąb lasu.

Obserwowała spod oka, jak rozkłada wojskową kurtkę na leśnej polance. Podjęła decyzję, lecz teraz zwyczajnie obleciał ją strach. Co będzie, jeżeli rozczaruje Mietka? Nie miała zbyt wielu doświadczeń z chłopakami: kilkanaście pocałunków, drobne, ukradkowe pieszczoty. Uśmiechnęła się niepewnie, kiedy ujął ją za rękę i podprowadził w stronę zaimprowizowanego łoża.

– Zgasiłbyś chociaż słońce – westchnęła.

Leciutko muskał ustami jej szyję.

– Wystarczy, że zamkniesz oczy, a stanie się noc – wymruczał, jedną ręką sięgając do piersi, a drugą do kurczowo zaciśniętych kolan dziewczyny. – Nie bój się, kochana, postaram się, żeby było ci dobrze...

Trzask łamanych pod czyimiś stopami gałęzi zabrzmiał dla obojga niczym wystrzał karabinowy. Zerwali się na równe nogi. Gosia nerwowo wygładzała sukienkę, gdy z lasu, wprost na nich, wyłoniło się dwóch chłopców, najwyżej dziesięciolatków, w harcerskich mundurkach. Nawet nie zarejestrowali ich obecności, wpatrując się z przejęciem w kompas.

Usłyszeli cienki głosik:

– Musisz dokładnie trzymać się azymutu! – polecił wyższy. I zniknęli.

Zniknął również nastrój. Speszona dziewczyna bała się spojrzeć na Mietka. Była przekonana, że musi być wściekły, kiedy jednak ujrzała jego rozbawione oczy, uśmiechnęła się również. Przy nim nic złego nie mogło jej spotkać. Zgodnie ruszyli przed siebie.

Upalny letni dzień powoli chylił się ku zachodowi. Jeszcze w lesie, ale tuż obok malutkiej wioski natknęli się na dziki ogród, sprawiający wrażenie całkiem opuszczonego. Przez połamane sztachety płotu przedostali się do środka, nawet jednak nie zdążyli przysiąść, gdy niespodziewanie pojawiły się pszczoły. Wirowały wokół głowy dziewczyny, a ona przestraszona oganiała się rękami.

– Oj, niedobrze, panienko! – zza krzaków wyszedł dziwacznie przyodziany starszy mężczyzna. W ogromnym kapeluszu i siatce ochronnej na twarzy sprawiał dość niesamowite wrażenie, lecz jego głos wcale nie brzmiał groźnie. – U nas zwyczaj jest taki: para przed ślubem musi przejść przez rój. Jak panny młodej pszczoła nie użądli – znaczy, że dziewica.

Zauważyła, że Mietek przygląda się jej z dobrotliwą kpiną. Czyżby nie wierzył?... Udowodni mu! Dumnie uniosła brodę i z determinacją ruszyła naprzeciw owadom. Nie wiadomo, ile prawdy było w bajaniach pszczelarza, ale bez jednego ukąszenia dotarła na drugą stronę pasieki, gdzie czekał na nią rozczulony chłopak z szeroko rozpostartymi ramionami.

Czas płynął nieubłaganie, a oni ciągle nie mieli miejsca, gdzie mogliby być sami.

Wkrótce dotarli do pustego o tej porze kościółka na skraju wioski. Zawahali się... Dziewczyna przecząco pokręciła głową.

– Nie, nie wypada.

I wtedy spostrzegli ukrytą za wiekowymi dębami dzwonnicę. Lekko uchylone drzwi zdawały się gościnnie zapraszać do wnętrza. Mietek pociągnął Gosię za sobą.

– Wiele jest dróg, lecz serce zna najkrótszą... – wyrecytowała wspinając się po drewnianych skrzypiących schodach.

– Norwid? – zapytał, a kiedy zaprzeczyła, zgadywał dalej: – Różewicz? – Znów nie trafił, więc rzucił kolejne, tym razem niemiłe sobie nazwisko: – Pewnie doktor Łukasz Zbożny?

Uśmiechnęła się z czułością wobec słyszalnych w jego głosie nutek zazdrości. – Tym razem to ja sama. Od siebie. Dla ciebie.

Zapragnął się jej odwzajemnić tysiącem najpiękniejszych wyznań, ale nie w tej chwili. Później będzie czas na słowa. Teraz nareszcie miało się stać to, do czego oboje tak wytrwale dążyli.

Było już całkiem ciemno, gdy odgarnął jej włosy z czoła i wprost do ucha wyszeptał:

– Teraz byś już nie mogła bezpiecznie przejść przez pasiekę...

Wszyscy na Złotej byli oburzeni, kiedy dowiedzieli się, że Heniowi Lermaszewskiemu kazali zabrać ojca ze szpitala już następnego dnia po operacji. Żeby tak człowieka jak psa... na bruk?! Bawolikowa, wpatrując się w czarno-biały ekran nowiutkiego ametysta, na którym przewijały się sceny entuzjastycznego powitania czołgów wojsk Układu Warszawskiego wkraczających do Pragi czeskiej, bez trudu skojarzyła te dwa fakty.

– Mówię ci, Kostek, to dlatego robią wolne miejsca w szpitalach – zwróciła się do męża wyklinającego pod nosem „internacjonalistyczną braterską pomoc". – Nie trzeba by czasem cukru i mąki kupić na zapas? Zniecierpliwiony machnął ręką w kierunku telewizora.

– A bo to się od nich dowiesz, czy jest akurat dzień czy noc? Trzeba będzie dzisiaj „Wolnej Europy" posłuchać.

Z podwórka dobiegł ich dźwięk klaksonu. Bawolik rzucił się do okna, a kiedy zobaczył parkującego na podwórku volkswagena Lermaszewskich, porwał jedno ze stojących przy stole krzeseł i wybiegł, żeby zgodnie z umową pomóc w transporcie chorego. Chęć pomocy zadeklarował także Prokop, którego z Heńkiem łączyły różne, niekoniecznie legalne interesy. Wspólnymi siłami wyciągnęli sąsiada z samochodu, usadzili na krześle i zaczęli taszczyć w kierunku klatki schodowej.

– Pan, panie Edziu, weźmie z dołu, ja z góry, a ty, Kostek, ubezpieczaj tatusia! – zarządził Heniek. Z trudem zaczęli się wspinać po stromych schodach, a każdy ich krok stary Lermaszewski kwitował głośnym jękiem i lamentowaniem, że na stare lata inwalidą zostanie. – I w porządku – Heniek nie wyglądał na specjalnie przejętego kwękaniem ojca. – Jako ofiarę Czechosłowacji zapiszemy tatusia do ZBoWiD-u i zniżki na pociąg będą, jak znalazł.

– A tak po prawdzie to Czechom się należało – wtrącił swoje trzy grosze Prokop. – Po kiego licha podskakiwali? Mieli piwo, parówki, Laterna Magika...

– A co?! Nie podoba się panu, że Dubczekowi zachciało się socjalizmu z ludzką twarzą?! – naskoczył na niego Bawolik.

Dozorca już miał mu się odciąć, ale potknął się tak niefortunnie, że pociągając za sobą chorego, wylądował na podłodze. Wyściełane, na wysoki połysk krzesło od kompletu nie wytrzymało i z trzaskiem rozpadło się na kawałki.

55

Teresa, która na odgłos katastrofy wybiegła z mieszkania, załamała ręce.

– Tego się już za żadne skarby do kupy nie pozbiera. Kompletna ruina!

– E, tam... – Heniek był optymistą. – Tatuś nie takie rzeczy przetrzymał. Najwyżej się go jeszcze raz poskleja.

– Ja mówię o krześle – fuknęła rozeźlona. – Bez stolarza się nie obejdzie.

– Na co tu stolarz? – dozorca w żadnej sytuacji nie tracił dobrego samopoczucia i wiary we własne umiejętności. – Dla mnie skleić to małe piwo przed śniadaniem. – A ponieważ Bawolikowa zignorowała jego ofertę i zajęła się zbieraniem pozostałości mebla, schylił się nad Lermaszewskim, ale Heniek odsunął go zdecydowanym gestem. Do czegokolwiek by się cieciulo zabrał, wszystko spieprzy. A co jak co, ale tatusia wolał mieć młody Lermaszewski w jednym kawałku.

Basia Zbożna długo nie mogła się zdecydować, by zwrócić się do byłego męża z prośbą o pomoc. Sytuacja jednak z dnia na dzień stawała się coraz gorsza. Łukasza w trybie natychmiastowym wyrzucono z uniwersytetu, a widoki na znalezienie jakiejkolwiek pracy wyglądały gorzej niż beznadziejnie. Dawni znajomi w najlepszym razie ze współczuciem poklepywali go po ramieniu, a w najgorszym nie poznawali ich obydwojga na ulicy. Zaczynała być naprawdę przestraszona. Z czego będą żyć? Tak niedawno jeszcze upragniona ciąża stała się kolejnym powodem obaw. A Łukasz coraz bardziej gorzkniał i zamykał się w sobie.

Wreszcie zebrała się na odwagę. Weszła do brudnej, odrapanej budki w pobliżu uniwersytetu i wykręciła numer mieszkania Talarów.

Miała pecha. Telefon odebrała żona Andrzeja. Nie lubiła Zbożnej, a ta dobrze o tym wiedziała. W głosie Talarowej nie dało się wyczuć nawet cienia życzliwości, przekazała jednak słuchawkę mężowi.

– Posłuchaj! – Basia mówiła gorączkowo. – Musisz mi pomóc! Łukasza wyrzucili z uczelni! Jeśli masz jeszcze kontakt z Poznańskim, może mógłbyś go prosić...

Nie umiał jej odmówić, a poza tym, chociaż wiedział, że Ewa najprawdopodobniej urządzi mu scenę – zwyczajnie nie chciał. I nie pomylił się. Ledwie połączenie zostało przerwane, żona stanęła przed nim w oskarżycielskiej pozie.

– Zaczynam mieć tego wszystkiego dosyć! Wybierz w końcu, ja czy ona?! – Z obrażoną miną wyszła z pokoju, głośno zamykając drzwi.

„Te jej wieczne urojenia..." – pomyślał zniecierpliwiony. Może powinien pójść za nią, wyjaśnić, jednak zrezygnował. Przejdzie jej. Wolał nie odkładać wizyty u pułkownika. Nie widzieli się od czasu marcowej mszy za duszę matki Andrzeja, ale też poza wspomnieniami niewiele ich łączyło. Chyba lepiej by było telefonicznie umówić się na spotkanie? Wykręcił numer raz i drugi, ale odpowiedziała mu cisza.

Gdy dotarł do alei Róż, natychmiast zrozumiał, że zjawił się nie w porę. Zdezorientowany rozglądał się po obszernym mieszkaniu. Zrolowany i obwiązany sznurkiem dywan, pościągane ze ścian obrazy, kartony z książkami, pootwierane walizy – wszystko mówiło o bliskiej przeprowadzce. A przed Talarem stał nie tak jak do niedawna energiczny i pewny siebie wysoki oficer Urzędu Bezpieczeństwa, lecz stary, sterany życiem człowiek.

– Ja nie zmieniam mieszkania, chłopcze – wyjaśnił ponuro. – Ja zmieniam kraj.

– Chce pan wyjechać z Polski? – Andrzej nie posiadał się ze zdumienia.

– Nie tyle chce, ile musi – z goryczą wtrąciła Poznańska.

– Polecono mu, żeby się samookreślił.

– Czyżbyś nie czytał ostatniego przemówienia naszego przywódcy? – zakpił pułkownik i w charakterystyczny sposób modulując głos, zacytował: – „Nie czyni się żadnych przeszkód obywatelom polskim narodowości żydowskiej w przeniesieniu się do Izraela, jeśli tego pragną".

– A pan pragnie?

Poznański opuścił głowę.

– Nie. Ale widzisz, mój drogi, jesteś pierwszy, który mnie o to pyta. Innym wystarczyło, że mój ojciec miał na imię Baruch, a nie, na przykład, Bartłomiej.

Talar kompletnie zgłupiał. Fakt, że pułkownik może być zmuszony do emigracji, nie mieścił mu się w głowie. Okazuje się, że ani przynależność do partii, ani wysokie stanowisko w UB nie są w stanie, jak co do czego przyjdzie, uchronić przed złym losem. Natychmiast zawstydził się tych myśli. Przecież Poznański zawsze był życzliwy dla całej ich rodziny i wiele robił, żeby odwdzięczyć się za to, że go ukrywali w czasie wojny. Nie wiedział, co powiedzieć, więc trochę bez sensu spytał:

– A co z pana telefonem?

Pułkownik wzruszył ramionami.

– Wyłączyli już następnego dnia po tym, jak złożyliśmy podania o paszporty. Masz, obejrzyj sobie. – Sięgnął do leżącej na pianinie teczki i wyciągnął lśniący nowością dokument. – Widzisz, co tu jest napisane: „Posiadacz niniejszego dokumentu nie jest obywatelem polskim".

Andrzej próbował pocieszać:

– To minie! Musi! Kto, jak nie pan, mnie uczył, że na historię trzeba patrzeć dialektycznie? Do dziś pamiętam: „Rewolucja – parowóz dziejów, chwała jej maszynistom!".

Poznański uśmiechnął się ze smutkiem.

– Parowóz jest w porządku, chłopcze, tylko obecni maszyniści okazali się do dupy.

Tę kwestię Talar pozostawił bez odpowiedzi, chociaż sam coraz częściej zastanawiał się, czy aby ich poprzednicy byli lepsi. Zaproponował pomoc, lecz, jak przypuszczał, spotkał się z odmową. W tym momencie rozległ się dzwonek. Po chwili Poznańska wprowadziła mężczyznę, który przyszedł w sprawie kupna fortepianu. Andrzej wyszedł. Nie miał tu czego szukać.

Lidka i Gosia też miały swoje zmartwienia: od kilkunastu dni Mietek nie odezwał się nawet jednym słowem. Spodziewały się, że przyjedzie do Warszawy na przepustkę, a tu ani jego, ani nawet listu.

– Proszę pani, ja muszę się z nim spotkać! – żarliwie przekonywała Gosia, tak jakby matka chłopaka mogła jej w czymś pomóc.

– A co ja mogę, moje dziecko? – Lidka bezradnie rozłożyła ręce. – Słyszałam, że we wszystkich jednostkach nie pozwalają opuszczać koszar. – Wiadomości, jakie docierały do jej szpitala pantoflową pocztą, napawały ją przerażeniem. Ale po co ma straszyć dziewczynę? Jest jeszcze taka młoda i najwidoczniej bardzo zakochana w Mietku...

Gosia zerknęła na zegarek. Bardzo się śpieszyła, ale poprosiła o kartkę, skreśliła kilka słów i podała Lidce.

– To dla niego zła wiadomość?

Dziewczyna stała z wyciągniętą ręką.

– I dla niego, i dla mnie, proszę pani.

Zapowiedziano już odjazd dodatkowego pociągu relacji Warszawa–Wiedeń, lecz na peronie ciągle kłębiły się tłumy odprowadzających. Po raz ostatni ściskano wyciągnięte z okien wagonów dłonie przymusowych emigrantów, wręczano ostatnie wiązanki kwiatów. Po obu stronach widać było załzawione i wzruszone twarze. Przyjaciele nie zawiedli w trudnej chwili. Wreszcie parowóz ruszył...

Ewa, Andrzej i Leszek Talarowie zapamiętale machali rękami, dopóki twarze Poznańskich nie rozpłynęły się w dali. Pierwszy odwrócił się Leszek i natychmiast szturchnął brata w bok.

– Spójrz!

Od budynków dworcowych biegła Basia, trzymając w ręku bukiet biało-czerwonych goździków. Andrzej szybkim krokiem ruszył w jej stronę.

– Czy ona się wreszcie kiedyś odczepi? – syknęła Ewa.

– Nie znoszę tej baby!

Leszek objął byłą bratową uważnym spojrzeniem.

– Całkiem dobrze się trzyma – powiedział, po czym przeniósł wzrok na aktualną żonę brata i zauważył złośliwie: – Nikt by nie uwierzył, że jest dokładnie w twoim wieku.

Witając się z Andrzejem, Basia patrzyła z żalem za ginącymi w dali wagonami.

– A tak chciałam ich pożegnać...

– Nie żałuj. To było okropne.

– W każdym razie dziękuję ci – łagodnie dotknęła jego dłoni – że starałeś się pomóc. – Milczeli przez chwilę. – Nie wiem, co teraz będzie. Łukasz nie ma nadziei na pracę, a ja... – Kiedy uchwyciła zaniepokojony wzrok byłego męża, opiekuńczym gestem położyła dłoń na brzuchu i zwierzyła się: – Jestem w szóstym miesiącu ciąży. – Nagle z lekka się zatoczyła.

– Co ci jest? Źle się czujesz? – dopytywał się przerażony.

– Chyba za szybko biegłam.

Posadził ją na najbliższej ławce i poprosił:

– Poczekaj tu na mnie, zaraz wrócę i odwiozę cię do domu!

Nie przewidział reakcji Ewy.

– Co?! Ją chcesz odwozić?! – wrzeszczała purpurowa ze złości. – A my?! Zapomniałeś, że zaprosiłeś na kolację brata?! – Nie miał czasu na awanturę. Obiecał, że później wszystko wyjaśni, i odszedł. – Możesz w ogóle nie wracać! – krzyknęła za nim upokorzona, że rywalka po raz kolejny odniosła nad nią zwycięstwo.

Nie kryjąc satysfakcji, Leszek skwitował:

– Talarów nie utrzymasz na smyczy...

Przez całą drogę na Złotą nie odezwała się do szwagra ani słowem, a ledwie znaleźli się w mieszkaniu, wyciągnęła z pawlacza walizkę i bez ładu i składu zaczęła wrzucać do niej swoje rzeczy. Leszek przez chwilę obserwował ją w milczeniu, a wreszcie powiedział ostro:

– Na twoim miejscu dałbym sobie z tym spokój!

– A co?! Mam może przyglądać się, jak twój kochany braciszek lepi się do tej... tej...! – zmełła przekleństwo w ustach.

Podszedł bliżej, próbując wyszarpnąć jej walizkę.

– I co?! Zostawisz dom, dzieci? – A ponieważ nie ustępowała, zagroził: – Nie wyjdziesz stąd albo...

– Albo co?! – prowokacyjnie ujęła się pod boki.

– Albo mu powiem, że jest nie tylko moim bratem, ale też i szwagrem. – Roześmiał się z triumfem, widząc, że siada na tapczanie, pozbawiona siły do dalszej walki.

Naprawdę była przerażona. Tyle już lat trzymał ją w szachu, ale nigdy nie posunął się do otwartego szantażu.

Zawsze to były aluzje, niedomówienia, tak że mogła udawać nawet przed sobą, że tamta noc nigdy nie miała miejsca.

– Nie zrobisz tego, nie możesz! – uspokajała samą siebie.

Z nagle ujawnioną nienawiścią spojrzał jej prosto w oczy.

– A niby dlaczego nie? A ty miałaś litość?! Przypomnij sobie Bronka! Zasługujesz na to! Za wszystkich Talarów!

– I nie oglądając się ani na nią, ani na stojącego w progu, rozbudzonego krzykami Kajtka, wybiegł trzaskając drzwiami.

Z trudem tłumiąc szloch Ewa objęła wystraszonego synka i zaprowadziła do łóżeczka. Głaskała go po główce i gorączkowo zastanawiała się, co teraz powinna zrobić? Kiedy chłopczyk usnął, cichutko prześliznęła się do kuchni, wyrwała kartkę z zeszytu i zaczęła pisać.

Już prawie od dwóch dni Andrzej miotał się po domu z uczuciem całkowitej bezsilności. Co się tu wydarzyło?! Kiedy wrócił tamtego wieczoru, nie zastał w mieszkaniu ani żony, ani brata, tylko śpiących w łóżeczkach synów i list na biurku. Ewa pisała, że nie jest mu potrzebna, więc odchodzi i prosi, żeby nigdy jej nie szukał.

„Nie jest potrzebna?!" Dobre sobie! W głowie aż mu huczało od nieustannych kłótni chłopców, problemów z gotowaniem, zmywaniem, zakupami. Ona nie jest potrzebna?! A w ogóle to nie miał pojęcia, w jaki sposób radziła sobie ze wszystkim. Nieprzytomny ze zdenerwowania krążył po pokoju. Gdzie ona może być?! Dzwonił już we wszystkie możliwe miejsca: matka Ewy nie odbierała telefonu, nie widział jej nikt ze znajomych, a na milicji i w pogotowiu też nie uzyskał żadnych informacji. Może Leszek miałby jakiś pomysł? Nie lubili się z Ewą, to prawda, ale przecież chyba w takiej sytuacji pomocy nie odmówi! Tak, niezwłocznie powinien pojechać do brata! Poprosi tylko Halinę Wrotkową, żeby popilnowała chłopców, i rusza.

– Zaraz wracam! – zawołał usiłując przekrzyczeć bawiących się w Indian synów. – Idę na chwilę do ciotki Haliny i wuja Mundka!

Z podwórza dobiegł go jakiś hałas. Odruchowo wyjrzał przez okno. Tragarze wyładowywali potężną ciężarówkę opatrzoną napisem „E. Węgiełek". Z widoczną wprawą ściągali teraz z bagażnika pianino, czemu przyglądali się elegancka kobieta z burzą rudych włosów na głowie, smukła nastolatka i starszy dystyngowany pan. Nie brakowało także Prokopa z nieodłącznym papierosem w ustach. Kiedy tylko instrument znalazł się na ziemi, cieć z wrodzoną sobie bezczelnością uniósł jego wieko i jednym palcem zaczął wystukiwać jakąś niesłyszalną dla Andrzeja melodyjkę. Wtedy ruda pani podeszła do dozorcy, odsunęła jego rękę i ostentacyjnie zamknęła pianino na klucz. „Aha, pewnie nowi lokatorzy" – pomyślał Andrzej bez specjalnego zainteresowania. Miał dosyć własnych spraw.

Wrotkowa błyskawicznie zagospodarowała się w kuchni Talarów. Jednym ruchem włożyła do zlewu brudne naczynia, nastawiła wodę na herbatę i zaczęła przygotowywać kolację. Cały czas jednak pilnie nasłuchiwała, o czym w pokoju rozmawiają mężczyźni.

– Nie przejmuj się, na pewno wróci – pocieszał Andrzeja Mundek.

Z nożem w ręku stanęła na progu.

– A może ty kogoś masz? – zapytała, nieufna wobec całego gatunku męskiego.

Tylko wzruszył ramionami, a Wrotek w jego imieniu rzucił złośliwie:

– Dla celniczki każdy mężczyzna ukrywa cudzołóstwo jak podróżny walutę.

Groźnie pomachała w kierunku męża nożem.

– A kto was tam wie…? Wszyscy jesteście dobrzy! Dla was najcenniejszy mebel to cudze łóżko! – Gdyby to o jej chłopa chodziło, nie miałaby żadnych wątpliwości, ale Talar nie wygląda na takiego, co ugania się za spódniczkami. Co też tej Ewce odbiło?! – A do teściowej dzwoniłeś? – spytała jeszcze.

– Bez przerwy, ale tam nikt nie odbiera telefonu.

Gdy zabrzmiał dzwonek do drzwi, Kajtek i Krzysio wypadli do przedpokoju z radosnym okrzykiem:

– Mama, mama wróciła!

Andrzej nie robił sobie złudzeń. Zresztą Ewa miała przecież klucze.

I rzeczywiście nie była to ona. W drzwiach stała kobieta, którą niedawno widział na podwórku. Prawdziwa dama – ocenił mimo woli. Piękne rude włosy, nieco znoszony, ale doskonale skrojony jesienny kostium, dyskretny zapach perfum…

– Dobry wieczór. Nazywam się Martyna Stroynowska – przedstawiła się.

Wrotkowa, słysząc kobiecy głos, wsunęła głowę do przedpokoju i bezceremonialnie wgapiała się w nieznajomą.

– Zajmuję lokal obok państwa, a ponieważ będę udzielała lekcji muzyki, chciałam zapytać, czy to nie będzie państwu wadzić? – Jej głos był tak samo wytworny jak wygląd.

– Ależ skąd! – pośpiesznie zapewnił Talar.

– W takim razie dziękuję za tolerancję tak rzadką w naszych czasach i z góry przepraszam za wszelkie niedogodności. – Z lekkim skinieniem głowy wycofała się do swego mieszkania.

Halina zanosiła się od śmiechu:

– Ale ma damulka teksty!

– Trochę dziwna – zgodził się Andrzej. – Mimo to robi dobre wrażenie. Takich się już dzisiaj nie spotyka.

– Bo dzisiaj wszystko jest inne – melancholijnie skwitował Mundek i nie powstrzymał się, żeby nie dociąć żonie: – Dzisiaj nawet riki-tiki-tak stało się obowiązkiem, choć kiedyś było przyjemnością.

Z kuchni doleciał brzęk tłuczonych naczyń. Rzucili się w tamtą stronę. Na podłodze walały się resztki talerzy, a znad tego pobojowiska obaj chłopcy ze ścierkami w dłoniach niepewnie zerkali na ojca. Pierwszy nie wytrzymał Krzysio. Wygiął usta w podkówkę i z trudem hamując łzy, wyjąkał:

– Chcieliśmy pomóc, bo może wtedy mama by wróciła...

Andrzej bez słowa mocno przytulił synów.

– Jadę już. Postaram się wrócić przed nocą. – Porwał kurtkę z wieszaka i wybiegł. Halina krzyknęła za nim, parodiując nową lokatorkę:

– Niech pan w spokoju udaje się w podróż! Z przyjemnością zaopiekuję się pańskim uroczym potomstwem! I może mi pan z góry podziękować za życzliwość!

Stroynowska istotnie zachowywała się dziwnie. Pierwsze, co zrobiła po powrocie do domu, to wyłączyła brzęczyk dzwonka. Kiedy napotkała współczujący, ale pełen zrozumienia wzrok starszego pana, swego wuja, szepnęła cicho:

– On tu idzie. Widziałam przez okno na klatce schodowej.

Alfred Bizanc spojrzał w stronę pokoju.

– A Beatka?

Podążyła za nim wzrokiem. Krótko obcięte włosy smagłej nastolatki wirowały wraz z właścicielką w szaleńczym

65

walcu. Martyna ze wzruszeniem zarejestrowała wyraz szczęścia malujący się na mizernej twarzyczce córki. „Jaka ona śliczna – pomyślała – i jaka podobna do Jana... Trudno – zdecydowała – dzisiaj Beata nie zobaczy się z ojcem". Bardziej wyczuła, niż usłyszała, że intruz jest już przy drzwiach.

– Mamo! – radośnie zawołała dziewczyna. – Spójrz, ile tu miejsca! Nareszcie i ja będę mogła urządzić ubaw! Po tamtej norze to prawdziwy pałac! – Z rozpostartymi rękoma okręciła się wokół własnej osi.

Tymczasem na schodach jej ojciec raz po raz naciskał przycisk dzwonka. Bezskutecznie. Próbował pukać, ale też bez rezultatu. Sam nie wiedział, co robić: odejść czy dobijać się aż do skutku... Z dołu ktoś nadchodził.

– Pan do Stroynowskiej? – z ciekawością zaczepił obcego Prokop. – Powinna być w domu – dodał nie pytany.

– Tak, do żony – potwierdził smagły, szpakowaty, przystojny mężczyzna.

– Do żony? – powtórzył dozorca. Aż do tej chwili był przekonany, że mężem nowej lokatorki jest ten stary. – To może by kluczyk dorobić? Dla mnie to małe piwo przed śniadaniem – zaproponował węsząc okazję dodatkowego zarobku, ale zaraz się zreflektował: – Tylko... tylko że pan tu nie meldowany...

Borowski uśmiechnął się porozumiewawczo. Sięgnął do kieszeni, wyciągnął zmięty banknot dwudziestozłotowy i dyskretnie wsunął do kieszeni Prokopa.

– Na dobry początek. Pewnie nieraz będziemy się spotykali... – Podniósł rękę i z całej siły zapukał.

Za drzwiami dał się słyszeć jakiś ruch. Po chwili szczęknął zamek i dobiegł go głos córki:

– Mamo, dlaczego nie otwierasz?! Mówiłam ci, że tata przyjdzie. – Jeszcze sekunda i dziewczynka zawisła mu na szyi. Z czułością ucałował ją w czubek głowy, ale kiedy spróbował w podobny sposób przywitać się z żoną, ta odsunęła się zdecydowanie.

– Po co właściwie przyszedłeś? – spytała chłodno.

– Nic mi się za to wszystko nie należy? – gestem wskazał wnętrze przestronnego mieszkania, zastawionego zniszczonymi, lecz autentycznymi antykami.

Nie widziała powodów, dla jakich miałaby mu okazywać specjalną wdzięczność. Ostatecznie to był obowiązek wobec córki.

– Jeszcze rok w tej dziurze na Pradze, a Beata zapadłaby na gruźlicę. I wiesz co? Zawrzyjmy umowę: będziesz tu zaglądał, kiedy ja pozwolę – zakończyła twardo.

Tuż za Warszawą Andrzej zmienił decyzję. Zanim pojedzie do brata, podskoczy do Skierniewic, do teściowej. Kiedy parkował przed niewielkim domkiem na przedmieściach miasta, w jednym z okien uchyliła się zasłonka. Zajęty zamykaniem auta, nie zauważył Ewy, która na jego widok z przestrachem odskoczyła w głąb pokoju.

– Mamo – prosiła błagalnie. – Powiedz mu, że mnie nie ma!

Starsza pani z troską pokręciła głową, ale ustąpiła. Wyszła na ganek, starannie zamykając za sobą drzwi.

– Jej tu nie ma! – uprzedziła pytanie zięcia.

– Ale ja muszę... – nalegał.

– Naprawdę jej nie ma – powtórzyła, po czym niespodziewanie dla samej siebie wyrzuciła z pretensją: – Co takiego zrobił jej twój brat?

Zacisnął pięści. A więc to Leszek, to jego wina! Bez słowa odwrócił się na pięcie i ruszył z powrotem. Po chwili samochód odjechał z piskiem opon.

Jeśli ktoś naprawdę dobrze nie znał Leszka Talara, nigdy by się nie domyślił, że jest w parszywym humorze. Miał uczucie, że tym razem zdecydowanie przesadził w dokuczaniu nie lubianej bratowej, ale stało się. Na przyszłość będzie miała nauczkę, żeby z nim nie zadzierać.

Najmłodszy z braci Talarów na ogół w stosunkach z ludźmi był oschły, żeby nie powiedzieć nieprzyjemny, ale kiedy miał do czynienia z końmi, stawał się zupełnie innym człowiekiem.

„Że zwierzaki są tak za nim, to zrozumiałe, ale co w nim widzą baby? – nie bez pewnej zawiści zastanawiał się stajenny, który pracował z Leszkiem od początku jego pobytu w stadninie. – Ta dzisiejsza też mało na niego nie wlezie – zerknął w stronę ogniska, gdzie rozłożysta blondyna wtulała się w objęcia zootechnika. – On nimi pomiata i traktuje niczym ostatnie dziwki, a one na niego lecą? No, ale po prawdzie, gdzie tam babie do konia!" – zdecydował i powlókł się w stronę stajen.

Dzień świętego Huberta powoli dobiegał końca. Jeszcze wiejscy muzykanci przygrywali najbardziej wytrwałym tancerzom, jednak większość uczestników biesiady zmęczona wielogodzinną pogonią za lisem oraz ilością wypitego alkoholu rozłożyła się wokół ognia.

Dziewczyna, która w tym roku wygrała wyścig, w rytm rzewnej melodii cygańskiego romansu prowokacyjnie kręcąc biodrami, ciasno przywarła do upolowanego lisa, czyli Leszka Talara.

– Obiecałeś mi coś pokazać – zagruchała zmysłowo.

Odsunął ją na dystans ręki. Z ironicznie wykrzywionymi wargami taksująco ocenił jej twarz, kołyszące się pod elegancką, teraz już niezbyt świeżą bluzką obfite piersi, po czym pociągnął dziewczynę w stronę bielejących w mroku stajni.

Gdyby koń, do którego ją przyprowadził, był najpiękniejszą kobietą świata, wątpliwe, czy Leszek okazywałby jej tyle czułości i przywiązania. Delikatnie gładził pysk jabłkowitego zwierzęcia, z uczuciem przytulał policzek do jego miękkich chrap.

Dziewczyna zbliżyła się do boksu.

– To tego konia chcą ci zabrać na konserwy? – powtórzyła zasłyszaną od stajennych plotkę.

– Nie waż się tak przy nim mówić! – krzyknął. – Berdyszek wszystko rozumie.

Nie chciała się kłócić.

– Co mu jest? – zainteresowała się fachowo. – Ochwat?

– Gorzej. Zerwanie ścięgna. – Znowu przytulił twarz do pyska ulubieńca i zapewnił go z czułością: – Nic się nie bój... Nikomu cię nie oddam. – A widząc niedowierzanie w oczach dziewczyny, wyjaśnił: – Wykupię go! Żeby miały pójść na to trzy moje pensje, Berdyszek do rzeźni nie pójdzie! Za nic! To jedyne stworzenie na ziemi, które mnie kocha.

Roześmiała się. Ten facet był stuknięty!

– Nie wierzysz?! – zaperzył się. – Otwórz boks!

Zrobiła, co kazał. Wyprowadził kulejącego konia i polecił dziewczynie:

– A teraz spróbuj mnie uderzyć. No, podnieś na mnie rękę! – ponaglił, kiedy się ociągała.

To, co się teraz wydarzyło, nie trwało dłużej niż kilkanaście sekund: zaciśnięta w górze pięść amazonki, wściekłe rżenie Berdyszka, końskie kopyta zawieszone tuż nad jej głową, odskok dziewczyny do tyłu, uspokajający gest Leszka i po chwili wszystko wróciło do normy.

– No i co? – nie ukrywał satysfakcji. – Czy jest jakiś przyjaciel, który by cię tak bronił? Jest jakaś panienka, która by tak umiała kochać?

„To wariat – myślała oszołomiona, ale także zafascynowana. – To nawet może być całkiem interesujące".

Kusząco wypięła piersi do przodu, przeciągnęła językiem po pełnych ustach i mruknęła wyzywająco:

– Jeśli chcesz, możesz się przekonać...

W pierwszej chwili wydawało się jej, że dostała kosza, bowiem mężczyzna, ledwo na nią spojrzawszy, ujął boczny pasek tranzelki, odprowadził Berdyszka do boksu i starannie zamknął za nim drzwi. Potem jednak, ciągle bez słowa, zbliżył się do dziewczyny i lekko ją popchnął do podręcznego magazynu z sianem.

I on, i ona wiedzieli, że to polowanie tak się właśnie skończy, ale zwyciężczyni zaskoczona była gwałtownością, z jaką rzucił się na nią upolowany lis.

„Wszystkie są siebie warte!" – po raz kolejny upewnił się Leszek, ostro nacierając na ciało dziewczyny.

Przypominali raczej zmagających się zapaśników niż czułych kochanków.

Pierwszą spotkaną przez Andrzeja osobą po przyjeździe do stadniny był zaprzyjaźniony z jego bratem masztalerz. Kiedy jednak zapytał o Leszka, mężczyzna wyraźnie się zmieszał.

– Ooo, pan magister to... to na delegacji... Po nowego ogiera pojechał – fantazjował naprędce. – Dobrze będzie, jak się do północy wyrobi.

Talar wahał się: czekać czy wracać?

– Pan Leszek w robocie to szybki jest – z dwuznacznym uśmieszkiem zapewnił mężczyzna. – Wszystko załatwia galopem. – Nie mógł się powstrzymać, żeby nie zerknąć na stajnie. – Jak mu tylko dadzą, czego chce, natychmiast wróci.

„Zostaję – postanowił Andrzej. – Tej rozmowy nie można odkładać!" Wyciągnął z kieszeni zapasowe klucze do kawalerskiego pokoju brata i pożegnał się ze stajennym.

Strasznie głupio się czuł siedząc w pustym, lecz jakby przepełnionym duchami mieszkaniu brata. Ze wszystkich ścian spoglądały na niego znajome twarze: matki, ojca, Bronka... Na jednej z fotografii trzej młodzi Talarowie stali wpół objęci przed gmachem politechniki: Bronek w mundurze junaka, nieśmiało uśmiechnięty – najmłodszy z nich, Leszek i on sam w zawadiacko przekrzywionej studenckiej czapce. Jacy oni wtedy byli pełni zapału, jak mocno wierzyli, że przyszłość okaże się dla nich jedną wielką, fascynującą przygodą! A dzisiaj? Bronek zginął w idiotyczny sposób, Leszek wydaje się nienawidzić wszystkich dokoła, a on skończył jako samotny ojciec, porzucony przez dwie kolejne żony. „Co się z nami porobiło? Co myśmy porobili ze swoim życiem?" – pomyślał ponuro. Jeszcze raz rozejrzał się po pokoju i dostrzegł we wnęce kuchennej ledwo napoczętą butelkę wódki. „Ach, co tam"... Nalał sobie dobre pół szklanki. Wypił jednym haustem i chociaż wcale nie poczuł się lepiej, powtórzył kurację.

Miał dosyć siedzenia w samotności. Lepiej zrobi, jak zajrzy do stajni, odwiedzi ulubieńca wszystkich Talarów – Berdyszka. Otworzył ciężkie drzwi i zagwizdał melodię, jaką brat zawsze witał swojego pupila. Odpowiedziało mu rżenie konia i podejrzane odgłosy dobiegające ze składu paszy. Po chwili wyłonił się stamtąd Leszek,

71

w pośpiechu dopinając koszulę. Andrzej wściekły ruszył mu na spotkanie.

– Coś ty jej powiedział?! – krzyknął nieco bełkotliwie. Wypity na pusty żołądek alkohol dawał znać o sobie. Ale umysł miał jasny, przeraźliwie jasny!

Leszek ruszył do wyjścia. Chciał uwolnić dziewczynę ciągle jeszcze uwięzioną w składziku, ale Andrzej zastąpił mu drogę.

– Pytam, coś ty jej powiedział?! – powtórzył ostro.

– Ewie?! – głos młodszego brata pełen był lekceważenia i nie ukrywanej pogardy. – Zawsze była żmiją! Zresztą jak wszystkie baby! Każda prędzej czy później zostawi cię na lodzie!

Andrzej przyjrzał się mu z uwagą:

– A co ty wiesz o kobietach? – zapytał.

– A co ty wiesz o niej? – Leszek odpowiedział z ironią.

Stali naprzeciwko siebie niczym dwa koguty przygotowujące się do walki.

– Wiem przede wszystkim jedno: jest matką moich dzieci – niespodziewanie spokojnie oświadczył starszy.

– To żmija! – Młodszy był przepełniony nienawiścią.

– No i co się tak gapisz?! Zapomniałeś już, przez kogo przepadł Bronek?! A matkę kto wygnał z domu?! Cwana gapa! Mama wygrała syrenkę, a słodka Ewunia ją cap-carap dla siebie! – próbował wyminąć brata, lecz Andrzej złapał go za rękaw koszuli.

– Uważaj, co mówisz! Bo syrenkę to ty od niej wyłudziłeś, kiedy ja byłem w Turynie!

Leszek roześmiał się z politowaniem.

– Tak ci powiedziała?! A ty oczywiście uwierzyłeś?!

– Uwierzyłem, bo ona nigdy nie kłamie. Ewa nie ma przede mną tajemnic!

Leszek przez mgnienie oka walczył z pokusą: uświadomić brata czy dalej milczeć? Wreszcie nienawiść do bratowej zwyciężyła. Niech się dowie, niech sam się przekona, jakie z jego rozkosznej żonusi ziółko!

– A czy przypadkiem też ci powiedziała, że tamtej nocy, cośmy ojca odwieźli do szpitala, ze mną spała?

– zapytał jadowicie.

– Kłamiesz! Kłamiesz! – nieprzytomny ze złości Andrzej potrząsał nim jak workiem.

– Faktów nie da się zmienić.

Andrzejowi huczało w głowie. To nie może być prawda! To kolejna intryga Leszka, żeby skłócić go z żoną! Chwycił brata za ramię i powlókł do samochodu.

– Przekonamy się, czy potrafisz powiedzieć jej to w oczy!

Do młodszego z Talarów dopiero teraz dotarło, co zrobił. Jednak za późno było, by cokolwiek cofnąć. Jeszcze próbował wyrwać się z uścisku brata, ale na próżno.

– Oszalałeś?! Nigdzie nie pojedziesz! Jesteś pijany!

– krzyczał.

Starszy nie odpowiedział, tylko cisnął nim o siedzenie i zapalając silnik, powtórzył głucho:

– Przekonamy się...

Leszek z przerażeniem wpatrywał się w strzałkę szybkościomierza: praktycznie nie schodziła poniżej setki. W ponurym milczeniu Andrzej raz po raz wyprzedzał chłopskie furmanki, motory, rowerzystów. Po kolejnym takim manewrze, kiedy fiat wylądował na przeciwległym pasie ruchu, Leszek nie wytrzymał:

– Zamieńmy się miejscami. Lepiej będzie, jak ja poprowadzę, ty jesteś pijany!

W odpowiedzi Andrzej tylko docisnął mocniej pedał gazu. Szybkościomierz pokazywał już prawie sto dwadzieścia kilometrów na godzinę. Nagle, nie wiadomo skąd, pojawił się przed maską samochodu nie oświetlony rower.

73

Andrzej zadziałał instynktownie: ostry skręt kierownicy, hamulce i zbliżające się w zawrotnym tempie obsadzone drzewami pobocze... Brzęk pękających szyb, uczucie, że leci gdzieś do przodu i wreszcie... cisza.

Kiedy z największym trudem uchylił powieki, zobaczył nad sobą rozdygotaną twarz żony. Mówiła coś, ale jej słowa z trudem do niego docierały.

– Pamiętaj, to Leszek prowadził, nie ty!

Nie bardzo rozumiał, o co jej chodzi. „Leszek?... Prowadził?...” Powoli odzyskiwał świadomość: prawda, wiózł brata samochodem... Potem te coraz bliższe drzewa... To musiał być wypadek!

– Co... co z nim? – wydusił z trudem.

– Niedobrze.

Usiłował się podnieść z ceratowej leżanki, ale nie miał siły. Jęknął tylko:

– On musi żyć... musi... To wszystko moja wina...

– Ciii... – ostrzegła go Ewa.

Do ambulatorium wkroczył milicjant z drogówki. Chciał ustalić, który z braci w chwili wypadku siedział za kierownicą. Byłby się przyznał, lecz żona nie dopuściła go do głosu. Ujęła trochę zaskoczonego funkcjonariusza pod ramię i trajkocząc, że mąż jest w szoku i nie może rozmawiać, a ona doskonale wie, iż samochód prowadził szwagier, wyprowadziła go z pokoju.

Leszek ciągle nie odzyskiwał świadomości. Ewa zaglądała do niego co chwila. W którymś momencie zauważyła, że lekko drgnęły mu powieki. Rozejrzała się dokoła, czy aby nikt jej nie obserwuje, i pochyliła się nad rannym.

– Leszek, poznajesz mnie? – szepnęła mu do ucha.

Kurczowe zaciśnięcie powiek stanowiło rodzaj potwierdzenia. – Pamiętasz, jak was zarzuciło? Pamiętasz wypadek?! – Z napięciem wpatrywała się w bladą twarz szwagra. Żadnej reakcji. A przecież musi ją wysłuchać! – Leszek, proszę cię, powiedz, że to ty prowadziłeś – błagała cicho. – Tobie nic nie grozi. Pobierali ci krew i nie wykryli alkoholu. – Zdesperowana uniosła jego bezwładną dłoń i zaczęła obsypywać pocałunkami. – Proszę... Bardzo cię proszę...

Ale i tym razem nie doczekała się odpowiedzi.

Martyna Stroynowska, jej córka Beata Borowska oraz brat matki – były hrabia Alfred Bizanc – powoli zadomawiali się na Złotej. Wymieniali już ukłony z większością lokatorów, ale najbliższe stosunki nawiązali z dozorcą, który wtargnął w ich życie niczym burza. Wywiercał niezbędne otwory, wbijał kołki, przesuwał meble, przede wszystkim zaś gadał, gadał, gadał. Alfred Bizanc starał się te tyrady puszczać mimo uszu, lecz nie zawsze było to możliwe. Najchętniej schowałby się przed Prokopem choćby w mysiej dziurze, niestety cieć – nawet na moment spuszczony z oka – beztrosko knocił większość robót. A teraz przymierzał się do zawieszenia ciężkiego, barokowego lustra, będącego w posiadaniu ich rodziny od wielu pokoleń.

– Skąd pan takie cudo wyszabrował? Z ziem wyzyskanych? – zarechotał Prokop dumny z dowcipu.

– Raczej z utraconych – z niezmąconym spokojem odparł Bizanc i nagle zaniepokoił się: – Jest pan pewny, że ten hak utrzyma lustro?

– Panie, jak ta rączka dotknie się do czegoś, to mur-beton! – puszył się przed wytwornym panem. – Ja jestem taki brat łata do wszystkiego. Czy hydraulika, czy elektryka, murarka, stolarka – to wszystko dla mnie małe piwo przed śniadaniem! Jak u Cyrankiewicza raz w alei Róż bidet odbiło, to sama pani Andrycz po mnie dzwoniła – bujał bez zmrużenia oka. – Bo ja jestem fachura, wszystko zrobię – od bideta do Bizeta! Cała sztuka, żeby wiedzieć, jak mocno przykręcić śrubę.

– Z taką filozofią doskonale by się pan sprawdził w KC – zakpił Bizanc, lecz Prokop przyjął jego słowa jako wyraz uznania.

– Ażeby pan wiedział! Dla mnie KC czy WC to za jedno: małe piwo przed śniadaniem. – Otrzepał ręce. – No, gotowe. – Lustro na ścianie przedpokoju rzeczywiście prezentowało się świetnie.

Pan Alfred, zażenowany nieco, wyciągnął z szafy przedwojenny jeszcze, ale w doskonałym stanie czarny smoking i zaproponował niepewnie:

– A może to by pan przyjął w rozliczeniu za usługę?

Prokop namyślał się chwilę, ale przypomniał sobie, że szwagier szwagra jest kelnerem, więc czemu nie. Jako że obaj mieli podobne wymiary, naciągnął smokingową marynarkę na roboczy kombinezon, przejrzał się w lustrze i oznajmił:

– Jak ulał. – Jeszcze raz z zadowoleniem zerknął na swoje odbicie. – Sam pan powiedz, znajdziesz gdzieś lepszego hrabiego?

Bizanc stanął tuż za nim. I w tym momencie zauważył, że nie dość dokładnie zamocowany kołek z hakiem wysuwa się z muru. Gdyby nie podtrzymał lustra, najpewniej rozbiłoby się na kawałki, a tak skończyło się tylko na ułamaniu fragmentu zabytkowej ramy. Cieć przyjął katastrofę ze stoickim spokojem.

– Pan to ma szczęście. Dobrze, że jestem pod ręką, bo dla mnie to skleić to małe piwo przed śniadaniem. – Pociągnął lustro do siebie, lecz Bizanc nie puszczał. Mocowali się przez chwilę.

Tak ich zastała Stroynowska po powrocie z miasta. Zdenerwowała ją jednak nie tyle szkoda, ile dobiegające z pokoju córki głosy. Beata chichocząc opowiadała o czymś ojcu, a on wtórował jej śmiechem. Nawet nie zdejmując płaszcza pani Martyna wpadła do środka i zaczęła z pretensją:

– Jaka była między nami umowa?! – Nie zwracała uwagi na rozżalone spojrzenie dziewczynki. – Natychmiast idź pomóc wujaszkowi! Bez dyskusji! – ucięła spodziewany protest.

Kiedy zostali sami, Borowski z pozornym spokojem przypomniał żonie:

– Ja chyba słowa dotrzymałem. Obiecałem i załatwiłem wam przydział na mieszkanie. Rozejrzyj się. Nie masz już wspólnej kuchni ani toalety na schodach.

– Załatwiłeś to dla córki! – była nieprzejednana.

– Załatwiłem to dla n a s. Miałem nadzieję, że może teraz pozwolisz mi wrócić.

Nie mogła! To, co Jan robił, było dla niej nie do przyjęcia. Firmować swoim nazwiskiem brednie wypisywane przez dziennikarzy o giętkich sumieniach w tym jego niby to katolickim piśmie?! Nigdy! To tam przeczytała, że odpowiedzialność za Katyń ponoszą Niemcy.

– Gdzie ty żyjesz, kobieto?! – wreszcie udało się jej wyprowadzić go z równowagi. – W Paryżu?! Londynie?! Monachium?! Tu, nad Wisłą! Za naszego życia nigdy się nie da na ten temat powiedzieć prawdy!

– Być może... – z uporem kręciła głową. – Ale można przynajmniej milczeć.

– Żyjecie wieczną iluzją. A teraz trzeba myśleć pragmatycznie – przekonywał. – Ja zrozumiałem, że po Jałcie świat nie jest już taki, jak był. Teraz trzeba ratować, co się da. Na przykład...

Patrzyła na męża wyczekująco.

– Na przykład co?

– Na przykład nasze małżeństwo!

W oczach Martyny pojawił się smutek.

– Kiedyś taki nie byłeś...

– Ten człowiek jest głupszy, niż ustawa przewiduje!
– Alfred dzielił się z cioteczną wnuczką wrażeniami, jakie
wywarła na nim wypowiedź dozorcy, że z wszystkich
książek najbardziej interesujące są trzy: telefoniczna,
meldunkowa i PKO. – Cóż... – dodał jeszcze – miarą
naszej epoki jest wysokość cokołu, na jaki wdrapał się
cham, który sobie wyobraża, że sam jest pomnikiem.

Beata milczała, wpatrując się z napięciem w trzymaną
w ręku pożółkłą już trochę fotografię oprawioną w srebrne
ramki. Przedstawiona na niej siedmioletnia może dziewczynka sprawiała wrażenie miłego dziecka, ale ona nie
czuła do niej sympatii. To wszystko przez nią! To ona
w końcu doprowadzi do rozwodu rodziców! Przeklęta
ciotka Klara, bliźniacza siostra matki! Bizanc bez trudu
czytał jej myśli. Podszedł, zabrał zdjęcie i zaproponował:

– Pozwólmy Martynie znaleźć dla niego miejsce. Wiesz
przecież, jaka to dla niej relikwia.

– Aż za dobrze – burknęła nachmurzona.

– Beata, musisz być dla matki bardziej wyrozumiała
– poprosił. – Zrozum, że bliźniacze siostry to jak awers
i rewers tej samej monety.

Chociaż bezpośrednie zagrożenie życia minęło, stan
Leszka nadal był bardzo zły. Przepełnieni poczuciem winy
i lękiem o niego, Talarowie skorzystali z protekcji byłego

sąsiada, a obecnie sławy ortopedii polskiej Karola Langa i przenieśli go do cieszącego się znakomitą opinią konstancińskiego STOCER-a. Warunki miał tam naprawdę znakomite, ale oczekiwana poprawa nie następowała. Zupełnie jakby Leszek stracił w wypadku wolę życia. Najczęściej leżał nieruchomo, z oczami wbitymi w sufit, a przy każdej wizycie rodziny symulował głęboki sen. Wreszcie Andrzej zdecydował się na rozmowę z Langiem.

– Karol, ty wierzysz, że on stanie jeszcze na nogi?

Lekarz wzruszył ramionami.

– Tylko Chrystus mógł powiedzieć: „Wstań i idź". My w medycynie takich cudów nie potrafimy.

– Nawet taka sława, jak docent Lang? – poparła męża Ewa.

– Ja jestem ortopedą, nie wróżką. – Nienawidził tego typu rozmów z rodzinami pacjentów.

– To przeze mnie! – Talarowa wybuchnęła płaczem. – Gdyby nie moja głupia zazdrość... Gdybym nie odeszła od ciebie... – pociągała nosem.

– Żebyś ty wiedziała, po co ja go do ciebie wiozłem... – przerwał jej mąż. – I ile bym dał za to, żeby wszystko okazało się najzwyklejszym wymysłem Leszka.

Docent nie miał czasu na uczestniczenie w małżeńskich scenach nawet bliskich znajomych. Pokrzepiająco poklepał Andrzeja po ramieniu i pozwolił sobie na lekki żart:

– Wy, Talarowie, przetrzymacie wszystko, nawet socjalizm.

Tego dnia wszystkie zabiegi były mocno opóźnione.

– Na dziecięcy przyjechał teatrzyk kukiełkowy – poinformował Leszka współtowarzysz z pokoju. – Mają dzieciaki choć tyle zabawy... – A ponieważ sąsiad milczał, pogrążył się w lekturze gazety. Tylko przez chwilę studiował ją w ciszy. – Posłuchaj pan! – zawołał pod-ekscytowany. – Znowu Gomułka, Gierek, Cyrankiewicz, Kliszko, Spychalski... A piszą, że podobno nowe biuro polityczne wybrali. A kto tu jest nowy, ja się pytam? Przepraszam – zaniepokoił się z nagła, mylnie inter-pretując uporczywe milczenie współlokatora – bo może pan sam partyjny? Tutaj nie każdy się dostaje. Mnie na ten przykład kosztowało to kopertówę, ale ile, niech pan nie pyta...

– Co jak co, ale język to ma pan zdrowy, panie Należyty! – powiedział stając w drzwiach terapeuta, magister Smolis. – Zabieram panu sąsiada, zanim zagada go pan na śmierć. Pojedziemy założyć sobie garniturek z gipsu – oświadczył wypychając łóżko Leszka na korytarz.

Ula Siekierko, niegdyś ceniona wiolonczelistka Filhar-monii Narodowej, a teraz z łaski zatrudniona w trzyoso-bowej orkiestrze teatru lalkowego, z trudem dobrnęła do końca przedstawienia. Tak bardzo potrzebowała się napić! Kiedy tylko rączki małych widzów złożyły się do oklas-ków, zerwała się z krzesła i pędem pobiegła do za-improwizowanej garderoby. Już sięgała do futerału od wiolonczeli po ukrytą w nim niewielką butelkę jarzębiaku, gdy ktoś ścisnął ją za ramię.

– Znowu?! – Flecista, kierownik zespołu, odebrał jej flaszkę. – Co ty z siebie robisz, dziewczyno?! – Z żalem popatrzył na ładną i sympatyczną kiedyś buzię, dzisiaj zeszpeconą rozmazanym makijażem i napuchniętymi po-wiekami. – Zmarnowałaś już talent, a teraz chcesz zmar-nować życie?!

– A co mi po życiu?! – W poczuciu całkowitej bez-nadziei Ula skuliła ramiona, ale posłusznie zaczekała, aż wszyscy spakowali swoje rekwizyty, i dźwigając instrument, poczłapała za nimi. – I po co to wszystko? – mruczała pod nosem. – Gdyby mi wtedy nie przeszkodzili, miałabym święty spokój! Oni nie męczyliby się ze mną, a ja z nimi. – Tak była zaaferowana, że omal nie wpadła na szpitalne łóżko na kółkach eskortowane przez dwu mężczyzn w białych fartuchach. Odruchowo spojrzała na chorego w gipsowym kołnierzu i z wrażenia prawie że wcisnęła się w ścianę. Boże, to przecież Leszek Talar! Człowiek, którego kochała, a który z całą bezwzględnością zniszczył ją samą i jej miłość.

W tym momencie i on podniósł wzrok. Jego zaskoczenie wcale nie było mniejsze. Ula?! Tutaj?! Z wysiłkiem próbował dźwignąć głowę, odwrócić się, upewnić, że to naprawdę ona, ale sanitariusz jednym mocnym ruchem wepchnął łóżko do gabinetu zabiegowego.

Stała bez ruchu, niezdolna zrobić nawet jednego kroku. Leszek... Dzisiaj nienawidziła go chyba równie mocno, jak kiedyś kochała! Dlaczego musiała go spotkać?! Czyżby rzeczywiście ktoś tam w niebie uznał, że mało się nacierpiała?! Zerwała się i nie zwracając uwagi na ponaglenia kolegów, wpadła do damskiej toalety. Drżącymi rękami otworzyła torebkę, wyciągnęła piersiówkę jarzębiaku i przyłożyła do ust.

Kolejarze i podróżni z pobłażaniem przyglądali się grupie rozhukanych młodych mężczyzn rozrabiających na dworcu. Wiadomo, tradycja! Rezerwa wychodzi do cywila. A chociaż ci różnili się znacznie od normalnych rezerwistów, najwyraźniej humory im dopisywały.

– Chłopaki! – zadysponował wysoki, ogorzały brunet. – Walimy oblać pierwszy dzień wolności do „Retmana" na Mariensztat!

– Na mnie nie liczcie – odmówił Pocięgło. – Mam coś pilnego do załatwienia.

– Jasne...! Blond Wenus czeka! – odpowiedział mu zbiorowy śmiech kolegów.

Miał szczęście. Prawie natychmiast udało mu się złapać taksówkę, lecz kiedy zajechał na aleję Róż, los najwyraźniej się odwrócił.

– Spóźnił się pan o dobry miesiąc – usłyszał od żołnierza z ochrony. – Towarzysz Lejczer już tu nie mieszka.

– Jak to?! Przeprowadził się?! Dokąd?!

– Konsulem generalnym został. A gdzie? To, wybaczcie, obywatelu, ani wasza, ani moja sprawa – dodał w swoim pojęciu niezwykle uprzejmie.

Mietka dosłownie zatkało. Wszystkiego mógł się spodziewać, tylko nie tego! Jak ona mogła wyjechać tak bez słowa?! Poczuł wszechogarniającą go złość. Zabawiła się nim panienka?! Proszę bardzo! On też potrafi się bawić! Zatrzymał przejeżdżającą taksówkę i kazał się zawieźć na Mariensztat. Wprost do „Retmana"!

– No jak tam wycieczka na Zachód? – przywitał Prokop wyskakującego z ogromnej ciężarówki ze znakami PKS-u Henia Lermaszewskiego. – Ma pan dla mnie towarek?! – wrzeszczał starając się przekrzyczeć hałas potężnego silnika.

Lermaszewski znacząco popukał się w czoło i jak gdyby nigdy nic pokiwał ręką do zmiennika.

– Pruj na bazę! Jutro się zobaczymy! – Przez chwilę patrzył za niknącym w dali samochodem, a potem naskoczył na ciecia: – Musi pan tak głośno gdakać?! Na takich trasach jak jest dwóch, to przynajmniej jeden musi być „kapusta"! – I zaraz rzeczowo dodał: – Są rajstopy, tylko że tym razem holenderskie, bo do Francji dopiero za tydzień ślimaki wieziemy.

U wylotu ulicy pojawił się z najwyższym trudem utrzymujący się na nogach, wędrujący od krawężnika do krawężnika, człowiek.

– A ten gdzie się tak naoliwił? – zadziwił się Henio, ale kiedy rozpoznał w pijanym młodego Pocięgłę, z sąsiedzką solidarnością ruszył mu na pomoc. Ujął chłopaka pod ramiona i prowadził po schodach. – Nic się nie martw, Mietek – zapewnił go. – Jesteś w porządku. Prawdziwy Polak z wojska i z pierdla nie ma prawa wychodzić trzeźwy!

– Panie Heniu... – bełkotliwie ostrzegał Pocięgło, chwytając Lermaszewskiego za klapy kurtki – niech pan nigdy nie wierzy blondynkom, szczególnie kiedy piszą wiersze.

Heniek błyskawicznie skojarzył to wyznanie z dziewczyną, którą kilkakrotnie spotykał w towarzystwie Mietka.

– Babka to jest dobra tylko w łóżku albo na Wielkanoc – pocieszał, ciągnąc sąsiada na górę. – Wierny to może być jamnik, a w żadnym razie blondynka i to jeszcze w cynglach. – Stęknął podpierając osiemdziesiąt kilo „bagażu" i dodał gwoli sprawiedliwości: – Tak między nami czarne wcale nie są lepsze.

– A ja się chciałem z nią żenić – zwierzył się chłopak.

Lermaszewski oparł go o ścianę i kilkakrotnie naciskając dzwonek, powiedział z pewnością, wynikającą z wieloletniego doświadczenia:

– Bracie... Tego kwiatu jest z pół światu...

W drzwiach stanęła Jasińska, otulając się narzuconym na nocną koszulę szlafrokiem.

– Co się stało? – spytała, wpatrując się z przerażeniem w chwiejącego się na nogach wnuka.

– Obrońca ojczyzny do zwrotu! – zameldował Lermaszewski, ładując Mietka wprost w objęcia babki.

Tę noc Mietek przespał ciężkim, pijackim snem. Nie pamiętał, jak dostał się do domu ani w jaki sposób znalazł się rozebrany w łóżku. Jedyne, czego nie zapomniał, to perfidna zdrada Gosi. Dzisiaj bolała tak samo jak wczoraj! Poczuł czyjąś dłoń na ramieniu, usiłował więc podnieść głowę i choć odrobinę otworzyć oczy. Niestety miał wrażenie, że w głębi czaszki cały zastęp krasnoludków posługując się kilofami poszukuje skarbów. Syknął.

– Masz, wnusiu, wypij. To mleko, dobrze ci zrobi – jakby z trzeciego wymiaru dotarł do niego zatroskany głos babki.

Matka nie była tak łagodna. Potrząsnęła synem.

– Coś ty ze sobą wczoraj zrobił?! – krzyknęła mu wprost do ucha.

– A ona?! Co ona mi zrobiła?! Wyjechała! I to bez słowa! – z trudem przemieścił nogi na podłogę.

– Ach, to dlatego?! – Lidka właściwie mogłaby sama się domyślić. Miała jednak lekarstwo na zranione uczucia Mietka. Wyjęła z komody złożoną kartkę oraz ostemplowany zagranicznymi znaczkami gruby list i rzuciła na kolana chłopaka.

W jednej chwili ożył. Błyskawicznie rozerwał papier i zatopił się w lekturze, od czasu do czasu pomrukując:

– A to łajdak!...Bydlak! – Patrzyły na niego zdumione, więc wyjaśnił: – Wiecie, co zrobił jej ojciec?! Schował jej paszport, żeby nie mogła do mnie wrócić! – Ponownie pochylił się nad listem i kiedy doczytał do końca, oświadczył z triumfem: – A ja i tak pojadę!

– Dokąd?! – babka nie nadążała za rozwojem wydarzeń.

– Spotkać się z nią! Patrzcie! – pomachał papierem opatrzonym w masę najrozmaitszych pieczęci. – Gosia przysłała mi zaproszenie! Jeśli dzisiaj złożę podanie o paszport... – obliczał szybko – najdalej za sześć tygodni powinienem się z nią spotkać!

Naiwny! Biuro paszportowe na Kruczej przypominało nie urząd państwowy, lecz raczej dantejskie piekło! Odór spoconych ciał, czerwone i zdenerwowane wielogodzinnym oczekiwaniem twarze ludzi dreptczących w kilometrowej kolejce, co chwila wybuchające tu i tam awantury – to naprawdę było piekło!

– Dziwne... Wszystko wokół pani układa się jakby podwójnie... – Siedząca naprzeciwko Stroynowskiej czarnowłosa kobieta wpatrywała się z natężeniem w starą fotografię. – Pani wciąż o kimś myśli... To ktoś bardzo bliski dla pani, jakby... aż się boję powiedzieć... To jakby pani sobowtór.

Wizyta u najpopularniejszej w Warszawie wróżki stanowiła poważny uszczerbek w jej skromnym budżecie, ale Martyna nie żałowała wydanych pieniędzy.

– Wasze losy biegną jedną nitką – ciągnęła tamta z namysłem. – Dziwny magnetyzm. Z taką siłą przyciągania jeszcze się nie spotkałam. – Uniosła głowę i z uwagą przyjrzała się klientce. – Czy był ktoś taki w pani życiu?

– Był? Czy jest? – Stroynowska kurczowo zaciskała pięści. – Tego właśnie muszę się dowiedzieć.

Wróżka rozłożyła na stoliku talię kart. Przez chwilę obserwowała kolorowe kartoniki, jakby szukając odpowiedzi na zadane przed sekundą pytanie. Wreszcie bezradnie rozłożyła dłonie.

– Pani jest damą karo – dotknęła wyciągniętym palcem wybranej karty. – W jednej talii nie ma drugiej takiej samej, a tutaj...? Nic nie rozumiem... Jeden los, dwa wcielenia... – Podniosła do oczu pożółkłe zdjęcie i spytała:
– Kto to jest?

– Klara. Moja siostra. Bliźniaczka.

Zamyślona wracała do domu. Tuż przed wejściem do kamienicy natknęła się na rozpromienionego wuja Alfreda.

– Wracam z tarczą! – oświadczył z dumą i przepuścił siostrzenicę przodem. Nigdy nie zapominał o względach należnych kobiecie.

– To znaczy zadowoleni są z twojego tłumaczenia? – ucieszyła się Martyna, wspinając się po schodach.

– Ze mnie tak – pochwalił się, jednocześnie przekręcając klucz w zamku. – Gorzej z autorem oryginału. Długo nie mogli przełknąć jego buntu przeciwko absurdowi istnienia.

– Ale przecież bez tego nie ma egzystencjalizmu!

– Ja to wiem, ale nie wiem, czy oni? – Wszedł do kuchni. Na okiennej klamce dyndało na sznurku pęto niezbyt apetycznej kiełbasy. Odkroił kawałek i włożył do ust.

– To jak ich przekonałeś?

Przełknął i z przebiegłym uśmieszkiem wyjaśnił:

– Jest taki kruczek na dogmatycznych politruków. Mówi się im, że zanim się zacznie zwalczać wroga, najpierw należy go poznać. No i masz... – wyciągnął z portfela spory zwitek banknotów, wręczył Martynie i całą uwagę skupił na trzymanej w ręku kiełbasie. – Trochę chyba nadpleśniała – westchnął z żalem.

– Bo ciągle nie stać nas na lodówkę. Skąd wziąć tyle pieniędzy?

– A te? – pokazał palcem. – To naprawdę świetny pomysł! – zapalił się. – W ten sposób Albert Camus, laureat literackiej Nagrody Nobla, stanie się fundatorem socjalistycznej lodówki. I bardzo cię proszę, nie odkładaj tego sprawunku.

Następnego dnia rano Martyna i Beata ruszyły na poszukiwanie wymarzonego sprzętu. Około drugiej po południu nie czuły już nóg, kiedy jednak ekspedientka kolejnego, prawie pustego sklepu zdradziła im, że dzisiaj lodówki „rzucili" do Argedu na Żurawią, popędziły tam bez wahania. Martyna zajęła miejsce na końcu, wijącego się niczym ogromny wąż, ogonka, a dziewczynka poszła się zorientować, czy jest „za czym stać". Wróciła po kilkunastu minutach, odciągnęła matkę na bok i konspiracyjnie wyszeptała:

– Została tylko jedna, enerdowska. Jeśli damy sprzedawcy stówę, jest nasza.

Stroynowska nie kryła oburzenia:

– Jak ty to sobie wyobrażasz?! Ja miałabym dać łapówkę?

– Wszyscy dzisiaj tak robią! – niecierpliwiła się Beata.

– Jak nie chcesz ty, to daj mi te pieniądze!

– W żadnym wypadku! – Martyna zdecydowanie odsunęła wyciągniętą rękę córki. – Ja nie jestem wszyscy!

Napięcie między matką i córką trwało do wieczora. Przy kolacji Martyna relacjonowała incydent i wreszcie użyła, koronnego w swoim odczuciu, argumentu:

– Przecież ten sprzedawca dostaje pensję! Dlaczego miałabym mu jeszcze płacić?! To po prostu niemoralne!

Starszy pan ze zrozumieniem pokiwał głową i zauważył z nieubłaganą logiką:

– Socjalizm to ustrój doskonały. Doskonale wypacza ludzi.

Dziewczynka nie wytrzymała, mimo że przysięgała sobie nie odzywać się do matki nawet słowem.

– Ale my żyjemy tu, a nie na Księżycu!

– Zupełnie, jakbym słyszała twojego ojca – ze smutkiem powiedziała Stroynowska.

– Tak, jestem do niego podobna! I co z tego?! – Beata patrzyła na matkę z wyzwaniem. – Jestem z tego dumna! On przynajmniej potrafiłby załatwić głupią lodówkę!

Alfred Bizanc pogładził dłoń ciotecznej wnuczki.

– Nie spierajcie się, moje panie. Jak przetłumaczę Sartre'a, kupimy sobie radziecką lodówkę. One są uniwersalne: w lecie grzeją, w zimie chłodzą.

Roześmiały się. Konflikt lodówkowy na szczęście został zażegnany!

Należyty, współlokator Leszka Talara, obserwował swego sąsiada ze szpitalnego łóżka z najwyższą niechęcią. Nie ma co ukrywać, facet zwyczajnie nie dawał się lubić. Burkliwy, nadęty, ani z nim pogadać, ani pożartować! Aż się prosił, żeby mu dołożyć! Na inwalidzkim wózku byłoby to raczej trudne, ale kawał, czemu nie? Podjechał do gimnastykującego właśnie palce rąk i stóp Leszka i pochylił się nad nim z fałszywym współczuciem.

– Ćwicz, sobie, kolego, ćwicz. A jak się postarasz, dasz sobie radę rozporek rozpiąć – zarechotał złośliwie. – Ale tylko do siusiania! O dupach zapomnij lepiej raz na zawsze! – Nie widząc spodziewanej reakcji, drążył dalej: – Paraplegia ma jedną zaletę, nie trzeba płacić alimentów! – Śmiejąc się złośliwie, puknął chłopaka w gips na wysokości bioder. – To będzie ci potrzebne co najwyżej do mieszania herbaty w szklance! – Dostrzegłszy przerażenie w oczach Talara, kontynuował: – Mnie pan możesz wierzyć! Albo lepiej spytaj mojej żony. Jak pójdzie kręgosłup, to żegnaj kusiu, witaj brzusiu! – Poklepał się po wystającym brzuszku i odjechał do świetlicy z zamiarem obejrzenia kolejnego odcinka „Stawki większej niż życie".

Mijając się z nim w progu, Andrzej uprzejmie przytrzymał mu drzwi.

– Cześć! – podszedł do brata. – Pora się chyba upodobnić do ludzi. Ogolimy cię. – Wskazał złożoną brzytwę i rozkładając, zapytał: – Poznajesz? To po ojcu...

Leszek przywarł wzrokiem do błyszczącego ostrza i bardziej do siebie niż do brata powiedział:

– Jak ty mnie musisz nienawidzić!

– A ty mnie nie? – pytaniem na pytanie odpowiedział Andrzej.

Leszek wydawał się nie słyszeć. Czuł, że musi, natychmiast musi wyrzucić z siebie wszystkie winy.

– Uderz mnie! Pluń na mnie! – błagał. – Przecież rozpieprzyłem ci dom, powiedziałem wtedy o to jedno zdanie za dużo! – Od kilku minut na własnej skórze przekonał się, że słowa też mogą zabijać, i dlatego nie chciał ukrywać dłużej prawdy o tamtej nocy. – To nie była jej wina – szeptał gorączkowo. – Wtedy to ja... Ona myślała... do końca myślała, że to ty! A wiesz, dlaczego to zrobiłem?!

Andrzej nagle zrozumiał, co przez te wszystkie lata było przyczyną nienawiści Leszka do Ewy.

– Ty ciągle karzesz ją za Bronka?!

– Czasami potrafimy się zrozumieć... – z jękiem opadł na poduszkę. – Szkoda, że tym razem już za późno...

– Nie pieprz, Lesiu! Przekonasz się: wyciągniesz się z tego! – Andrzej za wszelką cenę nie chciał dopuścić, żeby brat zaczął się rozklejać, ale nie znajdował odpowiednich słów. Wyjął z portfela starannie złożony rysunek i podał mu. – To od Krzyśka. Obaj chłopcy nie mogą się doczekać, kiedy odwiedzą cię w stadninie.

– Daj spokój! Mnie już właściwie nie ma... Moją szansą jest nie być. Bo komu ja jestem potrzebny? Chyba że Berdyszkowi, jeśli go jeszcze nie przerobili na konserwy!

Biorąc pod uwagę zachowanie Leszka w ciągu ostatnich kilkunastu dni, docent Lang uznał, że rozmowa z rodziną pacjenta jest niezbędna. Przyjaciele czy nie, ale on dłużej nie może tego tolerować! Na miejsce na jego oddziale chorzy czekają po kilkanaście miesięcy, więc nie będzie marnował czasu na potencjalnego samobójcę! Bo Leszek naprawdę zachowywał się okropnie. Najpierw odmówił udziału w rehabilitacji, potem cisnął w magistra Smolisa stojącym przy łóżku basenem, pielęgniarki zameldowały, że odmawia przyjmowania leków, a wreszcie Należyty doniósł, że gromadzi środki nasenne pod poduszką, a także okazuje nadmierne przywiązanie do brzytwy. Oczywiście wszystko to zostało mu odebrane, ale jak długo można upilnować desperata?!

Andrzej siedział skulony i słuchał wrzasku Karola.

– Zabieraj go stąd! Ja mu nie jestem potrzebny!

– Nie rozumiem... – wybąkał.

– Znasz niemiecki?! Nie?! Nie szkodzi! Goethe powiedział, że to, co jest wewnątrz, uwidacznia się także na zewnątrz!

– Co ty mi tu z Goethem wyjeżdżasz?! – zdenerwował się Talar.

– Żeby móc zgiąć nogę w kolanie, trzeba najpierw tego chcieć. On nie chce – spokojniejszym już tonem tłumaczył Lang. – Twój brat to typowy mizoginista! Z tego, co wiem, zwala winę na kobiety, aby się usprawiedliwić, że z żadną nie potrafi się związać. Przez to zresztą sam siebie nie lubi. Powiedzcie mi – zwrócił się do Ewy i Andrzeja – czy on kiedykolwiek kogoś w życiu kochał?

– No... Bronka... i mamę... – niepewnie wydukał Andrzej.

– Mam na myśli kobietę – naciskał lekarz.

– Dziewczyn miał masę, ale żadnej dłużej niż tydzień. Nigdy o tym nie rozmawialiśmy.

– Typowe! No dobra, on nie kochał nikogo, ale może ktoś kochał jego?

Ewa, która do tej pory nie odezwała się nawet słowem, teraz zwróciła się do męża:

90

– Jest ktoś taki. Pamiętasz Ulę? No, tę małą wiolon- czelistkę z filharmonii? Tylko jak ją teraz odnaleźć? Andrzej nie poddawał się. Był we wszystkich miejscach, gdzie ktoś mógłby wiedzieć, co dzieje się z rodziną Siekierków. Wreszcie jeden z dawnych sąsiadów węglarza poinformował go, że stary umarł, a Ulka się rozpiła i wywalili ją z orkiestry. Wnuczka mówiła mu, że widziała ją na Pradze. Podobno gra w teatrze lalek.

Pojechał na Jagiellońską. Jeśli ta dziewczyna mogłaby pomóc w jakiś sposób Leszkowi, przywlecze ją do niego choćby za włosy! Kupił bilet i wszedł na za- pełnioną maluchami widownię. Słyszał muzykę towa- rzyszącą spektaklowi, ale nie wiedział, gdzie może znaleźć muzyków. Kręcił się niepewnie, odciągając uwagę dzieci od przedstawienia. Z ulgą powitał zjawienie się bileterki. Kiedy spytał o Ulę, uśmiechnęła się współczująco i zaprowadziła go do garderoby. W wy- sokim fotelu siedziała młoda kobieta. Rozmazany wokół oczu tusz, szminka na ustach – wszystko to wska- zywało, że nie jest w zbyt dobrym stanie. Podszedł do niej.

– Czy my się znamy? – wybełkotała z trudem.

– Pamięta pani Leszka Talara? Jestem jego bratem.

Nagle oprzytomniała.

– Nie ma czym się chwalić!

Słyszał zaciętość w jej głosie, ale mimo wszystko prosił:

– Grozi mu paraliż. Musimy go ratować!

– My? – roześmiała się gorzko. – Mnie pan o to prosi?

– Tylko pani może mu pomóc! I jeśli to konieczne, gotów jestem zapłacić za przysługę.

– Ile? – spytała jakby wbrew sobie. Po tym, co zrobił, Leszek nic jej nie obchodził. Wykrzywiła się ironicznie.

– Tak się składa, że akurat mam długi.

– Jest jeden warunek – uprzedził. – Jutro będzie pani trzeźwa i zagra rolę dawnej Uli: miłej, łagodnej i zakochanej w Leszku.

Starała się panować nad sobą, jednak nie mogła powstrzymać histerycznego śmiechu.

– Kochany, gdybym nawet była Eichlerówną, to mi ta rola nie wyjdzie!

Sama nie wiedziała dlaczego, ale zgodziła się nazajutrz odwiedzić Leszka. W trakcie drogi do Konstancina nie była szczególnie rozmowna. Bezmyślnie wpatrywała się w mijane za oknem widoki i raczej do siebie niż do Andrzeja powiedziała mściwie:

– A już myślałam, że Boga nie ma. Okazuje się, że jednak jest!

– Leszek jest naprawdę w strasznym stanie!

– Wiem, widziałam go, kiedy występowaliśmy w szpitalu. On też mnie zauważył.

– To doskonale! – ucieszył się Andrzej. – Pomyśli, że odwiedza go pani z własnej woli. Lekarze twierdzą, że ratunku trzeba szukać tylko w jego psychice. On jest mizoginistą. Wie pani, co to znaczy? On boi się odrzucenia. Czy na przykład powiedział kiedyś pani, że ją kocha?

– Na własnej skórze przekonałam się o uczuciach Leszka! On tylko konie potrafi kochać! – krzyknęła wzburzona.

– To nieprawda. Psychiatra stwierdził, że Leszek ma jakiś uraz w psychice. Kryje się w skorupie i wstydzi się swoich emocji. On wie, że panią skrzywdził, ale gdyby mimo wszystko uwierzył, że pani wyciąga do niego rękę...

– Andrzej milczał przez chwilę i w końcu, jakby szukając ostatecznego argumentu, powiedział: – Warto jest żyć pod warunkiem, że ma się dla kogo. I to pani jest tym kimś.

Uśmiechnęła się krzywo.

– Dobra... dobra... Ja swój tekst pamiętam. Za te dwa patyki nawet Nina Andrycz lepiej tego panu nie zagra. Ale kino!

Zatrzymał się na parkingu. Obserwował, jak Ula nieporadnie gramoli się z auta, i sam sobie zadawał pytanie, czy wyjdzie jej ta rola. Była już przy drzwiach, kiedy dogonił ją i podał wiązankę kwiatów.

– To od pani, dla niego – przypomniał.

Z każdym krokiem szła coraz wolniej. Przerażała ją myśl, że za chwilę stanie twarzą w twarz z Leszkiem. Co mu powie?! Znała tylko jedno lekarstwo na wszystkie kłopoty. Weszła do toalety i nerwowo nasłuchując, czy nikt nie nadchodzi, wyjęła z torebki butelkę wódki i przechyliła do ust.

Długa księżycowa noc

Andrzej pojawił się za kulisami teatru lalek w chwili, gdy nie całkiem trzeźwa Ula szamotała się z grubym flecistą, który chciał zarekwirować jej czapkę z lisa jako zastaw za nie spłacony dług. Tylko chłopski upór i determinacja pozwoliły Talarowi pokonać wstręt na widok tej sceny i podjąć jeszcze raz próbę wciągnięcia Uli w sprawę Leszka.

– Dlaczego pani uciekła? – zaczął ostro, kiedy flecista zniknął za drzwiami. – Chyba była umowa, nie?

– Była, ale się zmyła – odpowiedziała opryskliwie, nie przestając studiować swojego odbicia w lustrze. Obrzękła od alkoholu twarz i rozmazany makijaż dodawały jej lat. Andrzej patrzył na nią z niesmakiem, ale czuł, że właśnie ona jedna jest szansą dla Leszka.

– Dlaczego pani do niego nie poszła?

– Byłam za bardzo pijana. Miałam panu zepsuć całe to nabożeństwo? A może... – zawiesiła głos w sposób typowy dla kogoś, kto przeholował z piciem. – A może mnie też za dużo kosztowałoby to kino?

– A jeśli podwoję stawkę?

Potrząsnęła przecząco głową. Nie chciała w to brnąć mimo katastrofalnej sytuacji, w jakiej się znajdowała. Bała się wspomnień... bała się tego spotkania z Leszkiem sam na sam... Spojrzała w lustro... Twarz rozmazywała się dziwnie wykrzywiona... Ktoś szarpnął energicznie za klamkę i drzwi otworzyły się z hukiem. W progu stał wściekły flecista.

– To może od razu zwrócimy dług temu panu? – zaproponował Andrzej.

Tym razem nie protestowała. Zapytała tylko:

– To kiedy jedziemy?

Andrzej dopilnował wszystkiego. Kupił kolejny bukiet czerwonych róż i butelkę radzieckiego szampana. Wręczył to Uli, kiedy zatrzymali się przed STOCER-em. Kątem oka sprawdził, jak wygląda. Nadrabiała miną, ale była spięta. Mimo wszystko miał nadzieję, że tym razem nie zawiedzie.

Weszła do sali, w której leżał Leszek, z mocnym postanowieniem odegrania swojej roli najlepiej, jak potrafi. Naprawdę chciała uczciwie zapracować na pieniądze, które wcześniej wzięła, ale zadanie okazało się trudniejsze, niż przypuszczała.

Unieruchomiony, w ortopedycznym kołnierzu, powitał ją milczeniem. Nie odezwał się nawet wtedy, gdy krzątając się przy kwiatach wypowiadała przygotowane wcześniej kwestie:

– Czy wiesz, Leszku, ile lat cię nie widziałam? Ale mnie się wciąż zdaje, że wszystko było zaledwie wczoraj... – spojrzała na chorego, oczekując jakiejś reakcji, ale w jego oczach było tylko bezgraniczne zdumienie. Skąd ona się tu wzięła? Mignęła mu na korytarzu, to prawda, chyba się nawet zatrzymała, a to by znaczyło, że go rozpoznała, więc dlaczego wtedy do niego nie podeszła?

– Myślałam, że wypijemy na pojednanie – przypomniała sobie o butelce szampana. – Bo wiesz... dopiero jak cię tu zobaczyłam, wtedy na korytarzu, to... to zdałam sobie sprawę, że... no... tak naprawdę nigdy o tobie nie zapomniałam ... – z coraz większym trudem i coraz mniej pewnie odgrywała swoją rolę. – Bo co ja mogę na to poradzić, że... no, że wciąż cię nie mogę zapomnieć... – paplała w kółko. Fałszywa nuta zabrzmiała jednak szczególnie ostro, kiedy wyznała: – Wiesz, pierwszej miłości się nie zapomina.

– Tak to się mówi w kinie... – burknął Należyty, bezczelnie przyglądając się gościowi Leszka.

Właściwie była mu wdzięczna, że przerwał to okropne milczenie. Nie wiedziała już, co mówić dalej, była spocona z wysiłku i chciała się napić. Uśmiechając się sztucznie do Należytego, gestem dała mu do zrozumienia, że mimo wysiłków z jej strony porozumienie z Leszkiem jest niemożliwe, więc cóż, musi go opuścić. I kiedy była już przy drzwiach, Leszek nagle przemówił:

– Przyszłaś nacieszyć się żywym trupem, tak?! – wyrzucił z pasją.

Uli puściły nerwy.

– Trupem to ja mogłam być przez ciebie! – ręce jej drżały, a z twarzy opadła maska. – Krótką ma pan pamięć, panie Talar! – wybiegła z pokoju roztrzęsiona, całkiem zapominając o roli.

– Dogoń ją pan, panie Należyty! – Leszek błagalnie patrzył na sąsiada.

Nie dał się prosić. Wytoczył wózek na korytarz i ruszył w ślad za szybko oddalającą się kobietą. Dopadł jej w ostatniej chwili. Zawróciła.

Tym razem mówił Leszek. O tym, że tamten jego ślub i rozwód to była lipa, że chodziło mu tylko o pieniądze na mieszkanie dla matki, że bratowa ją sekowała, że nic mu w życiu nie wyszło...

– Co było, to było... Nie tłumacz się teraz. Na pewno miałeś dobre intencje – powiedziała bez przekonania.

Właściwie po co tu wróciła? I tak już raz wypadła z roli. Była zmęczona tą komedią, ale widok zgnębionej twarzy Leszka nie pozwalał jej odejść.

– Kim ja dziś jestem? – pytał wpatrując się w nią w napięciu.

– Dla mnie wciąż tym samym... – mówiąc to, Ula niejasno zdała sobie sprawę, że tak jest w istocie, i przestraszyła się. Spojrzała na zegarek. Andrzej z pewnością zmarzł już na kość. Wyszła nie obiecując, że wróci.

Dźwięk mozolnie wystukiwanej na pianinie gamy nagle się urwał. Alfred zdziwiony, że lekcja trwała dziś tak krótko, zajrzał do pokoju siostrzenicy. Uczeń już wyszedł, a ona siedziała skulona, ściskając oburącz skronie i wpatrywała się hipnotycznie w stojące na fortepianie zdjęcie siostry.

– Martynko... ty znowu?! Czy nie czas już z tym skończyć? – łagodnie otoczył kobietę ramieniem jak dziecko potrzebujące ukojenia.

– Jak mogłeś to powiedzieć, Alfredzie? – żachnęła się.

– Wiem, że prędzej czy później ona da mi jakiś znak – histerycznym ruchem przycisnęła fotografię do piersi, a potem schowała za szybką sekretery.

Stary hrabia z troską myślał o siostrzenicy. Jej od lat trwająca obsesja odnalezienia zaginionej w czasie wywózki do Kazachstanu siostry bliźniaczki zrujnowała nie tylko małżeństwo Martyny, ale coraz bardziej rzutowała na stosunki z ludźmi, ostatnio również z własną córką.

– Wiesz, nad czym się zastanawiam? – zagadnął chcąc zająć ją czymś innym. – Z czego zapłacimy za angielski Beaty. Zostało nam tylko to – skierował wzrok na wiszące nad pianinem ostatnie cenne płótno.

Martyna mocniej ścisnęła skronie. „Pieniądze, pieniądze, ciągle te pieniądze, jakby one były w życiu najważniejsze!"

– Skoro nie ma wyjścia, trzeba sprzedać ten obraz. Myślisz, że starczy na pokrycie wszystkich naszych długów? – spytała zbolałym głosem.

Bizanc był dobrej myśli. Miał na obraz kupca.

– Jestem dziś w Desie umówiony z tym partyjnym durniem, Sebyłą.

– Stać go na to?

– Jego samego może jeszcze nie, ale on urządza gabinety naszych, excusez moi, dyplomatów.

Chcąc nie chcąc, musiała się roześmiać. Boże, co za czasy! Tymczasem Alfred, pakując płótno w szary papier, perorował:

– Sebyła to jedyny towarzysz, który ma prawo mówić do mnie per ty. Niektórzy z mojego liceum urośli tak wysoko, że nawet nie można już dojrzeć ich głupoty – obwiązał sznurkiem cenny pakunek i spojrzał na zegarek. Miał jeszcze trochę czasu.

Dzień był szary, grudniowy, ani ładny, ani brzydki. Bizanc nie spiesząc się szedł Kruczą w stronę placu Konstytucji. Jego czarne palto – podobnie jak kapelusz – czasy świetności dawno miało już za sobą, a mimo to i strojem, i postawą hrabia wyróżniał się w szarym tłumie warszawiaków. Jak zwykle, kiedy tędy przechodził, zatrzymał się przed wystawą sklepu myśliwskiego. Z rozczuleniem przyglądał się broni i rozmaitym skórzanym akcesoriom. Westchnął... Cóż, było, minęło... Ujął mocniej obraz i wszedł do znajdującego się opodal baru mlecznego. Uderzył go mocny, charakterystyczny dla tego typu przybytków zaduch, stanowiący mieszaninę kuchennych wyziewów i stęchłego smrodu wilgotnych ubrań. Wzdrygnął się mimo woli. Starał się nie dostrzegać panującej tu atmosfery, nie widzieć brudnego fartucha kucharki i pozalewanych zupą tac. Wziął porcję leniwych i żuł je bez przyjemności. Rzut oka na zegarek upewnił go, że ma jeszcze parę minut czasu do spotkania w Desie. Nie lubił się spóźniać, ale wolał, żeby to na niego czekano. Wsunął zegarek do kieszonki. W tym momencie niezdarnie przepychający się między stolikami gość strącił mu kapelusz na zabłoconą podłogę. Wymamrotał jakieś przeprosiny i zajął miejsce na drugim końcu stołu. Był nie ogolony i brudny. Hrabia, mimo że hołdował postawie bycia „ponad to", miał już dość: pierogi niesmaczne, kapelusz ubłocony, no i to okropne, mlaszczące i siorbiące, towarzystwo. Ruszył w stronę drzwi. Nie ogolony facet nie spuszczał z niego wzroku. Kiedy Bizanc wreszcie wyszedł, na twarzy lumpa pojawił się wyraz ulgi. Sięgnął ukradkiem do kieszeni kapoty i wyciągnął z niej piękny, stary zegarek kieszonkowy z monogramem. Przez chwilę wpatrywał się w niego uważnie. Nagle zerwał się od stołu nie kończąc posiłku i szybko wybiegł z baru.

Dwaj panowie z MSZ-u w towarzystwie zaniepokojonej kierowniczki Desy już od paru dobrych minut czekali na spóźniającego się Bizanca.

– Trzeba znać Alfreda – żartował Sebyła. – Mogę się założyć, że jak wejdzie, to powie to samo, co na maturze: „Spiesz się powoli, jak mówił skazaniec do kata…".

I tak też się stało. Hrabia z czarującym uśmiechem przepraszając za spóźnienie, powiedział dokładnie to, co przewidział jego szkolny kolega. Sebyła zaśmiał się, ale natychmiast spoważniał, widząc urzędową minę przełożonego. Chrząknął lekko, zażenowany swoim niestosownym zachowaniem, i przystąpił do prezentacji.

– Pozwól, Alfredzie: towarzysz Makuch, nowy szef protokołu – podali sobie dłonie i przystąpiono do oględzin przyniesionego przez Bizanca płótna.

– Stary, sanacyjny i odpowiednio drogi... – hrabia spojrzał wymownie na kierowniczkę. – Dobra lokata. A poza tym moim zdaniem dla MSZ-u tematyka idealna – nie mógł się powstrzymać przed drobną złośliwością: – Burza wokół, a statek utrzymuje się na fali.

Sebyła uśmiechnął się pod nosem, ale tak, żeby towarzyszący mu dygnitarz tego nie spostrzegł. Ten zaś ze zmarszczonym czołem przyglądał się obrazowi, to cofał się, to przybliżał, wreszcie zwrócił się do doradcy:

– No, jak?

Sebyła skwapliwie pokiwał głową na znak, że podobnie jak przełożony akceptuje dzieło, i odetchnął z ulgą.

– Tak więc to jedno mamy z głowy.

– Czy to znaczy, że coś jeszcze panów interesuje? – zapytała kierowniczka.

– Owszem – odparł Sebyła. – Sam pan Bizanc.

Tego hrabia się nie spodziewał. Zaskoczony spojrzał na kolegę, który wyraźnie był zadowolony z efektu, jaki wywołał.

– Dużo o panu słyszałem – zaczął oficjalnie towarzysz Makuch. Następnie wyjaśnił, że resort chciałby go zatrudnić jako konsultanta, który miałby za zadanie uczyć kandydatów do pracy w dyplomacji tak zwanych manier i zasad protokołu dyplomatycznego obowiązującego w świecie. – Ci ludzie będą reprezentować Polskę Ludową. To są dobrzy towarzysze, ale wymagają szlifu.

Alfred nie wierzył własnym uszom.

– Ja miałbym pouczać wojewódzkich sekretarzy?! Nie widzę tu swojej roli – potrząsnął przecząco głową.

– Jak to? Przecież pan służył w dyplomacji – zdziwił się Makuch.

Bizanc był szczerze ubawiony.

– Ale to mnie chyba dyskwalifikuje? Potrzebny wam pachołek sanacji?

Sebyła parsknął śmiechem, a dygnitarz zbył obawy hrabiego machnięciem ręki.

– Nawet biały dom zaakceptował pana na konsultanta! – oświadczył, jakby waga tego argumentu mogła przebić wszystkie inne.

Sebyła przekonywał, że gdyby Alfred zgodził się na te konsultacje, nie musiałby wyzbywać się cennego obrazu. W resorcie bowiem obowiązuje wysoka siatka płac, a także istnieją jeszcze inne formy gratyfikacji, jak choćby możliwość spędzenia urlopu w domu wypoczynkowym na Krymie czy w Warnie.

– Odstąpią mi panowie kolegę na dwa słowa? – tuż za plecami Bizanc usłyszał znajomy głos. Odwrócił się. Przed nim stał nie ogolony, brudny menel z baru mlecznego. Kto to mógł być? I czego chciał? Alfred nie miał pojęcia, ale ten głos...

– Pan mnie nie poznaje, panie hrabio? Rakowiecka, drugi pawilon, cela dwunasta!

No, tak! Jak mógł zapomnieć! Toż „Piskorz" jak żywy!

– „Piskorku", to już przeszło dwadzieścia lat... – rozczulony tym spotkaniem Bizanc chwycił przybysza w ramiona. Jakoś do głowy mu nie przyszło zapytać, skąd się tu wziął.

„Piskorz" zakłopotany, przestępując z nogi na nogę, bąkając słowa przeprosin, wykrztusił nieoczekiwanie:

– Która godzina, panie hrabio?

Alfred zdziwiony sięgnął do kieszonki kamizelki. Była pusta.

– To pański „sikor"? – „Piskorz" wyjął zza pazuchy zegarek z monogramem. Nie było wątpliwości, że to własność hrabiego, która w barze zmieniła właściciela.

Nim Bizanc ochłonął ze zdumienia, złodziejaszek zręcznym ruchem wsunął zegarek na miejsce.

– Przepraszam i nie mówmy o tym więcej. Nas, kryminalnych, uczył pan pod celą dobrych manier, a tu taka obsuwa... – usprawiedliwiał się półgłosem. – Bo żebym tych dwóch cepów – wskazał na emeszetowców – obsmyczył, to w porząsiu, ale pana...?! – uścisnęli sobie ręce.

– Nie macie pojęcia, jakie miny mieli obaj towarzysze z MSZ-u na widok „Piskorka"! – hrabia relacjonował zdarzenie Martynie i Beacie. One jednak były przede wszystkim ciekawe, co Alfred odpowiedział na propozycję objęcia posady konsultanta. Stary uśmiechnął się znacząco.

– Kiedy Sebyła zaczął mnie przekonywać, że druga taka okazja już mi się nie trafi, zdecydowałem się od razu... że nigdy jej nie przyjmę.

– Naprawdę tak im powiedziałeś? – nie dowierzała Stroynowska.

Bez słowa wyjął z kieszeni paczkę reprezentacyjnych papierosów Belweder.

– Towarzysz Makuch na pożegnanie wsunął mi to do kieszeni. Poczciwe z niego panisko. I ja miałbym takich kołków uczyć dobrych manier?

Dla Martyny odmowa wuja była sprawą oczywistą. Dla Beaty – nie.

– Ale przecież ci ludzie mają nas reprezentować za granicą!

– Nas? – zdziwił się Bizanc. – Twoją mamę i mnie na pewno nie! – oświadczył stanowczo.

Beata tylko czekała na okazję, żeby wykrzyczeć swoje racje. Wskazując puste miejsce po obrazie, pytała podniesionym głosem, jak długo jeszcze będą się wyprzedawać i czy rzeczywiście „godność sfery" jest aż tyle warta, by rezygnować z normalnego życia? Narastał w niej bunt przeciwko temu wszystkiemu, co było tak drogie jej matce i wujaszkowi.

– Trudno, Beatko – próbował przekonywać Alfred.
– Lepiej sprzedać obrazy niż samego siebie.
– Zabrali nam wszystko. Wszystko prócz godności – dodała Martyna.
– To poproszę trochę tej „godności"! Zobaczymy, czy mi za nią dżinsy sprzedadzą! – Wybiegła z pokoju rozżalona i wściekła zwłaszcza na matkę, którą obwiniała o odejście ojca i o to, że ich życie było takie różne od tego, które widywała w domu koleżanek. Im była starsza, tym bardziej ją irytowała obsesja Martyny na punkcie zaginionej siostry. Nie mogła już znieść tych ołtarzyków i ceremonii towarzyszących wszystkim świętom i rocznicom – zapalania świeczek w intencji nieobecnej, ustawiania pustych nakryć...

– Zaprosiłam tatę na Wigilię – oświadczyła kilka dni później.

Martyna zesztywniała.

– Nie, tylko nie to!
– Więc co? Nawet w takim dniu nie możemy być razem?! Przecież to dzień pojednania – sądziła, że matka zrozumie, że przełamie się, ale Martyna powiedziała tylko oschle:

– Błota naniosłaś.

Zbliżały się święta Bożego Narodzenia. Kolejkowy koszmar nasilał się z dnia na dzień, a szał zdobywania i załatwiania deficytowych karpi, szynek, cytryn, słodyczy itd., itp. ogarnął dosłownie wszystkich. Umordowane kobiety z trudem gromadziły niezbędne świąteczne zapasy. Tylko z choinkami nie było problemu. Starczyło dla wszystkich.

Wczesnym wigilijnym popołudniem Andrzej przywiózł Ulę do Konstancina. Śpieszyła się. Chciała mieć to już za sobą.

– Mnie wystarczy dwadzieścia minut – zapewnił ją.

Sięgnął do kieszeni marynarki i podał jej białą kopertę.

Powstrzymała go ruchem ręki.

– Zapłaci mi pan po tej komedii.

Uśmiechnął się.

– Tu jest opłatek dla Leszka. Przecież pamiętałaś.

Wyczuła ironię w jego głosie i to ją zirytowało. Jakim prawem... Najchętniej zerwałaby tę całą idiotyczną umowę i uciekła, gdzie pieprz rośnie, ale coś ją powstrzymywało.

Postanowiła, że to już ostatni raz.

Andrzej wszedł do pokoju brata w najmniej fortunnym momencie. Leszek właśnie przeganiał rodzinę Należytego.

– Wynoście się stąd! – krzyczał nie panując nad sobą. – Cisza ma być! – krzątanina troskliwej żony sąsiada i jego dzieci doprowadzała go do szału. – I ty też się stąd zabieraj! – wrzasnął na widok brata. Odwrócił się do ściany.

Andrzej przysiadł na brzegu łóżka i rozwinął z papieru przyniesiony prezent.

– Zobacz chociaż, co dostałeś. – Nie dawał za wygraną, rozkładając na kołdrze srebrzyste ostrogi.

– I komu to potrzebne? – warknął Leszek. – To nie wiesz, że dobry jeździec nie kaleczy konia ostrogą?

– Oj, Lesiu, konie to ty kochasz... Bezapelacyjnie...

Kiedy po upływie umówionych dwudziestu minut weszła Ula, Andrzej tak dobrze udał zaskoczenie na jej widok, z taką ciekawością dopytywał się, skąd się tu wzięła, że – i tak już stremowana – z trudem starała się zachować pozory swobody.

– Zamurowało was, co? – niepewnie położyła na stoliku gałązkę jedliny. – To jest dzień, w którym każdy ma prawo zapukać do cudzych drzwi. – Przypomniała sobie o opłatku i szybko wyciągnęła go z torby. – Znacznie lepiej wyglądasz, niż kiedy tu byłam ostatnio – zwróciła się do Leszka, co Andrzej błyskawicznie podchwycił dziwiąc się, że brat nic mu nie wspomniał o wizycie starej znajomej.

Leszek badawczo przyglądał się Uli, jak porządkuje drobiazgi na stoliku, zapala świeczkę.

– No widzisz, nie będziesz sam – Andrzej sięgnął po kożuch, szykując się do wyjścia. – Dzieci czekają – usprawiedliwiał się.

Ale Leszek zajęty był czymś innym. Nie spuszczał z Uli wzroku, ważąc w myślach szczerość jej intencji i ciągle szukając odpowiedzi na pytanie, dlaczego tu przychodzi.

– To od Andrzeja – burknął, kiedy wzięła do ręki ostrogi. – I po co mi to...?

– Przecież ty bez koni nie umiesz żyć! – odparła. – Całkiem jak mój ojciec – dodała miękko. Wzrok jej złagodniał i stał się nieobecny, oczy zapatrzyły się w odległe wspomnienia, tak odległe, że prawie nierealne...

– Nie zapomnę, jak on mnie za ciebie skatował – mimo woli sięgnął dłonią do ramienia, jakby szukając śladów tamtych uderzeń. Zmarszczyła brwi.

– Nie dziwię mu się – powiedziała twardo. – On mnie fanatycznie kochał – wpatrywała się w drgający płomień świeczki. – Nikt, tylko on! Przy nim świat był jak z bajki... – mówiła bardziej do siebie niż do Leszka, zupełnie zapominając o swojej roli. – Pamiętam, była do kupienia wiolonczela... Na takiej samej grał Casals. Raz tylko o tym wspomniałam, a już znalazłam ją pod choinką – oczy się jej zaszkliły i głos lekko zadrżał. – A ja...ja, tatku, nawet nie byłam na twoim pogrzebie... – Tkwiło to w niej jak zadra, której nie można się pozbyć, a z którą trzeba żyć. Tylko jak żyć, nie mogąc sobie wybaczyć...

– Trzymali mnie wtedy na odwyku i dlatego nie byłam na twoim pogrzebie, tatku!

– Ale ja byłem – powiedział Leszek cicho. Dlaczego kłamał? Czy kłamstwem można zmienić przeszłość? Wymazać błędy, o których trudno zapomnieć? – Bródno, aleja siódma, kwatera sto siedemdziesiąt trzy – dodał patrząc jej w oczy.

– Skąd wiesz, gdzie jest grób ojca? – spytała podejrzliwie.

– Byłem tam, bo i jemu czułem się coś winien i... – urwał, jakby niewypowiedzianą trudność sprawiały mu te wyznania – ... i myślałem, że ciebie zobaczę... – Odwrócił głowę do ściany, w napięciu oczekując jakiejś reakcji z jej strony, ale milczała. Nie wierzyła mu. A on nie umiał jej przekonać, że mówi prawdę, że teraz już nie musi kłamać.

Andrzej przemarznięty do szpiku kości, trochę zniecierpliwiony przedłużającą się wizytą, czekał w samochodzie na powrót Uli. Było już ciemno, kiedy przyszła. Od razu wyciągnął z portfela umówioną sumę, chcąc jak najszybciej załatwić całą sprawę i wracać do domu na Wigilię, ale ona niespodziewanie odmówiła przyjęcia pieniędzy.

– To znaczy, że więcej tu pani nie przyjedzie? – spytał z niepokojem.

Ona błądziła gdzieś myślami i powiedziała tylko:

– Niech pan już rusza. – Mocniej nacisnęła na uszy ogromną czapę z lisa i zapadła się w sobie. W głowie dźwięczało jej jeszcze pytanie Leszka, dlaczego tu przyjeżdża, na które nie mogła przecież odpowiedzieć zgodnie z prawdą. Ale właściwie jaka ta prawda była? Trochę żeby odwrócić uwagę chorego, a trochę dlatego, że to w niej tkwiło jak najpiękniejsze wyznanie, powtórzyła legendę o koniach, której nauczył jej dawno temu:

– „A konie wzięły się z mgły i wysłał je Bóg w cztery strony świata, by służyły ludziom. Kasztana zaprzężono do królewskiej karocy. A arab powiózł na swym grzbiecie młodą parę kochanków do ślubu. – Niestety... – powiedziała wtedy. – Tylko bajki dobrze się kończą".

Ujął ją nieśmiało za rękę i zapytał, czy teraz już wierzy, że konie rodzą się z mgły? Nie odpowiedziała, ale nie cofnęła dłoni. Podobnie jak on, ona także znowu chciała w to wierzyć...

– Wziąłem specjalnie dla pani – Andrzej przerwał zadumę Uli, podając jej piersiówkę z winiakiem. – Na rozgrzewkę – dodał zachęcająco.

Odkręciła powoli metalową nakrętkę, potem jakby się zawahała, ale otworzyła okno. Patrzyła, jak struga alkoholu wypływa z butelki na ośnieżoną jezdnię...

U Stroynowskiej stół wigilijny nie był może tak obficie zastawiony jak u innych, bo nie umiała walczyć w kolejkach ani przepłacać ekspedientek, żeby zostawiły jej coś pod ladą, ale za to pięknie wyglądał przykryty starym koronkowym obrusem, z którym doskonale współgrała porcelanowa zastawa po babci.

Wszystko już było gotowe do kolacji, tylko Borowski się spóźniał. Beata co chwila podchodziła do okna, wypatrując go w ciemnościach. Wreszcie zadźwięczał dzwonek u drzwi. Pobiegła otworzyć.

– Tylko się nie denerwuj... – poprosiła, przytulając się do ojca z wdzięcznością. Bała się, że widok pustego nakrycia, przed którym matka jak zwykle ustawiła zdjęcie ciotki Klary, wprawi go w zły humor, a tak bardzo pragnęła, żeby Wigilia się udała...

Zaskoczyli ją oboje. Martyna, leciutko zaróżowiona od światła bijącego z choinkowych świeczek, powitała eksmęża bez wylewności, ale przyjaźnie. Zdobyła się nawet na przeprosiny, jakby się przed nim usprawiedliwiając ze swojej obsesji, kiedy kładła kawałek opłatka na talerzyku przed fotografią siostry.

– Mam dla ciebie pod choinkę dobrą wiadomość – powiedział ujmując ją za rękę. – Byłem w Ełku. Dotarłem do księdza Andrzeja – wpatrywał się w napiętą twarz żony. Gdyby wiedziała, jak bardzo pragnął usłyszeć jej śmiech, zasłużyć na wdzięczność. – Zgodził się ciebie przyjąć.

To był najwspanialszy prezent gwiazdkowy, o jakim nie śmiała nawet marzyć! O jasnowidzącym księdzu Andrzeju i jego darze odnajdywania zaginionych krążyły legendy, problemem było tylko dotarcie do niego. A jednak Janowi udało się. Czule spojrzała mu w oczy i jakby zawstydzona własną słabością, a także obecnością córki i wuja, ukradkiem, pod stołem uścisnęła mu dłoń.

Na plebanię do księdza Andrzeja dotarła zmęczona, zmarznięta i trochę rozdrażniona gadaniną wiejskich bab, z którymi czekała na PKS. Żaliły się na ciężkie życie, że nie mają czym palić, a chleb widzą raz na dwa tygodnie. Popatrywały przy tym na Martynę wymownie, mając jej za złe miejski wygląd i to, że takie jak ona i szpital mają pod bokiem, i fundusz wczasów, i Bóg wie, co jeszcze. Nie odzywała się, ale wytrąciło ją to z równowagi.

Ksiądz Andrzej zaprosił Stroynowską do pokoiku pełnego zielonych krzewów w doniczkach i rozłożył wielką, sfatygowaną mapę ZSRR. Wziął od Martyny zdjęcie Klary i przesuwając je z wolna po całym terytorium ogromnego kraju, mamrotał:

– Trudno mi doprawdy... Tyle tu krwi... tyle łez...

Słyszała, że ksiądz Andrzej po trzydziestu latach odnalazł ślad kogoś, kto zaginął pod Narwikiem, więc może znajdzie także Klarę. Żeby przynajmniej powiedział, czy żyje.

– Było was dwie... I jest was dwie... – usłyszała wreszcie słowa, na które tak bardzo czekała. – Gdzieście się zgubiły? – zapytał.

Opowiedziała to, co tyle razy śniło się jej po nocach, wracało jak koszmarny sen, od którego nie można się uwolnić: biała równina bez końca... śnieg, śnieg i śnieg... i zawiany peron, na który wybiegły z Klarą za matką...

– Poszłyśmy po wodę – mówiła urywanymi zdaniami. – Ja w stronę lokomotywy, a siostra na koniec eszelonu... Pociąg właśnie ruszał... Mama zdołała wciągnąć mnie do wagonu... a ona... ona tam została...

– To był Kazachstan? – spytał łagodnie ksiądz Andrzej.

– Nazwy tej stacji nigdy nie ustaliłam – zakryła dłonią oczy. – Jak trudno żyć z tym strasznym, potęgującym się z latami poczuciem winy... Miałyśmy przecież przykazane przez matkę, żeby cały czas trzymać się za ręce, a ja puściłam Klarę... Puściłam! I przez tyle lat nie umiałam jej odnaleźć!

– Proszę nie mieć wyrzutów sumienia. Są winy niezawinione. – Ksiądz przesunął zdjęcie Klary w inny rejon Kraju Rad. – Tam była... A jest tutaj... – mamrotał do siebie.

– Więc żyje! – Martyna zerwała się z krzesła i pochyliła nad mapą, jak gdyby spodziewała się wyczytać z niej coś więcej poza nazwami geograficznymi. – Czułam to! – serce waliło jej jak młotem.

Ksiądz Andrzej pokręcił głową.

– Ale jej myśli nie biegną w tę stronę.

– To niemożliwe! – krzyknęła histerycznie.

Łagodnie ujął ją za rękę.

– A może ona nie wie, kim jest?

Tej ewentualności Martyna nie brała dotychczas pod uwagę...

Skulona z zimna znowu stała na przystanku PKS-u, czekając na autobus do Warszawy. Przeżycia tego popołudnia bardzo ją wyczerpały. Miała migrenę i trzęsły nią dreszcze. Wokół były tylko zasypane śniegiem pola. Jak wtedy... jak tam... Mocniej okręciła szal wokół szyi. W pewnej chwili usłyszała warkot motoru. „Nareszcie" – pomyślała sądząc, że nadjeżdża autobus, ale to była czarna wołga, z której ku jej zdumieniu wyskoczył Jan. Miał za złe żonie, że nie uprzedziła go o zamiarze wyjazdu do Ełku. Przecież by ją zawiózł służbowym samochodem. Objął dygoczącą z zimna Martynę i poprowadził do wołgi. W odruchu wdzięczności ucałowała go w policzek. Przytulił ją, ale łagodnym ruchem wyswobodziła się z jego ramion.

W czasie podróży odprężona już i pełna otuchy opowiedziała mu, jak przebiegło spotkanie z księdzem Andrzejem, ale wystarczyło, że Jan wyraził nadzieję, iż może jednak Klara żyje, żeby znów się najeżyła.

– I po co ta hipokryzja? – zaatakowała. – Przyznaj się. Liczyłeś, że będzie wręcz odwrotnie, że Klary już nie ma!

Nie miał zamiaru o niczym Martyny przekonywać, skoro nie przemawiały do niej fakty ani jego oddanie. Powiedział tylko:

– Ja wierzę w księdza Andrzeja.

Do samej Warszawy już się do siebie nie odzywali.

★

Od paru dni Wrotka dręczył problem, którego nie umiał rozwiązać. Otrzymał propozycję zrobienia dokumentu o przedstawicielu przodującej klasy, a nawet cień pomysłu nie przychodził mu do głowy. Czas płynął i szansa mogła przejść koło nosa.

– Wiesz, o kim mógłbyś zrobić film? – poradził Andrzej, kiedy we dwóch siedzieli przed telewizorem i oglądali nie kończącą się relację z obrad KC. – O naszym Langu. Przecież polska ortopedia coś w świecie znaczy.

Mundek machnął dłonią. Gdyby o niego chodziło, nie zastanawiałby się ani minuty, ale towarzysz Bednarski chciał mieć film, z którego jasno by wynikało, że dla robotnika partia jest matką, a zakład pracy ojcem.

– Już wiem! – Andrzej zatarł ręce. – Zawiślak z montażu!

W tym momencie zadzwonił telefon. Andrzej podniósł słuchawkę i gestem poprosił przyjaciela o przyciszenie telewizora. Dzwoniła Ula. W imieniu Leszka prosiła, żeby Andrzej przywiózł synów do Konstancina.

– To znaczy, że pani znowu była u niego? – zdziwił się.

Potwierdziła, ale szybko dodała, że to był zwykły przypadek. Podziękował za ten przypadek i chciał się dowiedzieć, kiedy znowu się tam wybierze, ale połączenie zostało przerwane. Andrzej odłożył słuchawkę.

– Mów o tym Zawiślaku! – ponaglał go Wrotek.

Zawiślak... No cóż, to taki facet, który wstaje przed trzecią rano, doi krowę, o wpół do czwartej wyprowadza rower, jedzie do Małkini jedenaście kilometrów i tam wsiada do pociągu, żeby zdążyć na pierwszą zmianę w FSO.

Mundek szalał z radości. To jest to! Czegoś takiego szukał! Człowieka-symbolu tych czasów! Chłopa robotnika, któremu nie opłaca się nawet kłaść do łóżka, bo cały czas myśli o wykonaniu planu! „Człowiek na medal" – już miał tytuł dla swojego przyszłego filmu.

★

– Powiedziałem mu, że operacja nie jest konieczna
– Lang dyskretnie przypatrywał się Uli. Wyglądała zupełnie inaczej niż wówczas, kiedy zjawiła się tu po raz pierwszy. Z twarzy zniknął obrzęk i ostry makijaż. Prezentowała się całkiem, całkiem w dobrze skrojonym kostiumiku. – Dla Leszka jest tylko jedno lekarstwo – podjął temat. – Musi chcieć stanąć na nogi. Ale on nie ma w sobie woli walki – rozłożył bezradnie ręce.

– Bo czuje się winny, że nigdy nikomu nie dał prawa do siebie.

Lang zastanowił się: z pewnością Ula wiedziała więcej niż on na temat tego pacjenta...

– Chyba ma pani rację – przyznał po chwili. – Tacy jak Talar wolą być bankrutami, niż coś komuś zawdzięczać. – Spojrzał na Ulę z nadzieją, z jaką się patrzy na długo wyczekiwanego sprzymierzeńca. Podziękowała docentowi za rozmowę i weszła do Leszka.

Wpadł w furię, kiedy korzystając z nieobecności Należytego ostrożnie zaczęła przekonywać go, że powinien zaufać Langowi i terapeutom, że powrót do zdrowia to sprawa jego, Leszka, decyzji, czy podejmie walkę, czy nie. Wreszcie, że nie można tak żyć, nic nigdy nikomu nie zawdzięczając. Oświadczył podniesionym głosem, że na szczęście nie ma żadnych zobowiązań, że nikomu nie jest potrzebny, że nie ma po co żyć, bo i tak nigdy nie będzie chodził.

– A powiedziałeś komuś w życiu to jedno jedyne najważniejsze słowo? – przerwała mu.

– Jakie? – dobrze wiedział, o co pyta, ale chciał to słowo usłyszeć z jej ust.

– A powiedziałeś kiedyś komuś „kocham"? – zapytała cicho.

Odwrócił głowę. Gdyby wiedziała, jak bardzo chciał jej to powiedzieć wtedy przed laty... Nie potrafił zdobyć się na wyznanie, a potem wszystko tak się pogmatwało... A teraz, teraz musi wyznać coś całkiem innego...

– Po co mam żyć? – powtórzył. – Komu jest potrzebny impotent? – wyrzucił z siebie.

– To tylko od ciebie zależy – powiedziała spokojnie, jak gdyby to, co powiedział, nie zrobiło na niej najmniejszego wrażenia. Czyżby nie zrozumiała, o czym on mówi, może się jej wydaje, że to taka przejściowa dolegliwość, która minie jak grypa?! Rozzłościł się.

– Nie rozumiesz?! Nigdy nie będę mężczyzną! – odrzucił kołdrę i zrozpaczony powiedział po chamsku z jakąś masochistyczną satysfakcją: – Nigdy mi nie stanie! – wskazał na podbrzusze.

Przyjęła spokojnie ten wybuch jak ktoś, kto zna lekarstwo na takie choroby.

– Kto ci powiedział te bzdury? – zapytała rzeczowo.

– A co? Może mnie przekonasz, że to nieprawda?! – prowokacyjnie spojrzał jej w oczy.

Milczała. Podeszła tylko do drzwi i przekręciła klucz w zamku. Zanim znowu odwróciła się do niego twarzą, zdjęła żakiet i wolno rozpięła bluzkę... Leszek głośno przełknął ślinę, czuł, że mu się pocą dłonie... Kiedy pochyliła się nad nim i poczuł bijący od niej znajomy zapach, w oczach mu zawirowało... Przyciągnął ją gwałtownie ku sobie... Całując Ulę w nieprzytomnym zapamiętaniu, jak gdyby chciał odrobić wszystkie stracone lata, słyszał jak przez mgłę jej głos:

113

– Ale... wykrztuś to jedno słowo...

Nie umiał, nie potrafił się przemóc...

Z trudem oswobodziła się z jego ramion. Nie chciał jej puścić, mimo że ktoś coraz głośniej i coraz natarczywiej dobijał się do drzwi.

– Zostań... Ula... Zostań – prosił.

Szybko się ogarnęła i pospiesznie otworzyła drzwi.

– Przyszedłem wziąć pacjenta na trening – w progu stał magister Smolis. Uśmiechnął się domyślnie na widok Uli w nie dopiętej bluzce. Na czym, jak na czym, ale na sprawach rehabilitacji oraz męsko-damskich magister znał się, jak mało kto. – Czym pan dzisiaj we mnie rzuci? Basenem czy znowu kaczką? – żartował pomagając pacjentowi pozbierać się.

– Już więcej niczym – zapewnił Leszek głosem tak radosnym, że Smolis z uznaniem spojrzał na Ulę. Niebawem miał się przekonać, że w osobie Leszka Talara zyskał najpilniejszego ucznia...

Do codziennego obowiązkowego rytuału u Stroynowskich należało wieczorne słuchanie „Wolnej Europy". Alfred musiał się zawsze niemało napracować, by złapać zanikającą co chwila falę. Do tego dochodziły okropne dźwięki zagłuszacza powodujące, że audycje z Monachium docierały do uszu odbiorcy bardzo często w zupełnych strzępkach.

– ... ktoś, kto mógł napisać o emigracyjnym rządzie londyńskim, że jest muzealnym zbiorowiskiem dinozaurów... – poprzez zagłuszające trzaski płynął do nich głos spikera – ... sam nie jest godzien, by go nazwać Polakiem. Pan, a raczej chyba towarzysz Borowski uważa za słuszne pozbawienie obywatelstwa polskiego takich ludzi, jak generałowie Anders i Maczek... – Bizanc spojrzał na siostrzenicę. Stała ze spuszczoną głową, nerwowo trąc dłonie. – ... Jan Borowski w swoim paszkwilu obraża nie tylko bohaterów, on obraża wszystkich Polaków. Taki ktoś nie zasługuje, aby podawać mu rękę...

– Zagłuszają... – Alfred pokręcił gałką, by złapać uciekający głos.

– Niestety. Tego się nie da zagłuszyć – Martyna zbliżyła się do odbiornika, żeby mimo wszystko wysłuchać oskarżenia do końca. Odległy głos spikera znów do nich docierał.

– ... reżim komunistyczny specjalnie używa jako swoich heroldów tych, którzy, jak Jan Borowski, mieli za sobą biografię jego ofiar. Tym bardziej boli ta zdrada...

Na dźwięk słowa „zdrada" obydwoje zamarli. Bizanc przestał manipulować przy radiu i powiedział w zamyśleniu:

– Pawilon dziesiąty, cela trzydzieści cztery...

Martyna kurczowo ścisnęła dłoń wuja:

– Ja jednak się z nim rozwiodę...

Znowu trzeba było łapać uciekający głos. Hrabia pochylił się nad skalą, ale ku jego zdumieniu Stroynowska błyskawicznym ruchem wyłączyła radio. W drzwiach pojawiła się Beata. Była z ojcem na koncercie i świetnie się bawiła. Zawirowała jak w tańcu pośrodku staroświeckiego salonu. Jej hipisowski strój – hinduska bluzka przyozdobiona sznurami drewnianych paciorków i bawełniana gnieciona spódnica – kontrastował ze starymi meblami i bibelotami wypełniającymi pokój. Objęła matkę wpół i zawołała radośnie:

– W sobotę ty z nim pójdziesz!

– Nigdy! – oświadczyła twardo Martyna. – I ty też nie powinnaś się z nim pokazywać!

Beata zastygła w bezruchu. O co tym razem matce chodzi? Czy nie wystarczy, że zatruła im życie sprawą ciotki Klary? Czy może ma się wyrzec ojca dlatego, że...
– Wiem! Wiem! – próbowała zgadywać. – Nie podoba się wam, że on pracuje w tej redakcji! Wolelibyście, żeby tak jak wy gnił na tym śmietniku wspomnień?! – lekceważącym spojrzeniem obrzuciła wnętrze pokoju. – On chce coś zmienić, a wy wciąż uważacie, że żyjemy w kajdanach!

Alfred, który z zasady nie wtrącał się do sporów matki i córki, tym razem uznał, że ma do tego prawo:
– Nie kajdanki są niewolą – oświadczył dobitnie – lecz zgoda na kłamstwo i udział w nim. – Ponownie zaczął manipulować przy radiu.

Beata w zapamiętaniu, pełna złości i oburzenia krzyczała:
– Jakie kłamstwo? Ojciec nigdy nie kłamie!

I wtedy poprzez trzaski przebił się głos „Wolnej Europy":
– ...Kim trzeba się stać, by nazwać bohaterów wojny zdrajcami? Na jakie miano on sam zasługuje? Zdrajcy? Odszczepieńca czy tylko zwykłej, koniunkturalnej kreatury?! Jan Borowski stał się jeszcze jednym płatnym agentem bolszewickiej propagandy... – głos znowu zagubił się w zagłuszających dźwiękach, ale to, co najważniejsze, dotarło do uszu skamieniałej Beaty. W spazmatycznym, nie kontrolowanym odruchu szarpnęła za korale i zerwała sznurek. Nie zwracając uwagi na rozsypujące się paciorki, wybiegła z pokoju.

Borowski zdawał sobie sprawę, że rozmowa z córką będzie trudna, może najtrudniejsza z dotychczasowych rozmów, jakie ze sobą prowadzili. Beata nie była już dzieckiem, zaczynała mieć własne zdanie i własne poglądy, przynajmniej tak się jej zdawało. A poza tym wkroczyła w wiek buntu przeciwko wszystkim i wszystkiemu. Gdyby chodziło tylko o dziwaczny strój i chodzenie bez butów, czym wywoływała niekiedy zgorszenie, tym by się nie przejmował, ale czuł, że dziewczyna traci grunt pod nogami, bo padają w jej oczach wszelkie autorytety. O innych się nie martwił, ale swój pragnął obronić za wszelką cenę.

Spotkali się przed wejściem do Łazienek. Beata, bez zbędnych wstępów, od razu przeszła do rzeczy. Chciała wiedzieć, dlaczego napisał taki wredny artykuł i dlaczego dopuścił się zdrady!

Zarzut zdrady zabolał go.

– Kto tak powiedział? Martyna?

– Nie. „Wolna Europa" – odparła agresywnie.

No tak, mógł się tego domyślić.

– Ja też siedziałem za Polskę! – zawołał rozgoryczony.

– Ale oni są tam, a my jesteśmy tu! Musimy jakoś żyć w tej klatce.

Tego się po ojcu nie spodziewała. Nagle dokonała straszliwego odkrycia, że jej ukochany tatuś nie widzi niczego nagannego w posługiwaniu się kłamstwem, bo „przecież trzeba jakoś żyć". To był cios.

– Może... może trzeba ratować, co się da?! – przekonywał coraz bardziej zdenerwowany. – Na wszelkie sposoby zmiękczać ten socjalizm?

– Ciągle kłamiąc? – pokręciła głową niedowierzająco. Nie mogła pojąć, jaki związek istnieje między rozmiękczaniem socjalizmu a zwykłym oszczerstwem.

– Bo trzeba ocalić, co się da! – nie wytrzymał Borowski.

– Ale jak mogłeś nazwać ich bankrutami? Mama musiała nawet napisać do kuzyna Tunia z Londynu i przeprosić go, że nosi nazwisko Borowska.

– A kto nas wszystkich przeprosi za Jałtę? – wykrzyknął na tyle głośno, że mijający ich spacerowicze aż odwrócili głowy. Stropił się nieco i opanował wzburzenie. Krzykiem nic tu nie załatwi. Musi spokojnie, po kolei wszystko córce wytłumaczyć. Szli w stronę kawiarni, a on wspominał, jak siedział w więzieniu razem z wujem Alfredem, który opiekował się nim jak synem, i jak stary hrabia już wtedy uznał, że Borowski będzie dobry na męża dla jego siostrzenicy. Nikt mu wówczas nie powiedział, że to będzie ślub nie z jedną, lecz z dwiema siostrami naraz! A on chciał być tylko z tą jedną, istniejącą, tymczasem Martyna zmuszała go do ciągłego obcowania z tą drugą, mityczną...

O tym wszystkim Beata doskonale wiedziała. Zapatrzona w kwitnące kasztany, myślała cały czas o tym, co jej ojciec napisał o londyńskich Polakach i jaki to ma związek z jego osobistą historią.

– Polityka jak rzeka: nie odwrócisz jej biegu – ciągnął półgłosem, kiedy znaleźli już miejsce w kawiarni. – Trzeba się pogodzić, że rząd londyński jest przeżytkiem. To historia wydała na niego wyrok.

– Historia czy Moskwa? – zapytała Beata na tyle głośno, że Jan niespokojnie rozejrzał się, czy nikt nie podsłuchuje ich rozmowy.

– Nie wolno drażnić lwa, gdy się z nim mieszka w jednej klatce. Trzeba w czymś ustąpić – uważnie przyglądał się córce. – Etre de son temps to jedyny obowiązek człowieka współczesnego. – Czuł, że tym argumentem może ją przeciągnąć na swoją stronę.

– Być w swoich czasach... – powtórzyła jak echo. – Ale jak?

Jan mógł być z siebie dumny. Okazało się, że nieźle zna córkę i że potrafi przekonać ją do swoich racji. Kiedy parę dni po ich spotkaniu Martyna znowu wdała się w dyskusję z Beatą, dziewczyna posługiwała się już argumentacją ojca jak własną.

– Etre de son temps? – kpiła Stroynowska. – To filozofia chamów i prostaków! Śmieszny argument! – zlekceważyła wywody córki.

– Śmieszni są raczej ci, co nie są w swoich czasach, tylko obok nich! Może trzeba ratować, co się da?! A wy odwracacie się plecami do historii! – wykrzykiwała świeżo wyuczoną lekcję. – Wiesz, kim się staliście? – Spojrzała na matkę wyzywająco, ale Martyna nie przestawała porządkować nut na pianinie i wydawała się całkowicie pochłonięta przez to zajęcie. – Jesteście strażnikami martwych symboli! Bronicie świata, który odszedł, i sami należycie do przeszłości! – Chcąc wreszcie wstrząsnąć matką, wymierzyła palec w fotografię Klary. – O! Tak jak i ona!

– Jej nie tykaj! – Martyna obronnym gestem przytuliła zdjęcie siostry do piersi. – A ty powtarzasz cudze argumenty. I nawet wiem czyje...

Beata zadowolona, że wreszcie się jej udało sprowokować matkę, naciskała:

– A są lepsze?

– Są! – z drugiego pokoju usłyszała głos Alfreda, który tam pracował nad swoimi ekspertyzami dla Desy. Porzucił je na chwilę i wchodząc do salonu, gdzie były obie panie, przemówił do Beaty na wpół kpiąco, na wpół serio: – Idź zawsze wyprostowana. Miej czyste sumienie i... nogi – wymownie popatrzył na bose brudne stopy dziewczyny wystające spod długiej spódnicy.

Zerwała się z fotela jak oparzona i wybiegła trzaskając drzwiami.

– Boję się o nią... – Martyna szukała wsparcia u wuja. Przerażała ją własna córka, jej żywiołowy temperament i silna osobowość. – Ona jest przeciw nam! – W tym stwierdzeniu było tyleż zdziwienia, co niedowierzania. Jak to się mogło stać i przede wszystkim kiedy? Czyżby pochłonięta własną obsesją nie zauważyła, że córka wymyka się jej z rąk, że traci z nią kontakt...?

– Ciesz się – uspokajał Bizanc. – Kto w wieku nastu lat nie jest przeciwko porządkowi świata, ten urodził się martwy.

Uśmiechnęła się blado. To była słaba pociecha.

Leszek zaskoczył wszystkich: rodzinę, towarzyszy szpitalnej niedoli, magistra Smolisa i przede wszystkim doktora Langa. Z niespotykaną zajadłością odrabiał na ćwiczeniach stracony czas. Tego dnia, kiedy wsparty o balkonik zrobił samodzielnie dwa kroki, czuł się jak olimpijczyk. Uwierzył, że pokona kalectwo, że uda mu się to ... dla niej...

– Jak pani to zrobiła? – Należyty postanowił skorzystać z tego, że Leszek jest na zajęciach, i przepytać Ulę, która stała się już stałym bywalcem w STOCER-ze. – Truła się pani przez niego, a teraz nagle tyle serca?

– A pan zapomniał, jak pan kochał pierwszy raz? – odpowiedziała pytaniem na pytanie, nie przestając porządkować rzeczy Leszka.

Należyty westchnął rozmarzony:

– Ma chłop szczęście.

Uśmiechnęła się do niego i zaczęła rozpakowywać przyniesione wiktuały.

Lang z daleka obserwował, jak Leszek, wsparty o balkonik, wolniutko i z widocznym wysiłkiem posuwa się parkową alejką.

– Puść ten balkon! – powiedział podchodząc bliżej. Widząc wahanie na twarzy Talara, dodał stanowczo: – Idź! Postaw pierwszy krok! Idź! – powtórzył.

Leszek powoli puścił poręcz balkonu, zachwiał się na nogach, zatrzepotał rękami jak pisklak skrzydełkami, kiedy próbuje złapać równowagę, i zrobił trzy chwiejne kroki. Opadł na pobliską ławkę ciężko dysząc. Pot spływał mu z czoła, ale Lang był bezlitosny. Wpatrując się w Leszka, jakby chciał go zahipnotyzować, rozkazał władczym tonem:

– Wstań i idź!... Uwierz, że możesz!

Wiedział, że to decydujący moment. Jeśli pacjent pokona strach i słabość, będzie chodził. Leszek z trudem zebrał się w sobie, wstał z ławki i zrobił krok w stronę Karola. Ten cofnął się o dwa kroki i przyzywał go do siebie. Talar zrobił te dwa kroki i jeszcze dwa następne i padając wreszcie w ramiona doktora, wydał dziki okrzyk radości, którym komunikował całemu światu swój powrót do życia!

Ula czekała na tę chwilę bojąc się jej jednocześnie. Czy Leszek będzie jej jeszcze potrzebował, kiedy na dobre stanie na nogach, czy może nie oglądając się za siebie wróci do tego, co kocha najbardziej i na czym mu jedynie zawsze zależało, czyli do koni? Zadawała sobie te pytania tym częściej, im szybciej zbliżał się dzień wyjścia Leszka ze szpitala.

★

W tym samym czasie Wrotek czekał na kolaudację swojego filmu „Człowiek na medal". Jeszcze teraz śmiać mu się chciało, kiedy sobie przypominał zdziwioną minę towarzysza Kuźniaka z FSO, że to Zawiślak, a nie żaden zasłużony towarzysz ma być tym człowiekiem-symbolem

121

nowych czasów. Ale Mundek dopiął swego i oto świeżutko zmontowany film gotowy był do przeglądu. Mundek pokazał w nim wszystko: transparenty z napisami „Nasze jutro wykuwamy dziś" i „Zwiększoną produkcją uczcimy święto 22 Lipca", były też masowe pieśni „Do roboty, do roboty..." i „Tysiące rąk, miliony rąk..." i wreszcie był sam Zawiślak. Zawiślak przysypiający w zasnutym dymem przedziale pociągu relacji Małkinia–Warszawa Wileńska i na odwrót, zmordowany Zawiślak pedałujący na rowerze w ciemność, w której się malowniczo roztapia lub z której się wynurza, Zawiślak w kombinezonie przy taśmie w FSO, w końcu Zawiślak w przyciasnym garniturze w szeregu przodowników pracy...

– Dosyć, dosyć! – Bednarski władczym gestem dał znak, by przerwać projekcję. – Ktoś tu zwariował! – ryknął. – I temu dał pan tytuł „Człowiek na medal"? Jaka w tym niby ma być idea? – spojrzał oskarżycielsko w stronę redaktora odpowiedzialnego za ten nieodpowiedzialny pasztet. Ten coś zaczął bąkać, że chodziło o pokazanie awansu społecznego, ale szef wpadł mu natychmiast w słowo: – No właśnie! A co my tu mamy? Bohatera, który ośmiesza ten temat! To jest ośmieszanie warstwy chłopów robotników, a nie jej, powiedzmy, gloryfikacja – coraz bardziej się zaperzał.

Trudno mu było odmówić pewnej przenikliwości, choć niezupełnie wyczuł intencję Wrotka, któremu nie o ośmieszenie chodziło, lecz o ukazanie beznadziejnej egzystencji nieszczęsnych „przodowników pracy socjalistycznej".

– No, rzecz dyskusyjna... – Mundek postanowił się bronić za pomocą argumentów i retoryki przeciwnika. – Oto na naszych oczach bohater przeradza się z małorol-

122

nego chłopa w członka wielkoprzemysłowej klasy robotniczej.

– To ciekawy pogląd... – Bednarski wbił wzrok we Wrotka. Jego, starego partyjnego wróbla, na takie plewy chce wziąć! A sprawa jest jasna. – Ja w tym widzę kpinę! I komu to ma służyć?

Zapadła kłopotliwa cisza. Wrotek próbował tłumaczyć, że ten film otwiera cykl „Twarze z pierwszych stron gazet", że potem przyjdą inne...

– To był twój pomysł... – przerwał mu redaktor odpowiedzialny, pragnąc tym samym podkreślić, by nie było żadnych wątpliwości, swój zgoła minimalny udział w tym wszystkim.

– Ale redaktor Mehrer zatwierdził ten pomysł! – uniósł się Mundek.

Bednarski porozumiewawczo zerknął na redaktora.

– No cóż, widać koledze Wrotkowi trzeba przypomnieć, kim się po marcu okazali tacy panowie, jak Mehrer i Sommerstein. Powinieneś mieć więcej świadomości politycznej – przemówił łagodnie, jak ktoś, kto jest lepiej poinformowany, ale być może przekaże wspaniałomyślnie część tej swojej bezcennej wiedzy. – Pozbyliśmy się wprawdzie Sommersteina i Mehrera – spojrzał na redaktora, który skwapliwie potakiwał – ale w rezultacie nikt tą redakcją nie kieruje. A ja widziałbym kandydata... – Obaj wbili wzrok we Wrotka, a ten udawał, że niczego nie rozumie. Świerzbił go język, żeby powiedzieć, że pamięta, jak to wysyłali „Syjonistów do Syjamu", ale się powstrzymał. Bednarski uśmiechnął się pod nosem. Znał takich facetów, niby to wojujących i nieprzejednanych, a wystarczy ich umiejętnie podejść, omotać słowną argumentacją, połechtać ambicję, zaproponować stanowisko

123

i pójdą na współpracę bez problemów, o wszystkim zapominając.

– Podobał mi się twój pomysł stworzenia cyklu pod hasłem „Twarze z pierwszych stron gazet". Biały dom też jest za tym – sączył Mundkowi w uszy, kiedy byli już tylko we dwóch na korytarzu wytwórni filmowej. – Nawet uzgodniłem, że przejmiesz redakcję.

– Ja? – Wrotek udał zdziwienie. – Ależ ja nie mam żadnego doświadczenia!

– I co ja teraz towarzyszom powiem? – zmartwił się Bednarski.

– Że nie masz człowieka na medal – próbował żartować Mundek.

Szef nie podjął jednak jego tonu. Nie pozwoli mu wykręcić się sianem, przyprze do muru tego wywrotowca.

– A może jednak... mam – kusił. – Talentu ci nie brak. Ale redakcją musi kierować ktoś o określonej świadomości.

Wrotek milczał. Bednarski, lekko już zniecierpliwiony, że rozmówca nie wychodzi mu naprzeciw, nie miał wyjścia. Musiał sprawę postawić jasno:

– Przekręcisz cały ten materiał z FSO i... – zawiesił głos, by wzmocnić efekt – ... i obejmiesz redakcję po Mehrerze. Tylko byłoby oczywiście wskazane, żebyś wstąpił do partii – zniżył głos. – A o rekomendację się nie martw.

Mundek w popłochu szukał jakiegoś pretekstu, by przerwać tę rozmowę.

– No, trzeba pomyśleć... – postanowił zagrać na zwłokę i w tym momencie z pomocą przyszedł mu przypadek. Z parkingu dobiegł natarczywy dźwięk klaksonu. – O, cholera! – wyjrzał przez okno i złapał się za głowę. – Muszę lecieć, bo zablokowałem Łomnickiemu wyjazd z parkingu! – nie czekając na reakcję zaskoczonego takim obrotem sprawy Bednarskiego, pobiegł w stronę schodów dzwoniąc kluczykami samochodowymi. Wyszedł z wytwórni i spojrzał dyskretnie w górę, ale w oknie na pierwszym piętrze, przy którym zostawił szefa, nikogo już nie było. Odetchnął z ulgą, schował kluczyki do kieszeni i poszedł do kiosku po gazetę.

– Dlaczego odmówiłeś? – Halina przepytywała męża z zawodową dociekliwością. Była zaniepokojona całą tą sprawą i chciała dokładnie wiedzieć, czy przypadkiem Mundek nie nagadał głupstw.

– Nie nadaję się na towarzysza – wyjaśnił krótko. Marsowa mina żony i badawcze spojrzenie rozśmieszyły go. – Nie jestem godzien stanąć w jednym szeregu z wami, towarzysze, by nieść wspólnie sztandar idei Marksa–Engelsa–Lenina, Feliksa Dzierżyńskiego i ...Kociołka... – błaznował, ale w jej odczuciu rzecz była zbyt poważna, by zbyć ją wygłupem.

– A chcesz się spełnić jako reżyser? – zapytała. – Chcesz się piąć w górę? Bo ja na przykład chcę mieć święty spokój! Czasy są takie, że ktoś z nas dwojga musi być w partii.

Mundkowi przeszła ochota do śmiechu. Przyjrzał się uważnie Halinie. Nie miał wątpliwości, że pani celnik nie żartowała. Nagle wydała mu się okropnie odpychająca w tych lokówkach na głowie i różowej halce odsłaniającej obfite kształty.

– Naprawdę tak uważasz? – upewnił się.

– Jak najbardziej – oświadczyła.

Nic nie powiedział, tylko wziął ze stołu pudełko z zapałkami, wyjął dwie i ułamał łebek jednej z nich. Jeśli tak, to

125

niech los rozstrzygnie, kto z nich dwojga ma wstąpić w szeregi PZPR, ona czy on. Halina potraktowała tę propozycję z całą powagą. Przez chwilę wahała się, który patyczek wyciągnąć, wreszcie zdecydowała.

– Wygrałam! – krzyknęła rozpromieniona.

– Ty zawsze masz szczęście – w głosie Mundka zabrzmiała jakaś nieprzyjemna nuta, ale zadowolona z siebie Halina nie zwróciła na to uwagi. Dopiero kiedy powiedział:

– Pogratulować głupoty – spojrzała na niego zaskoczona. Na jego twarzy malowała się wrogość i pogarda. – I ty na serio poszłabyś się zapisać? – Było to bardziej stwierdzenie faktu niż pytanie. Patrzył na nią groźnie jak prokurator. Bąknęła niepewnie, że przecież wygrała, ale to go tylko rozjuszyło: – Jeśli to zrobisz – zagroził – szukam adwokata!

Nie zrozumiała, o czym on mówi, o jakim adwokacie i przede wszystkim dlaczego. Sam zaproponował to losowanie, a przedtem zgodził się z jej rozumowaniem, więc o co chodzi?

– Gdybyś to zrobiła – powtórzył dobitnie, żeby nie było złudzeń – bierzemy rozwód. – I nie czekając na jej reakcję wyszedł z pokoju. Halina jak ogłuszona padła na tapczan.

– Mundi... Ja to tylko dla ciebie... – jęknęła żałośnie. Ale Mundek już tego nie usłyszał. A nawet gdyby... Dla niego ważne było to, że w ogóle taka myśl przyszła jej do głowy.

★

Od pewnego czasu w domu Stroynowskiej najmniejsza nawet uroczystość rodzinna wywoływała napięcia, a z reguły kończyła się sprzeczką matki z córką. Powody były nieodmiennie te same: ojciec i ciotka Klara. Obie te sprawy wypłynęły znowu w dniu urodzin Martyny.

– Dlaczego nie możemy być wszyscy razem? – Beata z uporem zadawała matce to pytanie, mimo że doskonale znała odpowiedź: że nie wszystko da się skleić, że po tym, co Jan zrobił, nie mogą być razem itd., itp.

Kiedy stół był już nakryty, dziewczyna położyła przy talerzu Martyny małą paczuszkę.

– Od niego. Pamiętał.

To był prezent od Jana. Śliczna broszka, którą razem wybrali u jubilera. Jeszcze parę godzin temu Beata była taka szczęśliwa! Najpierw ojciec zaprowadził ją do Pewexu, żeby kupić najprawdziwsze w świecie amerykańskie dżinsy! Leżały jak ulał! Przyglądała się swojemu odbiciu w lustrze w przymierzalni, nie dowierzając, że za chwilę wymarzone spodnie staną się jej własnością. Dotychczas nigdy niczego nie kupowała w Pewexie, nie było na to pieniędzy; zaglądała tam tylko czasami przez okno wystawowe, żeby nacieszyć oczy modnymi ciuchami, a dziś dzięki ojcu po raz pierwszy mogła wkroczyć do tego eleganckiego świata dla wybranych i zamożnych.

Chciała, żeby matka zainteresowała się prezentem, żeby otworzyła pakuneczek i przede wszystkim żeby zaczekała z rozpoczęciem uroczystości na przyjście ojca, ale ona pochłonięta była urządzaniem na stole ołtarzyka ku czci ciotki Klary. Jak zwykle ustawiła zdjęcie przed pustym nakryciem, tłumacząc, jakby to robiła po raz pierwszy:

– To nasze wspólne urodziny. Moje i jej...

Stary hrabia przystąpił do napełniania kieliszków winem, a Martyna zapaliła wetknięte w urodzinowy tort dwie świeczki. Po spełnieniu toastu dmuchnęła na nie. Jedna świeczka zgasła, a druga tylko zamigotała pod wpływem podmuchu i paliła się nadal.

– Wiecie, co to znaczy? – zawołała uszczęśliwiona.
– Klara żyje! – policzki się jej zaróżowiły z emocji, a oczy rozbłysły radością.

Beata wzniosła oczy do nieba.

– Znowu ta Klara...

– O co masz do niej pretensję? – zapytał z wyrzutem Alfred, kiedy Martyna wyszła na chwilę do kuchni.

Po raz kolejny oskarżyła mityczną ciotkę o to, że przez nią nie ma ojca, że choć nie istnieje, wyrządziła tyle złego, że winna jest separacji rodziców.

– Wujaszku! – błagała histerycznie. – Powiedz wreszcie mamie prawdę! Powiedz, że tamtej już nie ma!

Bizanc pokręcił głową zakłopotany. Nie lubił mieszać się w sprawy siostrzenicy, ale tym razem nie miał wyjścia.

– To nie Klara jest powodem separacji – wyjął z szuflady sekretery grubą lotniczą kopertę z królową angielską na znaczku. – Kuzyn Tunio pisał z Londynu o tym, jak środowiska polskiej emigracji przyjęły publikacje Jana. Relacja kończyła się suchym stwierdzeniem, że odtąd nazwisko to znaczy w Londynie tyle samo, co świnia, a Borowski nie zasługuje, by mu porządni ludzie rękę podawali.

Beata zerwała się od stołu czerwona jak burak. W tej chwili z całego serca nienawidziła Alfreda! Gwałtownie szukała argumentów, którymi by mogła go upokorzyć, ale do głowy nie przychodziło jej nic własnego, jedynie wypowiadane przez ojca opinie.

– Bo... bo oni tam w Londynie siedzieli sobie w pubach, a on tu siedział w więzieniu! Są jak te antyki z twojej Desy. Należą do czasów, które nie wrócą!

Hrabia uśmiechnął się pod nosem:

– A kto ci to powiedział?

– Wszyscy przytomni tak mówią! – odszczeknęła Beata.

– Zapamiętaj sobie, że słowo „wszyscy" nie jest żadnym usprawiedliwieniem. – Po czym dodał z goryczą:

– Nawet nie wiesz, jak wielu ludzi nie podaje ręki twojemu ojcu.

Nie chciała dłużej tego słuchać. Instynktownie czuła, że Bizanc ma dużo racji, a prawda nie jest taka prosta i oczywista, jak jej to próbuje wmawiać ojciec. Miała żal do całego świata o to, że znalazła się między młotem a kowadłem, że stale musi wybierać, walczyć, stawać w obronie, że nie może po prostu kochać rodziców i być z nimi jak wszyscy, no ale przecież słowo „wszyscy" nie jest żadnym usprawiedliwieniem. Zamknęła się w łazience nieszczęśliwa i zbuntowana z mocnym postanowieniem, że ukarze ojca. Kiedy po kwadransie zadzwonił do drzwi i stanął w progu z urodzinowym bukietem kwiatów dla Martyny, Beata także się ukazała. Chciał ją uścisnąć, ale nagle jego wzrok padł na spodnie córki. Zdębiał. Nogawki dżinsów, które wspólnie kupili kilka godzin wcześniej, od bioder w dół pocięte były jak makaron.

– Coś ty zrobiła?! – wykrztusił wreszcie.

– A ty coś zrobił? – wykrzyknęła zrozpaczona.

Nie chciała spotykać się z ojcem. Ustąpiła wreszcie pewnego letniego popołudnia, zaintrygowana jego propozycją odbycia wycieczki w rodzinną przeszłość. Jechali czarną wołgą przez wyludnioną o tej porze roku Warszawę, a on pokazywał córce ważne dla niego miejsca: przystanek autobusowy przed Instytutem Głuchoniemych, skąd go zgarnęli, Pałac Mostowskich, wreszcie mury więzienia przy Rakowieckiej...

– Pawilon dziesiąty, cela trzydzieści cztery... – powiedział w zamyśleniu bardziej do siebie niż do Beaty. Ciągle jeszcze czuł to nieprzyjemne mrowienie w plecach, kiedy tędy przejeżdżał, i ciągle miał w uszach odgłos zatrzaskującej się bramy... Czy to kiedykolwiek minie, czy zapomni o tym? – Uważasz, że za małą cenę zapłaciłem za swój udział w historii? – zwrócił się do milczącej przez cały czas dziewczyny. – Chyba mam prawo mieć o niej swoje zdanie?

– Ale w Londynie nie możesz się już pokazać – mruknęła.

Borowski jeszcze raz spojrzał w stronę muru więzienia. Dla niego sprawa była prosta. Polska jest tutaj. A Londyn, no cóż...

– Czy to tu poznałeś wuja Alfreda? – zapytała Beata, podążając wzrokiem za spojrzeniem ojca.

– Tak. I tu mi przepowiedział, że zakocham się w twojej matce, jak ją tylko zobaczę. – Powrócił obraz wrażliwej, trochę nerwowej dziewczyny o bladej cerze, zielonych oczach, z burzą miedzianych włosów. Zakochał się w niej, zanim otworzyła usta.

Zatrzymali się przed kościołem Wizytek na Krakowskim Przedmieściu. Tu brał z Martyną ślub. Była najpiękniejszą panną młodą, jaką kiedykolwiek widział. Wyglądała jak zjawisko w białej prostej sukience i koronkowym welonie po babce, który cudem przetrwał wojnę.

– Dlaczego właśnie tutaj braliście ślub? – dopytywała się Beata.

– Chodź, dowiesz się... – z tajemniczą miną wziął córkę za rękę i poprowadził w głąb kościoła, a potem dalej, do przyklasztornego ogrodu.

Znaleźli się w innym świecie, w którym wydawało się, że czas stanął w miejscu. Na spotkanie im wyszła przygarbiona wiekiem zakonnica, z ciepłym uśmiechem na pomarszczonej twarzy. Serdecznie przywitała się z Janem. Widać było, że dobrze się znali. Potem dłuższą chwilę przyglądała się Beacie.

– To ty jesteś tą małą Beatką? – z niedowierzaniem patrzyła na dorodną nastolatkę, tak bardzo podobną do swojej babki Honoraty. Dziewczyna pokiwała głową. Siostra Wiktoria uśmiechnęła się. – Znałam prawie wszystkich Stroynowskich – rozpoznawała w Beacie najlepsze rodzinne cechy: urodę, dumę, klasę.

– Ona już jest Borowska – sprostował Jan.

Beata spojrzała na niego.

– Czasem już sama nie wiem, kim jestem – szepnęła.

Siostra Wiktoria ujęła ją za rękę. Szli wolno ogrodową alejką, a stara zakonnica wróciła pamięcią do osiemnastego roku, kiedy to razem z babką Beaty, Honoratą, pracowały jako ochotniczki sanitarne w szpitalu Ujazdowskim ufundowanym przez Koło Młodych Ziemianek.

– Tam twój dziadek poznał Honoratę. Ranny przez bolszewików w bitwie pod Radzyminem leżał w naszym szpitalu – snuła opowieść, nie bardzo zdając sobie sprawę z faktu, że wychowane w powojennej Polsce pokolenie nie ma pojęcia ani o bitwie pod Radzyminem, ani o legionach, ani o „cudzie nad Wisłą", ani o wielu innych rzeczach, które trwają w pamięci rodziców i dziadków, skrupulatnie wymazywane ze szkolnych podręczników. – Ale jesteś do niej podobna! – jeszcze raz westchnęła. – Ach, ta moja Honorata... Kiedy umarła, fornale nieśli jej trumnę z Jazłowca aż do kościoła farnego, trzy i pół kilometra na ramionach, bo ona dla ich dzieci założyła ochronkę, aptekę, kursy szycia.

I wtedy Beata po raz pierwszy poczuła coś na kształt dumy z przynależności do tej rodziny. Przyszło jej na myśl, że może niesprawiedliwie oceniała matkę i wuja Alfreda, broniąc tak zażarcie ojca. Musi to sobie wszystko przemyśleć... Kiedy opuszczali klasztor, siostra Wiktoria zapytała:

– A wy z Martyną dalej jesteście tacy szczęśliwi?

Beata w popłochu zerknęła na ojca. Czekała, co powie, czy skłamie... Wyznał prawdę. Odetchnęła z ulgą.

Po powrocie do domu zastała matkę pochyloną nad maszyną do pisania. Podeszła do niej i całując w policzek szepnęła:

– Przepraszam. Masz pozdrowienia od siostry Wiktorii – dodała cichutko.

Martyna uśmiechnęła się. Zrozumiała, skąd ta nagła zmiana w zachowaniu córki. Ona sama też niejednokrotnie zaznała dobroczynnego wpływu starej zakonnicy.

– Co mówiła?

– Żebyście się nie rozwodzili – powiedziała Beata bez zwykłej napastliwości, przytulając się do matki. Ta w odruchu nagłej czułości mocno oplotła dziewczynę ramionami.

Pobyt Leszka w Konstancinie dobiegał końca. Od paru już dni pakował się i żegnał ze wszystkimi. W sekretariacie docenta Langa długo czekał, by podziękować lekarzowi za opiekę. Zdążył nawet dzięki uprzejmości sekretarki nadać przez telefon depeszę do Uli zawiadamiającą o dniu i godzinie wyjścia ze szpitala. Kiedy odkładał słuchawkę, Lang – zostawiwszy w gabinecie gości z Ministerstwa Zdrowia – wyszedł do niego. Nie tylko uścisnął wyciągniętą dłoń Leszka, ale objął go jak kogoś, kogo wita się po długim rozstaniu.

Ostatnia noc w szpitalu była dla Leszka w pewnym sensie równie ciężka jak ta, kiedy po wypadku po raz pierwszy odzyskał przytomność. Nie mógł spać. Przewracał się z boku na bok i z trudem opanowywał trawiący go niepokój. Czy będzie tak, jak to sobie zaplanował i wymarzył? Zerwał się wcześnie rano, pozbierał drobiazgi, których wcześniej nie spakował, i już przed śniadaniem gotowy był do wyjścia. A przecież mieli po niego przyjechać dopiero po południu. Tkwił w oknie gapiąc się przed siebie.

– Spać to dziś w nocy chyba nikt nie będzie – oświadczył nagle Należyty wychylając się zza gazety, którą jak zwykle namiętnie studiował. – Jak myślisz? Uda się?

– Depeszę jej wysłałem – odpowiedział Leszek nie odwracając głowy.

– Ja o Księżycu! – Należyty postukał się palcem w czoło. – Dziś Apollo ląduje na Księżycu!

Leszek wzruszył ramionami. Co go obchodzi jakiś tam Apollo!

– Komu innemu będzie już pan od dzisiaj czytał gazety.

– Szkoda – Należyty popatrzył na Leszka z sympatią. – W końcu cię polubiłem – uśmiechnął się do współtowarzysza wielomiesięcznej niedoli i pomyślał, że ma chłop fart, bo trafiła mu się taka kobita, co to na przekór wszystkiemu pomogła mu pokonać kalectwo.

– A tego następnego to pan nie strasz, że to... – Leszek wskazał wymownie okolice rozporka – będzie miał tylko do mieszania herbaty!

Roześmieli się obydwaj, choć każdy z innego powodu.

– Jak myślisz? – Andrzej wyciągnął z szafy kraciastą koszulę z krótkimi rękawami i oglądał ją uważnie. – Będzie

Leszkowi pasowała? – zwrócił się do Ewy, która sprawiała wrażenie nieobecnej, jakby zanurzonej myślami w odległym czasie. Tyle lat nosiła w sobie wspomnienie tamtej strasznej nocy, wlokło się to za nią jak przekleństwo, a nienawiść do Leszka trawiła ją jak choroba. Czy dziś może powiedzieć, że pokonała to w sobie? Za chwilę Andrzej pojedzie po niego. Czy będzie umiała przyjąć go tak po prostu, jak wita się brata męża po długiej nieobecności?...

– Życzyłam mu śmierci, ale teraz... – zawahała się – ... kiedy urodził się jakby po raz drugi... – podeszła do Andrzeja i mocno się do niego przytuliła.

– Wybaczyłaś mu? – zapytał z nadzieją.

Pokiwała głową i wtuliła się w ramiona męża.

Andrzej w towarzystwie synów zajechał przed konstanciński szpital o umówionej godzinie, ale Leszek, niby to spakowany i przygotowany, zwlekał z opuszczeniem szpitala. Rozglądał się nerwowo, jakby kogoś szukał czy na kogoś czekał, zerkał na zegarek, twierdził, że nie ze wszystkimi się pożegnał, jednym słowem opóźniał odjazd.

– Jedziemy, jedziemy... – ponaglał Andrzej. – Musimy się pospieszyć! Dziś pierwszy krok człowieka na Księżycu! – wrzucił do bagażnika szwedkę, na której Leszek musiał się jeszcze wspierać, i kazał mu wsiadać do samochodu.

– Poczekajmy jeszcze chwilę – prosił Leszek, nadaremnie wpatrując się w bramę wjazdową do STOCER-a. Oczekiwana osoba nie nadchodziła...

– Nie zawracaj głowy! – Andrzej zapuścił silnik. – Ja też mam swoje sprawy!

Leszek nie miał wyjścia. Musiał wsiąść do samochodu.

– Wujek nie chce oglądać transmisji z Księżyca? – dziwili się chłopcy.

– Sam nie wiem – burknął Leszek i obejrzał się za siebie w nadziei, że zobaczy nadbiegającą Ulę. Nie odzywał się do Andrzeja przez całą drogę, pogrążony w gorzkich rozważaniach. Przygnębienie nie opuściło go, nawet kiedy przyjechali do stadniny. Za to Andrzej był ożywiony i radosny. Pomógł bratu wygramolić się z samochodu i ku zaskoczeniu Leszka zagwizdał dobrze mu znaną melodyjkę przywołującą ukochanego Berdyszka.

– Co ty wyprawiasz? – Leszek nie był usposobiony do żartów, a ten wydał mu się szczególnie okrutny i nie na miejscu. Andrzej tymczasem, nie zwracając uwagi na rozdrażnienie brata, zagwizdał jeszcze raz i wtedy w bramie stajni pojawił się koń, a po chwili z cienia wyłoniła się Ula. Leszek stał jak wryty i z trudem przełykał ślinę. Przenosił wzrok z konia na dziewczynę i potem znów patrzył na Berdyszka, i znów na Ulę, i nie był w stanie wymówić słowa... Czuł, jak wzruszenie ściska mu krtań, a łzy napływają do oczu... Usłyszał rżenie konia i dostrzegł pełne napięcia oczekiwanie w twarzy Uli. Zrobił krok w ich kierunku, ale wiedziony nagłym odruchem bezgranicznej wdzięczności rzucił się Andrzejowi w objęcia. Nie umiał inaczej mu podziękować za tę niespodziankę, nie potrafił znaleźć właściwych słów, więc ściskał go tylko z całych sił, aż do utraty tchu. Był dzień dwudziestego lipca 1969 roku.

Ta data zapisała się w pamięci ludzkości wydarzeniem niezwykłym; oto po raz pierwszy w dziejach człowiek nie tylko pokonał przyciąganie ziemskie, ale szczęśliwie wylądował na Księżycu. Miliony ludzi na całym świecie z zapartym tchem śledziły na ekranach telewizorów transmisję ze srebrnego globu ze świadomością, że uczestniczą w narodzinach nowej ery. Tej nocy Ula i Leszek także wkraczali w nową epokę. Po latach błądzenia docierali wreszcie do swojego życiowego portu. I kiedy spiker podniosłym głosem mówił o dziejowej chwili, Ula, tuląc się do Leszka prosiła:

– Powiedz to jedno, jedyne słowo... Nie bój się, powiedz...

Całując spazmatycznie twarz, usta i oczy dziewczyny, Leszek wreszcie się przełamał:

– Kocham cię... kocham...

– Świat wkroczył w nową epokę! – oznajmił telewizyjny spiker.

– Ja też... – dorzucił przepełniony szczęściem Leszek.

Każdy z mieszkańców domu przy Złotej 25 na swój sposób uczestniczył w tamtym epokowym wydarzeniu. U Stroynowskiej było nastrojowo, paliły się świece, a w momencie kulminacyjnym, kiedy pojazd kosmiczny wolno jak we śnie opadł na powierzchnię Księżyca, myśli Martyny pobiegły ku siostrze. Wierzyła, że Klara tak jak miliony ludzi wpatruje się teraz w ekran telewizora i że obie widzą to samo. Alfred jednak rozwiał jej złudzenia:

– Moskwa tego nie transmituje. Wciąż im się zdaje, że jak o czymś nie mówić, to tego nie ma.

U Lermaszewskich zgromadziło się prawie pół kamienicy: Bawolikowie, Lidka, Mietek i Jasińska. Na stole królowała karafka z wódką, którą Henio chętnie i często rozlewał do kieliszków.

– Ale byłby numer, jakby ten Armstrong nagle usłyszał zza krzaka: „A wy kto takoj?" – zażartował w swoim stylu. Na co Bawolik, nie odrywając wzroku od ekranu, odpowiedział z całą powagą:

– Tam nie ma krzaków, panie Heniu – i sięgnął po kieliszek.

Luby dźwięk szkła zakłócił sen staremu Lermaszewskiemu. Na wpół drzemiąc, również sięgnął po kieliszek.

– Tatuś nie kima – upomniał go syn. – Zaraz człowiek postawi nogę na Księżycu.

– Ja już, Heniuś, nie takie rzeczy widziałem – wypił jednym haustem swoją porcję i układając się wygodniej w fotelu, dorzucił: – I mówię ci jeszcze raz – zawsze łatwiej jest wejść, jak wyjść.

Mietek Pocięgło w milczeniu obserwował poczynania astronautów. Myślał o tym, że przyszło mu żyć w świecie, w którym jednym łatwiej jest dotrzeć do Księżyca niż innym do Brukseli. Już trzeci raz dostał odmowę paszportu, tyle że tym razem niesympatyczna urzędniczka z biura paszportowego poradziła mu, żeby się więcej nie fatygował i nie składał wniosków, bo i tak nie dostanie upragnionego dokumentu, tylko kolejną odmowę. Spełnił toast „za tych, co w powietrzu" i dalej tępo gapił się w ekran. Zaczynała się nowa epoka, ale nie dla niego.

Ewa Talarowa zaczęła budzić dzieci, kiedy noga kosmonauty dotknęła powierzchni Księżyca.

– Patrzcie! Patrzcie! – potrząsała synami. – To już się nigdy nie powtórzy! Co za chwila! – dodała w uniesieniu, razem z Andrzejem, Wrotkiem i Haliną wpatrując się w skaczący obraz. Jak wszyscy czuła wagę historycznego momentu i doniosłość chwili... – Koniec świata, jak by powiedział pan Ryszard Popiołek.

137

Przed miłością nie uciekniesz

Siedziały przy kuchennym stole nad stertą czarno--białych fotografii, na których Andrzej uwiecznił huczne chrzciny, jakie Leszek i Ula urządzili w Sierpuchowie swojej pierworodnej córce. Halina uważnie przeglądała zdjęcia i z iście zawodową dociekliwością wypytywała o każdy szczegół: a kto siedzi po prawej od Andrzeja, a kto po lewej od Ewy, a kim jest ten czy ów. Ewa, o dziwo, opowiadała chętnie i ciepło o rodzinnym spotkaniu na wsi.

Z pewnością nie bez znaczenia był fakt, że Leszek poprosił ją na matkę chrzestną, co przyjęła jako ostateczny gest pojednania z jego strony. I może dlatego tak dobrze czuła się tym razem w Sierpuchowie. Z czułością obserwowała wzruszenie, z jakim Andrzej pokazywał chłopcom obejście i dom, w którym się wychował, a potem wysoką stertę kamieni, usypaną rękami starego Talara, wyznaczającą granicę ojcowskiego pola. Ze zdziwieniem dostrzegła we wzroku męża ten, zdawało się, dawno już zagasły błysk, jaki pojawić się może tylko w oku gospodarskiego syna, kiedy patrzy na kwitnący sad – zapowiedź przyszłego urodzaju. Usłyszała ciche westchnienie:

– Oj, zjadłoby się razowca, ale takiego, jaki wasza babcia piekła... Na chrzanowych liściach...

Obydwaj synowie ze zdziwieniem popatrzyli na ojca. Nie rozumieli jego tęsknot. To byli już inni Talarowie; im zapach chleba kojarzy się wyłącznie ze spożywczym na rogu i nigdy nie będzie tym, czym dla Andrzeja – zapachem domu, dzieciństwa, młodości, utraconej ojcowizny.

Ewa jeszcze przez chwilę przyglądała się fotografii przedstawiającej uśmiechniętego Andrzeja i chłopców z sielskim widokiem wsi w tle. Sięgnęła po następne zdjęcie. Patrzyła z niego wesoła twarz hożej osiemnastolatki Danusi, córki Wiktora, a chrześniaczki Andrzeja. Dziewczyna nie kryła, że za wszelką cenę chce się wyrwać ze wsi do stolicy, gdzie, jak to sobie wyobrażała, na każdym rogu z łatwością można się natknąć na gwiazdy filmowe, zwłaszcza zaś na ich męskie wcielenia. Jej pokoik wytapetowany powycinanymi z tygodników zdjęciami popularnych aktorów był dokładnym odbiciem jednostronnych zainteresowań i młodzieńczych fascynacji. Kiedy Danusia odkryła, że Ewa była solistką w zespole „Mazowsze", natychmiast uznała ją za gwiazdę z rozległymi koneksjami w świecie artystycznym i nie odstępowała na krok, zasypując kłopotliwymi pytaniami. Ciekawa była zwłaszcza, czy ciotka zna Daniela Olbrychskiego, który jako Azja Tuhajbejowicz wzbudzał w Danusi szczególnie płomienne uczucia. Ewę trochę irytowała prowincjonalna natarczywość nastolatki i niechętnie przyjęła do wiadomości, że Andrzej podjął się opieki nad chrześnicą podczas egzaminów wstępnych na Uniwersytet Warszawski. Wiktor liczył, że gdy córka rozpocznie studia, wszystkie te „głupoty", jak się wyrażał, wywietrzeją jej z głowy.

Talarowa odłożyła zdjęcie Danusi i spojrzała na Halinę. Ze zdziwieniem spostrzegła, że przyjaciółka ze łzami w oczach wpatruje się w fotografię przedstawiająca głównych bohaterów uroczystości w Sierpuchowie: Leszka, którego rozpierała duma z ojcostwa, Ulę – z córeczką w ramionach – spoglądającą z miłością na męża i jakby zaskoczoną własnym szczęściem.

– Boże, jak ja im zazdroszczę tego dziecka – szepnęła Halina. – Wszyscy mają coś do kochania...

– A Mundek? – Ewa odruchowo spojrzała w stronę drzwi, za którymi Wrotek, mając za słuchacza Andrzeja, roztrząsał palącą kwestię, czy bardziej podoba mu się Stroynowska czy jej córka, choć w zasadzie miałby ochotę zarówno na jedną, jak i na drugą.

Halina nie wypuszczała z rąk zdjęcia szczęśliwej rodziny. Łamiącym się głosem wyznała:

– Tak strasznie chciałam mieć dziecko, ale... – przełknęła duszące ją łzy – ... on nie chciał. – I nie patrząc Ewie w oczy powiedziała cicho: – Cztery skrobanki kazał mi zrobić... I... i... zrobiłam.

– Ale dlaczego? – zapytała Talarowa. – Dlaczego?

Halina uśmiechnęła się gorzko:

– Nie wiesz, że artyści nie znoszą konkurencji? To egoiści! Sami chcą być dziećmi – i dodała, że aby najdroższy Mundek mógł iść w górę, robiła jeszcze inne rzeczy, o których wstydzi się mówić. – A teraz wszystko stracone... Już za późno...

Ewa z niedowierzaniem pokręciła głową. Trudno jej było zrozumieć taką miłość, w której nie znalazło się miejsca dla dziecka z ukochanym mężczyzną. Widząc jednak rozpacz przyjaciółki, próbowała dodać jej otuchy:

– Halina, co ty? Przecież jeszcze możesz mieć dziecko!

– Zapomniałaś, ile mam lat? Czego jak czego, ale kalendarza nie da się oszukać.

– Ale istnieje inne wyjście! Można adoptować!

Halina otworzyła szeroko oczy, jak gdyby po raz pierwszy w życiu dowiedziała się o takiej możliwości, i jej twarz rozpromieniła się.

Mietek Pocięgło zamawiał rozmowę z Brukselą, kiedy usłyszał przed domem charakterystyczny warkot TIR-a chłodni, jakim młody Lermaszewski woził do Francji, Niemiec i Belgii świńskie półtusze. Był wieczór i niewiele przez okno dało się zobaczyć, ale Mietka nie interesowało, co się tam dzieje. Grunt, że Henio w domu. Od pewnego czasu, a ściślej od dnia, kiedy oświadczono mu w biurze paszportowym, że nie ma szans na upragniony dokument, chłopak – po wielogodzinnych obserwacjach i tu, na Złotej, i na rampie, przed rzeźnią – prawie na pamięć poznał rozkład jazdy i obyczaje sąsiada. Wiedział więc, że wrócił właśnie z Zachodu i że za chwilę z mroku bramy wyłoni się Prokop, żeby odebrać od Lermaszewskiego świeży transport przemyconych rajstop, którymi szwagier ciecia będzie handlował na bazarze Różyckiego. Te lewe kombinacje nic Mietka nie obchodziły. W jego głowie od dawna rodził się pewien plan... Odwołał rozmowę z Brukselą. I ruszył do drzwi.

Na pytanie babki, dokąd to Miecio wybiera się o tak późnej godzinie, odpowiedział ze śmiechem:

– Może do Brukseli... – I wybiegł z domu.

Kiedy wyłuszczył Heniowi swój zamysł, ten roześmiał się głośno – przekonany, że Pocięgło się wygłupia. Próbował obrócić całą sprawę w żart, opowiedział kilka pieprznych dowcipów, podzielił się pikantnymi szczegółami z życia placu Pigalle i uznał sprawę za załatwioną. Pogadało się, pośmiało, a teraz do widzenia. Ale Mietek nie miał zamiaru poddać się tak łatwo.

– Muszę pojechać! I pojadę – oświadczył krótko.
Henio sięgnął po papierosa. Zaciągnął się głęboko.
– I dla kogo ty chcesz w takie gówno wdepnąć?!
– wrzasnął. – Dla jakiejś blondyny w cynglach na nosie?
– postukał się wymownie palcem w czoło. – Na twoim
miejscu tobym nawet dla miss Polonii nie zaryzykował!
– machnął ręką zrezygnowany, bo zacięta twarz Mietka
nie wyrażała niczego oprócz determinacji. – Mamusiu!
– zawołał. A kiedy w drzwiach ukazała się stara Lermaszewska, poprosił: – Mamusia da termometr dla tego
pana! A tatuś niech po psychiatrę zadzwoni!

Okres egzaminów dojrzałości jest, był i chyba zawsze
będzie taki sam zarówno dla przystępujących do matury
uczniów, jak i dla ich rodziców: odświętny, a jednocześnie
denerwujący, bo decyduje o przyszłym życiu. A więc
najważniejszy – bez względu na panujące ustroje polityczne, trendy społeczne, gospodarcze itd., itp. W tłumku
podekscytowanych rodziców oblegających jedno z war-
szawskich liceów znalazła się również Stroynowska. Nie
mogła wprost uwierzyć, że to już, że oto jej mała Beatka
staje do egzaminu dojrzałości. A przecież tak niedawno
przyprowadziła onieśmieloną siedmiolatkę do pierwszej
klasy. Pamiętała ten dzień bardzo wyraźnie, jakby to było
wczoraj. Zerknęła na zegarek. Czas dłużył się niemiłosiernie, a w dodatku Jan spóźniał się, choć właśnie w tym dniu
nie powinien.
Taksówka z Borowskim zajechała pod szkołę dokładnie
w chwili, kiedy Beata na minutę przed wejściem do sali
egzaminacyjnej wyjrzała przez okno, żeby się przekonać,
czy obydwoje przyszli, czy czekają i trzymają kciuki.
Uszczęśliwiona pomachała do nich ręką i zniknęła. Wrę-

czając Martynie bukiet irysów, Jan patrzył na żonę niemal jak mężczyzna na pierwszej randce. Ktoś obserwujący tę parę nigdy by się nie domyślił, że łączy ją prawie dwudziestoletni związek i osiemnastoletnia córka. Martyna zaczerwieniła się zakłopotana, kiedy Jan powiedział, że podobne kwiaty dostała od niego, kiedy Beata przyszła na świat. Zapomniała o tym, ale było jej miło, że on pamiętał...

– Ale się wtedy urżnąłeś! – roześmiała się.

Uwodzicielsko zajrzał żonie w oczy:

– Dziś jest okazja, żeby zrobić to razem.

Nie potwierdziła, ale też nie obruszyła się. Spacerowali, rozmawiali. Kiedy jednak w drzwiach szkoły pojawiła się rozpromieniona Beata, wołając z daleka:

– Zdałam! Zdałam! – stało się coś, co zepsuło Martynie nastrój, Janowi zaś odebrało szansę na zbliżenie się do niej. Pobiegł do córki, a Martynę zatrzymał siwiejący mężczyzna z gałązką bzu w ręku. Także czekał na córkę i najwyraźniej miał ochotę z kimś pogadać. Beata i Borowski podeszli do nich. Dziewczyna rzuciła się matce na szyję, a Jan w obcym mężczyźnie rozpoznał znajomego. Uśmiechając się serdecznie, wyciągnął dłoń.

– Co za spotkanie! – zawołał, ale odpowiedziało mu milczenie, a ręka napotkała próżnię. Siwiejący pan oddalił się bez słowa, mijając Jana, jakby ten był powietrzem.

– No, to teraz na lody do „Bristolu"! – zawołał Borowski, próbując sztucznym ożywieniem pokryć zmieszanie i zbagatelizować incydent. Nie udało się. Martyna przecząco pokręciła głową:

– Ja... ja mam dzisiaj umówioną lekcję.

Naprędce wymyślona wymówka wypadła bardzo nieprzekonywająco. Beata zdziwiła się, bo o żadnej lekcji nie słyszała, ale Stroynowska oświadczyła stanowczo, że dziś jest zajęta, i żeby nie przedłużać przykrej sceny – szybko odeszła.

Pierwszą osobą, jaką Danusia poznała po przyjeździe do Warszawy, był Henio Lermaszewski. O mało nie wpadła pod koła jego TIR-a, kiedy zapatrzona w kartkę z adresem próbowała przejść na drugą stronę Złotej, by dotrzeć do domu Talara. Usłyszała ostry pisk gwałtownie hamującego pojazdu, a potem pełen zachwytu głos Henia:

– Gdzie się kupuje takie nogi?

Rozdygotana przebiegła jezdnię, ale potknęła się o krawężnik i runęła jak długa na chodnik, wypuszczając z rąk walizkę.

– Pierwsza dziewczyna, co padła przede mną z wrażenia!
– Lermaszewski wyskoczył z szoferki, by jej pomóc, ale ona już się pozbierała i... pokazała mu język.

Roześmiał się ubawiony i mierząc Danusię od stóp do głów spojrzeniem konesera kobiet, rzucił z uznaniem:

– Ach, te oczęta! Takie się trafiają tylko na wsi albo w muzeum na obrazach!

Wzruszyła pogardliwie ramionami i nie odwracając się za siebie, szybko weszła do bramy.

Ewa nie kryła zaskoczenia, kiedy w drzwiach zobaczyła córkę Wiktora. Jakoś zapomniała o złożonej w Sierpuchowie obietnicy, że udzielą dziewczynie gościny na czas egzaminów wstępnych na uniwerek.

– Tatuś napisał do chrzestnego. Jakbym ja była niemową – powiedziała Danusia wręczając Andrzejowi list, a potem zaczęła rozpakowywać walizkę. Najpierw wydobyła słoiki z miodem i marynowanymi grzybkami, a na koniec akcesoria niezbędne do robienia trwałej ondulacji.

– To do łazienki – zarządziła Ewa i zabrała się do ścielenia łóżka.

Tego wieczoru Danusia miała jeszcze dwukrotnie zaskoczyć rodzinę Talarów. W osłupienie wprawiła Ewę, kiedy podczas kolacji zaczęła gorączkowo wypytywać, jakich aktorów ciocia znała osobiście i czy w filmie to oni naprawdę się całują. Ciocia odpowiedzi nie udzieliła, za to Andrzej, chcąc ratować sytuację, próbował skierować rozmowę na inne tory.

– A dlaczego właściwie wybrałaś geografię? – spytał. Na co dziewczyna z rozbrajającą szczerością wyznała, że ma dość wiochy, że ciągnie ją szeroki świat, więc wykombinowała sobie, że geografia będzie najlepsza. Ewa z Andrzejem wymienili tylko porozumiewawcze spojrzenia.

Równie zdziwieni tym, co gość miał do powiedzenia, byli mali Talarowie. Kiedy po kolacji pomagali Danusi zmywać naczynia, z trudem pojmowali, o czym mówiła.

– To po kim ty jesteś Kajetan? – zapytała.

– Po dziadku – odpowiedział chłopiec. – Ale wołają mnie Kajtek.

– A mnie „Hajduczek" – oświadczyła z dumą.

Nie wiedzieli, co to słowo oznacza, więc im wyjaśniła, że Danka to takie banalne imię, a „Hajduczek" – z „Pana Wołodyjowskiego". Jeszcze mniej rozumieli, bo żadnego pana Wołodyjowskiego nie znali.

– No przecież z tego filmu, gdzie grał Azja Tuhajbejowicz! – zniecierpliwiła się. – Byłam pięć razy! A jak Azję wbijali na pal, to tak ryczałam, że bluzkę można było wyżymać.

Pół godziny później w łazience – też w asyście chłopców – zamieniając swoje długie proste włosy w obrzydliwego, skołtunionego barana, znów paplała:

– Bo Azja powiedział w wywiadzie dla „Filmu", że lubi nowoczesne dziewczyny.

– Jaka Azja? Jaka Azja? – dopytywał się Krzysio.

– Nie jaka, tylko jaki! – skarciła go. – Olbrychski!

– wymówiła nazwisko idola z nabożeństwem, ale ani Kajtek, choć starszy, ani tym bardziej Krzysio nie wiedzieli, o kogo chodzi. Nie uwierzyła. – W Warszawie mieszkasz i taki głupi jesteś?! – obrzuciła Kajtka pogardliwym spojrzeniem. – „Boksera" widziałeś? A „Jowitę"? On tam grał sportowca – podpowiadała, ale chłopiec wzruszył tylko ramionami. – Na „Wszystko na sprzedaż" też płakałam – pochwaliła się kończąc fryzowanie.

Chłopcy spojrzeli po sobie. Najwyraźniej z gościem nie wszystko było w porządku.

– To po co chodzisz do kina? – zapytał ostrożnie Krzysio. – Musisz?

Machnęła ręką. Dzieciaki. Co one wiedzą o miłości...

Kiedy stanęła w drzwiach pokoju, żeby powiedzieć wujostwu dobranoc, Ewę i Andrzeja po prostu zamurowało.

– Coś ty z siebie zrobiła? – wykrztusiła Talarowa przerażona tym, co zobaczyła na głowie dziewczyny.

– Przecież mam jutro egzamin! Nie chcę wyglądać na pszenno-buraczaną! – oświadczyła.

Ewa wzniosła oczy do nieba. Intuicja podpowiadała jej, że ta pannica da im jeszcze popalić. Andrzej próbował jej bronić, że młoda, romantyczna i egzaltowana, wreszcie że Wiktor prosił, żeby się nią zaopiekować, ale Ewa wiedziała swoje. I wkrótce się okazało, że to ona miała rację. Już bowiem po kilku dniach wyszło na jaw, że Danusia zamiast na uniwersytecie czas spędza w kinie, oglądając po raz enty filmy z Danielem Olbrychskim.

– Masz! Oto jej uniwersytet – Ewa triumfalnie położyła przed Andrzejem wykorzystane poprzedniego dnia bilety do kina, które znalazła wśród fotosów z podobizną ukochanego aktora porozrzucanych na stoliku przy łóżku Danusi. – Musiałbyś być panem Wołodyjowskim, żeby tego „Hajduczka" upilnować! – dodała trochę zgryźliwie, a trochę ze współczuciem.

Potem jeszcze dwukrotnie znajdowała stare bilety. Co gorsza dziewczyna zaczęła późno wracać do domu, twierdząc, że uczy się w bibliotece. Tymczasem nauka była ostatnią rzeczą, jaką miała w głowie. Tam bowiem niepodzielnie królowało tylko jedno obsesyjne pragnienie: zobaczyć z bliska, a jeszcze lepiej – poznać osobiście wyśnionego idola! Aby to osiągnąć, zaczęła wieczorami, po spektaklu, wystawać pod teatrem, w którym Olbrychski występował. Kiedy okazało się, że niepotrzebnie traci czas, czekając na niego przy wyjściu dla publiczności, niezrażona zaczaiła się przy wyjściu dla artystów. Udało się jej zmylić czujność portiera i wśliznąć za kulisy. Przez nikogo nie zatrzymywana, ruszyła prosto do toalety. Zmiana stroju trwała zaledwie parę minut. Ściągnęła sukienkę, w którą Ewa kazała się jej rano ubrać na egzamin, i włożyła przyniesioną w siatce wydekoltowaną, bardzo krótką i bardzo opiętą kreację. Umalowała usta, poprawiła fryzurę i tak odszykowana ostrożnie wyszła na korytarz. Pech chciał, że prawie natychmiast natknęła się na portiera. Nie dała się jednak złapać i pędem pobiegła przed siebie. Kiedy wpadła do garderoby aktora, ten właśnie się rozcharakteryzowywał. Zdyszana i przejęta, głosem osoby gotowej na wszystko powiedziała, kładąc przed nim zdjęcie:

– Niech mi pan to podpisze! Azjo, proszę! – złożyła ręce jak do modlitwy. – Pan jest Azją, a ja „Hajduczkiem"!

Pan wie, ile ja razy oglądałam, jak pana wbijają na pal? Dwanaście! A do kina od nas jest dziewięć kilometrów!

– Lubisz, jak kogoś męczą? – zapytał rozbawiony.

– Ja... ja kocham Azję! – wyznała dramatycznym szeptem.

Zaskoczony tupetem dziewczyny, ubawiony jej naiwną spontanicznością, słuchał, jak z ogniem w oczach tłumaczyła mu, dlaczego właśnie Tuhajbejowicz.

– Bo on jest taki, że skoczyłby w ogień! Wyciągnąłby z topieli! Każdy mur by przeskoczył dla swojej miłości. A przed miłością nie uciekniesz!

– A tam u was na wsi nie ma takich? – Olbrychski przyglądał się jej z sympatią.

Wzruszyła ramionami. Romantyczna miłość na wsi! Ani im w głowie! Oni by się zaraz żenili, żeby mieć kogoś do dojenia krów!

– Nigdzie już nie ma prawdziwych mężczyzn – westchnęła patrząc mu wymownie w oczy, a ponieważ nie zareagował, zdecydowała się wyznać mu to, o czym marzyła w snach po każdym seansie filmowym: – Ja... ja dla pana mogę zrobić wszystko! Wszystko oddać!

Odpowiedział grzecznie, ale stanowczo:

– Dziękuję, ale mnie niczego nie brak. – Napisał krótką dedykację na podsuniętym mu zdjęciu, złożył autograf i powrócił do zmywania charakteryzacji. Posłuchanie było skończone. Danusia nie kryła rozczarowania:

– Ja o panu wszystko wiem! Pan jest spod znaku Bliźniąt, pana kolor to indygo, a mój błękit i one spełniają się w miłości – przekonywała przerażona, że za chwilę on ją wyprosi. Co też się stało.

– Domyślam się, że umiesz kochać jak Stefcia z „Trędowatej" – usłyszała na pożegnanie. – Ale teraz nie ma już ordynatów Michorowskich.

Późny powrót do domu uszedł jej na sucho tylko dlatego, że Talarowie mieli gościa. Wpadł Wrotek, żeby poskarżyć się na Halinę, której na stare lata strzeliło do głowy, żeby zaadoptować dziecko. On osobiście nie miałby nic przeciwko temu pod jednym wszakże warunkiem: sierotka będzie miała skończone osiemnaście lat i będzie podobna do Marylin Monroe! Jakoś nikogo nie rozbawił tym dowcipem, a Ewa z przykrością stwierdziła, że wraz z upływem lat uwodzicielski czar Mundka coraz częściej przypominał wątpliwy wdzięk starzejącego się lowelasa. On jednak, nie zrażony chwilowym brakiem zrozumienia, zaczął opowiadać, że ma zamiar zrobić film o żonach marynarzy:

– Temat bomba! Miłość, zazdrość i pieniądze! Czy może być coś lepszego na film?

Ostatnia kwestia nie uszła uwagi Danusi, która w przedpokoju poprawiała przed lustrem loki. Wparowała do pokoju i zwróciła się do Wrotka:

– Pan jest filmowiec?

– Gdyby pani była żoną marynarza, już by pani u mnie grała! – odpowiedział, przybierając „reżyserską" pozę.

Danusia podeszła bliżej i wpatrując się w Mundka, zadała pytanie:

– Czy Azja ma żonę?

Musiał mieć bardzo głupią minę, bo Talarowie z trudem powstrzymali śmiech.

– Jaka Azja? Jaką żonę? – wił się zmieszany.

Pogardliwie wydęła wargi.

– Pan chyba nie jest prawdziwym filmowcem – orzekła. Odwróciła się na pięcie i zniknęła w drugim pokoju. Wyjęła z torebki zdjęcie z autografem, przytuliła do policzka i postanowiła, że spróbuje jeszcze raz.

No i wkrótce pan Daniel po spektaklu zastał w swojej garderobie ukrytą w kącie Danusię. Z determinacją oświadczyła, że jest gotowa na wszystko, że nie po to przyjechała do Warszawy, żeby wrócić do domu taka sama, a wreszcie osunęła się na fotel w omdlewającej pozie podpatrzonej na jakimś filmie:

– Pani Jadziu! – zawołał Olbrychski przez uchylone drzwi. – Dwie herbaty, proszę! To wszystko, co mogę ci ofiarować! – powiedział ze śmiechem. – I pamiętaj, że poetów, aktorów i kominiarzy lepiej nie poznawać osobiście, a już na pewno nie iść z nimi do łóżka!

Talarowie niepokoili się nie na żarty. Minęła dziesiąta wieczorem, a Danusia nie wróciła do domu. Andrzej co chwila spoglądał na zegarek, podchodził do okna...

– Już wiem! – powiedziała raptem Ewa i zaczęła rewidować łóżko Danusi. Po kilku sekundach znalazła zdjęcie wsunięte głęboko pod poduszkę. – Patrz! – podsunęła je Andrzejowi pod nos, nie kryjąc satysfakcji: – Miłemu „Hajduczkowi" – Daniel Azja.

Tak jak stał, w kapciach i domowym swetrze, ruszył ku drzwiom.

– Dokąd?! – zawołała za nim Ewa.

– Już ja wiem dokąd! – odpowiedział zbiegając po schodach.

Zdążył zaparkować fiata i ukryć się w podcieniach teatru na chwilę przedtem, zanim przy wyjściu dla artystów ukazał się Olbrychski z dziewczyną. Mówił coś do niej, a potem ucałował ją serdecznie. To wystarczyło, żeby Andrzejowi ostatecznie puściły nerwy. Rzucił się na aktora z pięściami. Zaskoczonemu początkowo Azji potrzeba było tylko paru sekund, żeby się pozbierać i przyjąć postawę boksera. Kilka precyzyjnie wyprowadzonych ciosów wyeliminowało Andrzeja z walki, a Danusia zaczęła walić chrzestnego torebką po głowie.

– To on cię tak urządził? – dopytywała się Ewa zmieniając mężowi kompres pod podbitym okiem.

– Rozłożyłbym go... – wymamrotał przez opuchnięte wargi – gdyby nie ta idiotka... Zaczęła go bronić... – syknął, bo najmniejszy nawet ruch sprawiał mu ból.

– Koniec z „Hajduczkiem"! Odbiło jej z tym Olbrychskim! Jutro odeślę ją do Sierpuchowa! – odgrażała się Talarowa.

Andrzej jednak ani myślał odsyłać Danusię do domu.

– Najpierw musi zdać egzaminy! Ja za to odpowiadam! – oświadczył. Na pytanie Ewy, czy za cnotę chrześniaczki również bierze odpowiedzialność, potwierdził mężnie.

Postanowili, że poproszą Mietka, żeby podciągnął Dankę z niemieckiego.

– Tylko jak najdalej od wszystkich kin i teatrów, gdzie gra ten cholerny Azja! – przykazał Andrzej, kiedy pierwszy raz zaprowadził podopieczną do Jasińskich.

– Przed miłością nie uciekniesz! – roześmiał się Mietek, patrząc z zainteresowaniem na dziewczynę. – Na miłość nie ma rady.

– To mają być korepetycje, a nie koci-łapci i kizi-mizi! – zastrzegł Andrzej.

– O niego może pan być spokojny – westchnęła Jasińska. – Dla niego jedna tylko istnieje... – popatrzyła na wnuka z wyrzutem.

Mietkowi już się nawet nie chciało tłumaczyć babce, że właśnie ta jedna jest całym jego życiem, bo jak zwykle taka rozmowa do niczego by nie doprowadziła. Szybko się za to okazało, że w uczennicy znalazł bratnią duszę. Może dlatego, że oboje czuli się samotni, a ich uczucia nie znajdowały zrozumienia u bliskich. Danusia nareszcie spotkała kogoś, kto bez zniecierpliwienia słuchał jej żarliwych wywodów, że każdy rok bez miłości jest stracony, a ona już straciła osiemnaście lat, i kto podzielał jej przekonanie, że jak się daje trochę, to można dostać trochę, ale za wszystko też się chce wszystko.

– Ja ciebie rozumiem. Znam kogoś, kto kochał jak wariat – opowiadał Mietek, kiedy pewnego upalnego popołudnia wybrali się na spacer do parku. – Jego dziewczyna była za granicą, a on trzy razy dostał odmowę paszportu.

Danusia słuchała tego jak bajki.

– A ona? – dopytywała się.

– Wciąż czekała. I on wymyślił, że da się zaplombować w ciężarówce, co wozi mrożone mięso na Zachód, i razem z tą świniną dotrze do niej przez granice. Bo miłość jest jak... narkotyk. – Mietek po raz pierwszy, jeśli nie liczyć Henia, odważył się zdradzić przed kimś swój plan. Czuł bowiem, że ta naiwna wiejska dziewczyna jest w stanie go zrozumieć jak nikt inny. – On sobie już nawet kożuch kupił i ciepłe buty, żeby wytrzymać jazdę chłodnią.

– Taką, jaką jeździ pan Lermaszewski? – Danusia utkwiła w Mietku badawcze spojrzenie, a kiedy chłopak potwierdził skinieniem głowy, wykrzyknęła triumfalnie:

– To ty jesteś tym, co chce uciec w tej chłodni!

Rozejrzał się wokół niespokojnie, ale byli sami na parkowej alejce. Zaprzysiągł dziewczynę, że dochowa tajemnicy. Wkrótce miało się okazać, że zyskał w niej nie lada sprzymierzeńca.

Spotykali się teraz częściej, razem przeglądali zdjęcia Gosi, on opowiadał jej o swojej miłości, ona w zachwycie słuchała historii ich romantycznych przygód i nie mogła pojąć, dlaczego Mietek tak długo zwleka z realizacją planu. Oczywiście domyślała się, że za coś takiego można trafić do więzienia, jeśli się wpadnie, ale ostatecznie jej ojciec też siedział na Rakowieckiej i nikogo nie sypnął, więc właściwie na co Mietek czeka.

Tłumaczył jej, że wszystko zależy od Lermaszewskiego, a Henia nie może przekonać do swego pomysłu. Chciał mu nawet zapłacić, ale go wyśmiał i powiedział, że ani myśli narażać własnej skóry.

– Tacy jak on to szmaciaki – oświadczyła Danusia.

– Co taki wie o miłości? Jak mnie widzi, to tylko w kółko gada: „Ach, te oczęta", i myśli, że mnie to bierze – w jej głosie była bezgraniczna pogarda dla Henia i w ogóle dla tego typu prostackich zalotów.

Mietek wzruszył ramionami. Co tu dużo gadać, wszystkie kobiety lubią komplementy, zdarzało mu się widzieć, że nawet te na tak zwanym poziomie przyjmują z nie ukrywanym zadowoleniem dowody męskiego uznania niekoniecznie najwyższego lotu.

Oglądali właśnie Dziennik Telewizyjny; migawki z kopalń i hut, twarze robotników podejmujących zobowiązania dla uczczenia kolejnego święta 22 Lipca. Nagle na ekranie pojawił się plakat z Danielem Olbrychskim reklamujący film „Brzezina". Spikerka informowała, że za chwilę w kinie „Wars" w Warszawie rozpocznie się premiera tego filmu, a zaraz po niej konferencja prasowa z udziałem reżysera Andrzeja Wajdy oraz aktorów: Emilii Krakowskiej i Daniela Olbrychskiego.

Danusia zerwała się z krzesła i z nikim się nie żegnając wybiegła od Jasińskich jak szalona. W bramie natknęła się na Lermaszewskiego, który właśnie wysiadał ze swojego żółtego volkswagena.

– Znów te oczęta! – wykrzyknął na widok dziewczyny, która gorączkowo rozglądała się po ulicy. – Kogo pani szuka? Bo jak narzeczonego, to ja jestem wolny! – wygłosił rutynowy tekst.

– Taksówki! – odpowiedziała i posłała Heniowi powłóczyste, iście kinowe spojrzenie. Podchwycił to natychmiast:
– Daleko? – zapytał rzeczowo, otwierając drzwiczki.
– Do kina „Wars"! – zawołała biegnąc do samochodu.
Kiedy z piskiem opon zatrzymali się przed kinem,
premierowy seans właśnie dobiegł końca i przy wyjściu
zaczęły pojawiać się pierwsze grupki widzów.

– Poczekam! – krzyknął w ślad za dziewczyną, która
w pośpiechu zapomniała mu nawet podziękować za grzecz-
ność. Zresztą w tej chwili przestał ją już obchodzić,
przestał dla niej istnieć. Wbiegła do kinowego foyer
i zaczęła się nerwowo rozglądać. Był! Stał przy wejściu na
widownię zajęty rozmową z paroma osobami. Rozdygotana
rzuciła się w tamtym kierunku. Złapała Olbrychskiego za
rękaw i nie zważając na nic, nawet na to, że przez nią
wylał na siebie szklankę wody, pociągnęła go za kotarę
oddzielającą foyer od widowni.

– Ja... ja specjalnie przyjechałam do Warszawy dla
pana! Dla Azji! – w jej głosie była namiętność i euforia.
– Ja chcę... chcę to przeżyć z panem! – W jej oczach
pojawiło się oczekiwanie. – Wszystko za wszystko!

– Wszystko na sprzedaż? – zareagował brutalnie. – Ja
już to zagrałem. – Spróbował wyrwać się dziewczynie, ale
ona wczepiona była w niego jak rzep. Przeraził się nie na
żarty. Wiedział co prawda, do czego są zdolne rozhis-
teryzowane nastolatki zakochane w swoim idolu, potrafił
sobie z nimi radzić, ale zachowanie Danusi wykraczało
poza normę i stawało się niebezpieczne.

– Ja przysięgłam: przeżyję to tylko z Azją! – mówiła
z żarem, wpatrzona w niego jak w obraz. A ponieważ nie
odpowiedział, dodała zrozpaczona, bliska płaczu: – Albo
to będzie pan, albo... albo byle kto!

– W takim razie – byle kto! – zadecydował i nie czekając na dalszy rozwój wypadków, odepchnął ją i uciekł. Przez chwilę nie mogła w to uwierzyć. Przecież miało być „wszystko za wszystko", poświęciła mu swoją przyszłość, zawaliła egzaminy na studia, chciała dać to, co każda dziewczyna ma najcenniejszego... Rozpłakała się.

Premierowi goście już dawno się rozeszli, po kinie krzątał się jedynie personel. Ktoś poprosił ją, żeby sobie wreszcie poszła, bo impreza dawno się skończyła. Wyszła więc na opustoszały Rynek Nowego Miasta.

– Co ja widzę? – zawołał Henio podchodząc do niej.

– Moje oczęta płakały? – poprowadził ją do samochodu, próbując żartów w swoim stylu: – Proszę o rysopis, to mu przefasonuję framugę, że go rodzona matka nie pozna!

Nie zamierzała się z nim przekomarzać, powiedziała tylko beznadziejnie smutnym głosem jak skazaniec, któremu nie przysługuje prawo łaski:

– Jedźmy już...

– Na Złotą? – upewnił się Henio.

Zareagowała gwałtownie:

– Byle nie tam! – Po chwili, jakby ostatecznie się przełamując, poprosiła: – Może... może mi pan pokaże ten swój wielki samochód, którym pan wozi świnie na Zachód.

Lermaszewski aż przyhamował z wrażenia.

– Pierwsza kobieta, co chce obejrzeć chłodnię zamiast knajpę pod tytułem „Kongresowa"! – pokręcił głową z niedowierzaniem i nacisnął na gaz.

Na wielkim parkingu bazy transportowej stojące w szeregu uśpione pojazdy wyglądały jak ogromne, groźne potwory. Henio podprowadził dziewczynę do jednego z nich i z dumą otworzył szoferkę. Kiedy pomagał Danusi dostać się do wnętrza, miał okazję, aby z bliska przekonać

155

się, że ma nie tylko ładne oczy, ale także bardzo dobre nogi. Aż cmoknął z zachwytu na widok odsłoniętych ud. Lekko już rozkojarzony, zaczął demonstrować rozmaite urządzenia, co chwila kładąc rękę a to na kolanach, a to na ramieniu Danusi.

– Na tym można spać? – zapytała wreszcie, kiedy pokazał jej rozkładane łóżko.

– I nie tylko – odpowiedział lekko chrapliwym głosem, sięgając ręką pod kwiecistą sukienkę. Na twarzy dziewczyny malowało się bezgraniczne cierpienie i determinacja. Zacisnęła mocno powieki jak ktoś, kto z trudem powstrzymuje krzyk rozpaczy. Dzielnie zniosła wstępne zaloty Henia, ale kiedy chciał posunąć się dalej, nagle odsunęła go od siebie:

– Pamięta pan, co pan do mnie powiedział pierwszy raz? Coś za coś – nic za nic!

Uśmiechnął się rozbawiony. Gdzieżby spamiętał wszystkie złote myśli, jakimi raczy napotykane dziewczyny!

– Ach, te oczy piwne, życie naiwne – westchnął rozczulony i mocniej przycisnął Danusię do siebie. Ale ona nie dała się zbyć.

– Tere-fere... Zrobi pan coś dla mnie?

Henio, jak większość mężczyzn w takiej chwili, gotów był przyrzec i zrobić wszystko, nawet wziąć ślub! Ale ona chciała tylko jednego, to był jej warunek.

– Wystarczy, jak pan weźmie Mietka do tej chłodni – powiedziała poważnie i bardzo stanowczo.

Przestraszony ocierał pot z czoła.

– Powiedział pan: wszystko! – nalegała.

– Wszystko – to nie znaczy samobójstwo! – wybuchnął zły na siebie, że taki cwaniak, a pozwolił smarkatej zagnać się w pułapkę.

Nie dawała jednak za wygraną.

– A jeśli ładnie poproszę? – Zrobiła maślane oczy i patrząc spod rzęs jak filmowy wamp, wycisnęła na ustach oszołomionego Henia gorący pocałunek. Argument był trafiony. Lermaszewski się poddał... Teraz i ona nie miała już wyjścia, pociechą było tylko to, że jej ofiara nie będzie daremna, że dzięki niej spełni się inna wielka miłość.

Na Złotą jechali w milczeniu. Dopiero kiedy zatrzymali się przed domem i Danusia chciała wysiąść z samochodu, Henio zapytał cicho:

– Dlaczego mi nie powiedziałaś, że to pierwszy raz? – chciał ją przytulić, okazać czułość, którą tak naprawdę po raz pierwszy chyba odczuwał, ale ona, nawet się nie żegnając, bez słowa wysiadła i szybko wbiegła do bramy. Na schodach zdjęła pantofle i po cichu weszła na górę.

Walizkę spakowała w ciągu paru minut i nie budząc domowników wymknęła się z mieszkania. Zostawiła tylko króciutki list, który miał wszystko wyjaśnić: „Przegrałam! Wracam na wieś. Przepraszam!". Ewa i Andrzej niewiele jednak z niego zrozumieli.

Lermaszewski już skoro świt zapukał do Mietka z radosną nowiną:

– Niezły argument mi podesłałeś, kolego – mówił popychając zdumionego chłopaka w stronę jego pokoju. – Spirytus nie dziewczyna! – szepnął mu do ucha i starannie zamknął drzwi sprawdziwszy, czy Jasińska nie ma zamiaru podsłuchiwać.

Mietek zupełnie nie pojmował, o co chodzi.

– A o to, że nierówno mam pod sufitem – oświadczył Henio i popukał się palcem w czoło. A potem bez zbędnych ceregieli zażądał, aby przyszły pasażer na gapę pokazał mu, gdzie trzyma swoją garderobę, i zaczął grzebać w jego rzeczach. – Masz jakieś dwa swetry? – dopytywał się, wydobywając z dna szuflady parę grubych skarpet z góralskiej wełny. – A długie gacie? Ale takie barchanowe? – Znalazły się i gacie, i inne części bielizny. – A tak w ogóle, to najlepiej, żebyś był pingwin albo Eskimos. W sam raz tam temperatura dla takich.

Mietek nie wierzył własnemu szczęściu, kiedy wreszcie do niego dotarło, do czego zmierza Lermaszewski. W spontanicznym odruchu wdzięczności chciał go ucałować, ale Henio zakrył twarz rękami.

– Gorzałkę weź! – rzucił na odchodnym. – I kaftan bezpieczeństwa! Dla mnie. Bo ja maksymalny wariat jestem. – Spoważniał nagle i dodał już innym tonem: – A ty drugi. Nie wytrzymasz tej Syberii.

– Ja dla niej wszystko wytrzymam! – zapewnił go Mietek żarliwie.

Szczegóły uzgodnili wieczorem, zresztą nie było tu wiele do gadania, bo omawiali je wielokrotnie, kiedy to Pocięgło bezskutecznie przekonywał Lermaszewskiego do swojego planu.

– No więc tym razem zamiast na do widzenia da pan flaszkę kulawemu ładowaczowi na dzień dobry. Mnie pięć sekund wystarczy, żeby wskoczyć do chłodni. – Mietek przepowiadał na głos kolejność ruchów. Zdenerwowany Henio przypomniał mu, żeby zawczasu dobrze się ukrył i żeby przypadkiem nikt go nie zobaczył w środku lata w narciarskiej czapce i kożuchu, bo nic z całej eskapady nie wyjdzie. Chłopak zapewnił, że jak tylko zapadnie zmrok, ukryje się w pobliżu bazy w jednym z betonowych kręgów, które tkwiły tam między barakami, i że z pewnością wszystko będzie okay.

Załadunek chłodni przebiegał rutynowo. Ładowacze wiedzieli, że za szybką robotę Lermaszewski zawsze odpala im flaszkę, więc się uwijali, ale tym razem wcześniej niż zwykle pojawili się celnicy z papierami przewozowymi i plombownicą.

– Długo jeszcze tej zabawy? – zwrócił się jeden z nich do Henia.

– Pięć minut i będzie po krzyku – zapewnił kulawy ładowacz, który parę minut wcześniej zainkasował swoją dolę.

– No to poczekamy – oznajmił celnik.

Lermaszewski w jednej chwili spocił się jak mysz kościelna.

– Kogo pan słucha, szefie? Kogo? – obrzucił ładowacza lekceważącym spojrzeniem. – Jeszcze agregat nie na pełnym chodzie. A bez tego nie zamkniemy pudła. – Rozłożył bezradnie ręce. – Możecie panowie spokojnie karty potasować. Dam znać. – Znał obyczaje celników i miał nadzieję, że chęć rozegrania partyjki zwycięży. Nie pomylił się. Teraz wystarczyło tylko pogonić kulawego i dać Mietkowi te upragnione pięć sekund na wśliźnięcie się do chłodni.

– No i koniec balu, panno Lalu! – zawołał wesoło Henio, kiedy ostatnia półtusza zawisła na haku. Ukradkiem otarł pot z czoła i wyciągnął drugą butelkę.

– Jeszcze jedna? – zdziwił się kulawy. – A co to dziś za okazja?

– Moje urodziny – pomógł ładowaczowi wdrapać się do szoferki. – Chyba kolegę też zaprosimy? – w ostatniej chwili spostrzegł kręcącego się nieopodal robotnika i nie zwracając uwagi na gest protestu kulawego, tego drugiego też wepchnął do środka „na kielonka". Sam został na zewnątrz i nerwowo zapalił papierosa. To był właśnie ten moment, na który czekał Mietek. Kiedy po chwili zjawili się celnicy z plombą, on siedział już ukryty między świńskimi półtuszami tuż przy wywietrzniku, przez który przenikała słaba poświata nocy. Gdzieś daleko słychać było ludzkie głosy, ale treść nie docierała już do wnętrza chłodni. Mietek mocniej owinął się połami kożucha, głębiej naciągnął czapkę i włożył rękawice. Był gotowy do drogi. Wreszcie usłyszał szczęknięcie cęgów plombownicy.

Lermaszewski palił jednego papierosa za drugim i dziękował Bogu, że zmiennik spał, a tym samym nie był świadomy, że ich TIR zamienił się w samochód wyścigowy. Strzałka szybkościomierza rzadko spadała poniżej stu kilometrów na godzinę, na co pozwalały puste o tej porze szosy. Niemniej od czasu do czasu pojawiała się na drodze jakaś ciężarówka, a wtedy Henio włączał klakson, ale nie zmniejszał szybkości. Aż za dobrze wiedział, co dzieje się we wnętrzu chłodni: najpierw warstwa szronu pokryje wszystko, a potem spadająca coraz bardziej temperatura zetnie przewożone mięso na kość. Nie trzeba wielkiej wyobraźni, żeby domyślić się, co przeżywa zamknięty tam człowiek.

– Stówką lecisz! – zmiennik przecierał zaspane oczy i z niedowierzaniem wpatrywał się w licznik.

– Kimaj, kimaj... – zachęcał go Lermaszewski, zapalając kolejnego papierosa. Kolega ziewnął przeciągle i zakrztusił się. W kabinie brakowało już powietrza, tak było gęsto od papierosowego dymu. Próbował znowu zasnąć, ale nie bardzo mu to wychodziło.

– Co z ciebie dzisiaj taki sprinter? – zdenerwował się, kiedy na zakręcie wziętym z nadmierną szybkością zarzuciło ich tak silnie, że o mało nie spadł z siedzenia.

Henio nie odpowiedział wpatrzony w szosę, na której, jak to nad ranem, zaczęły pojawiać się coraz liczniejsze samochody.

– Jak będzie las, to przybastuj – poprosił zmiennik.
– Lać mi się chce! – wrzasnął, kiedy Lermaszewski minął kolejny zagajnik, a potem przydrożny parking. Wreszcie wymógł na nim postój. Nie zdążył nawet zapiąć rozporka, a TIR już toczył się drogą. Kierowca wskakiwał w biegu, tym razem wściekły nie na żarty. – Ty co, Heniek? Biegunkę masz?

W odpowiedzi Lermaszewski dodał tylko gazu. Do granicy zostało zaledwie kilkanaście kilometrów.

Tymczasem we wnętrzu chłodni Mietek walczył ostatkiem sił, na przemian próbując rozgrzać to sztywniejące ręce, to przemarznięte stopy. Nie miał już ani gorącej herbaty, ani wódki, brwi i rzęsy pokrywał mu szron, usiłował podskakiwać to na jednej, to na drugiej nodze, ale w pędzącym z dużą szybkością pojeździe nie sposób było utrzymać równowagę. Wreszcie runął jak długi na podłogę. Pozbierał się jakoś, ale czuł, że coraz bardziej słabnie, przed oczyma pojawiły się dziwne obrazy, zdał sobie sprawę, że zaczyna zamarzać.

W oddali było już widać światła przejścia granicznego w Świecku. Lermaszewski wolno podjechał na koniec długiej kolejki TIR-ów i ciężarówek. Zaklął pod nosem. Wiedział, że mogą tu spędzić wiele godzin, bo wopistom się nie spieszyło. I to przedłużające się oczekiwanie zadecydowało o losie Mietka. Dość na tym, że kiedy młody porucznik wbijał już upragnioną pieczątkę do paszportu Henia zezwalającą na dalszą podróż, usłyszał nagle głuchy łomot dobywający się z chłodni. Zaczął nasłuchiwać.

– Co to takiego?

– A co ma być? Agregat – odparł Lermaszewski. Miał przy tym minę człowieka ubolewającego nad ludzką ignorancją. Nic mu to jednak nie pomogło, bo porucznik odniósł się sceptycznie do jego wyjaśnień. Wtedy Henio poszedł na całość: – A mówiłem, kurwa, sprawdź przed wyjazdem! – ryknął na osłupiałego zmiennika. – Cewka nie przewinięta!

W tym samym momencie usłyszeli dwa wyraźne uderzenia. Lermaszewski zamknął oczy. Zrozumiał, że Mietek nie dał rady i wzywa pomocy.

Dalej wypadki potoczyły się bardzo szybko. Wopiści zawołali zwierzchnika, aby w jego obecności zerwać plomby i skontrolować wnętrze chłodni. Już po chwili jeden z nich wołał triumfalnie:

– Jest! Świeża mrożonka! Na dwóch nogach!

– Znacie tego człowieka? – zapytał porucznik, kiedy w drzwiach chłodni ukazał się drżący jak w febrze, na wpół zamarznięty Mietek.

Lermaszewski ledwie rzucił na niego okiem.

– Pierwszy raz w życiu widzę tego łachudrę! – oświadczył. Więcej na chłopaka już nie spojrzał, wgniatał tylko nerwowo w ziemię czubkiem buta nie dopalonego papierosa.

Zabawa była skończona.

★

– Skąd to się u nas wzięło, pani Izo? – Bizanc jak zahipnotyzowany wpatrywał się w przedmioty wystawione za szybą biedermeierowskiej gabloty w Desie. – Kto wstawił tę papierośnicę? – dopytywał się nerwowo, wskazując srebrny przedmiot ozdobiony różnobarwnymi miniaturkami proporczyków ułańskich, insygniów i znaków herbowych.

Kierowniczka, pani Hermanowa, podniosła wzrok znad księgi rachunkowej. Nie rozumiała, skąd taka eksytacja u Bizanca. Papierośnica jak papierośnica, nic szczególnie cennego. Wstawił ją poprzedniego dnia jakiś klient, przyjęła, choć nie bardzo wierzyła, że znajdzie się na nią amator.

– Cała wartość chyba w tych proporczykach na odwrocie – mówiła otwierając gablotkę na życzenie Alfreda.

Zniecierpliwiony śledził powolne ruchy Hermanowej, najwyraźniej nie mogąc się doczekać, kiedy wreszcie będzie mógł wziąć w rękę papierośnicę. Nikt lepiej od niego nie wiedział, co znajduje się na odwrocie.

– Czternasty Pułk Ułanów Jazłowieckich, Szósty Krechowiecki, Drugi z Rokitna, Brygada Podolska, Szkoła Kawalerii w Grudziądzu... A w rogu monogram AB – wyliczał wzruszony. Kiedy wreszcie pani Iza podała mu ją, zapytał rzeczowym tonem: – Ile on za to żąda?

– Z góry wiedział, że zapłaci każdą cenę za ten bezcenny dla niego przedmiot.

Kierowniczka wymieniła kwotę, jaką klient wyobrażał sobie, że dostanie. Bizanc, nie zastanawiając się ani sekundy, powiedział:

– Kupiłem. – I schował papierośnicę do kieszeni.

Martyna dłuższą chwilę obracała papierośnicę w dłoniach, potem podała ją Beacie:

– Dziesięć tysięcy? – westchnęła. – Skąd my tyle weźmiemy, Alfredzie?

Nie odpowiedział zatopiony we własnych myślach. Roztargnione spojrzenie zatrzymał w pewnej chwili na wnuczce, która uważnie oglądała historyczny przedmiot. Zaskoczona nagłym odkryciem, z niedowierzaniem odczytała na głos wygrawerowany wewnątrz papierośnicy napis:

– Pierwsze miejsce w konkursie skoków! – spojrzała na starszego pana z uznaniem. – To aż taki był z wujaszka ułan?

– Byłem również wrogiem ludu – oświadczył nieoczekiwanie – i klasowo niebezpiecznym elementem. Pamiętasz, Martyno, rewizję, kiedy mnie aresztowano?

Trudno było o tym nie pamiętać, ale w tej chwili nie bardzo rozumiała, o co Alfredowi chodzi i jaki to ma związek z zaistniałą sytuacją. Jakby czytając w jej myślach wyjaśnił:

– Oficer, który prowadził rewizję, ukradł mi ją wtedy. – Wyjął z rąk Beaty cenny przedmiot i ściskając go mocno w dłoniach dodał: – Ten sam człowiek był potem moim śledczym. – Nerwowo przełknął ślinę. – Nigdy nie zapomnę jego głosu... Na literę B! – trzęsły mu się dłonie, a twarz oblał ceglasty rumieniec.

– Co to znaczy na literę B? – zapytała cicho Beata przejęta stanem Alfreda.

– To taka więzienna etykieta. Tak nas wywoływano z celi. Żeby, broń Boże, nikt za ścianą nie usłyszał całego nazwiska. Twojego ojca też tak wywoływano.

To był on. Kapitan Zaryn. Manikiurzysta. Nikt z taką wprawą nie wyrywał paznokci. Szef okręgu WIN-u już za trzecim przesłuchaniem wyskoczył na jego widok z drugiego piętra.

Stroynowska z niepokojem przyglądała się wujowi. Nie panował nad roztrzęsionymi dłońmi i łamiącym się głosem. Przeszłość odżyła z taką siłą, jakby to, o czym mówił, działo się zaledwie wczoraj. A przecież od tamtego czasu minęło prawie dwadzieścia lat.

– Potem, po pięćdziesiątym szóstym, kiedy sądzono... tak to umownie nazwijmy... Fejgina i Różańskiego, nie stawił się na procesie. Prasa podała, że Zaryn już wówczas nie żył – ręce tak mu drżały, że nie był w stanie utrzymać papierośnicy. Upadła na podłogę z łoskotem. Martyna próbowała go uspokoić, przekonać, że skoro kat nie żyje, to nie warto już więcej o nim mówić, ale Bizanc wiedział, że ten rzekomy nieboszczyk zgłosi się jutro do Desy po swoją zapłatę, że stanie z nim oko w oko...

Stary hrabia stawił się w pracy pół godziny przed otwarciem Desy. Wiedział, że to nie ma większego sensu, ale nie mógł sobie pozwolić nawet na pięciominutowe spóźnienie, bo gdyby jednak klient zjawił się wcześniej, a jego by przy tym nie było, do końca życia prześladowałaby go ta straszna, nie rozwiązana zagadka.

Usadowił się w stylowym fotelu tak, by cały czas mieć na oku drzwi wejściowe, i zajął się badaniem faksymiliów na XIX-wiecznym pejzażu. Od czasu do czasu ktoś wstępował do Desy po to, żeby się rozejrzeć raczej niż coś kupić. Czas płynął, ale t e n klient nie nadchodził. W pewnej jednak chwili pojawił się młody mężczyzna w modnym ortalionowym płaszczu i podszedł prosto do Hermanowej. Bizanc nie zwrócił na niego uwagi, dopóki nie usłyszał donośnego głosu pani Izy, która w ten sposób sygnalizowała oczekiwanego gościa. Gratulowała mu, że amatorska, co tu dużo gadać, papierośnica tak szybko znalazła nabywcę i że ona może mu już dziś wypłacić pieniądze. Poprosiła młodego człowieka o dowód i zanim zaczęła spisywać dane, rzuciła okiem w stronę Bizanca. Hrabia, wyraźnie zawiedziony, pokręcił przecząco głową. Nie była to osoba, na którą czekał.

Pochylił się nad kolejnym obrazem i wtedy usłyszał, jak klient prosi o kwit tłumacząc, że jest tu z czyjegoś polecenia. Alfred gwałtownie podniósł się z fotela, wybiegł na ulicę i podszedł do taksówki na pobliskim postoju. Wsiadł jednak dopiero wtedy, gdy młody człowiek pojawił się obok škody-oktavii zaparkowanej nieopodal. Bizanc kazał się wieźć za nią.

165

– To kochanek mojej żony – wyjaśnił kierowcy, łapiąc jego podejrzliwe spojrzenie, kiedy zapisywał numer rejestracyjny śledzonego samochodu. Taksówkarz okazał prawdziwie męską solidarność i nie pozwolił škodzie oddalić się nawet na metr, mimo że rozpadało się niemiłosiernie i warunki jazdy nie były najlepsze. Zatrzymali się na Dzikiej. Bizanc pospiesznie zapłacił i ruszył za młodym mężczyzną, który zdążył już zniknąć w bramie jednego z okolicznych domów. Wszedł za nim na klatkę schodową. Z dołu widział tylko jego plecione półbuty wspinające się po schodach. Mężczyzna zatrzymał się na pierwszym piętrze i zadzwonił do jakiegoś mieszkania.

Bizanc uważnie przestudiował listę lokatorów, ale nie znalazł na niej nazwiska tego, którego szukał. Wahał się przez chwilę, co robić dalej, wreszcie wolno zaczął wchodzić na górę. Dokładnie obejrzał drzwi wszystkich mieszkań na pierwszym piętrze, wszędzie były wizytówki, wyjątek stanowił tylko lokal numer siedem. A więc to tu – uśmiechnął się do siebie. Postanowił czekać. Wszedł na półpiętro i przysiadł na schodku, skąd mógł obserwować to, co działo się niżej. Kiedy usłyszał skrzypnięcie drzwi, szybko się podniósł i przywarł do ściany. Z mieszkania pod siódmym wyszedł mężczyzna w ortalionie i zbiegł ze schodów. Bizanc odetchnął głęboko. Był zdenerwowany. Mógł się jeszcze wycofać, ale wiedział, że jeśli to zrobi, zabraknie mu sił, by tu wrócić. A przecież musiał wyrównać rachunki, należało mu się choćby takie zadośćuczynienie – zmusić kata, by spojrzał mu w oczy... Przycisnął dzwonek. Po chwili usłyszał zgrzyt zamka i w ledwie uchylonych drzwiach pojawił się starzec ponadsiedemdziesięcioletni w znoszonym swetrze i wytartych wojskowych spodniach.

– Kto tam? – zapytał podejrzliwie i wysuwając głowę, jakby węszył, rozglądał się niewidzącym wzrokiem. Bizanc zrozumiał, że ma przed sobą ślepca.

– Na literę B – powiedział głucho.

W pierwszej chwili starzec obronnym gestem zasłonił głowę rękami jak ktoś, kto chce uniknąć ciosu, a potem gwałtownie cofnął się do przedpokoju, zatrzaskując Alfredowi drzwi przed nosem. Hrabia nie dał za wygraną i przez dobry kwadrans przyciskał dzwonek łudząc się, że lokator mieszkania pod siódmym otworzy. Za drzwiami panowała jednak niczym nie zmącona cisza, jak gdyby w ogóle nikt tam nie mieszkał.

– To drugi w historii ludzkości akt zmartwychwstania, Janie – Bizanc spod oka obserwował Borowskiego, który nie wydawał się wstrząśnięty całą tą historią. Przeciwnie, na jego twarzy malowała się raczej nieufność. – Czyż to nie wiadomość na pierwszą stronę twojej, bądź co bądź, katolickiej gazety? – szydził starszy pan. – W końcu kapitan Zaryn to człowiek, który posypywał głowę popiołem... co prawda swoich ofiar, ale zawsze...

Borowski czuł się nieswojo, obracał w dłoniach inkrustowaną papierośnicę, jakby ten przedmiot mógł mu cokolwiek wyjaśnić, i zastanawiał się, do czego właściwie wuj zmierza. Od czasu do czasu rzucał spojrzenie Beacie, sprawdzając jej reakcję na opowieść Alfreda. Dziewczyna chłonęła ją z wypiekami na twarzy.

– Mógłbyś cudownie to zmartwychwstanie opisać – zachęcał hrabia. – Przypomnieć rok pięćdziesiąty szósty, kary dla łamiących praworządność, nasze rehabilitacyjne procesy, po których nic się nie zmieniło, no chyba tylko to, że umarli żyją. Bezkarnie!

– Jak ty to sobie wyobrażasz? – Borowski podniósł głos wzburzony i zaczął nerwowo przemierzać pokój.

– Zemsta? Odwet? Już nas obu Pan Bóg w tym wyręczył! Sam mówisz, że oślepł!

Bizanc pomyślał, że to nie kara, tylko łaska, bo dzięki temu nie musiał swojej ofierze spojrzeć w oczy.

– Pojedziesz do niego ze mną? – spytał.

Borowski skrzywił się.

– Po co? Dziś już nie te czasy – próbował się wykręcić.

Wówczas Alfred zrobił uwagę, że czasy wciąż mamy wielkie, tak wielkie, że bez trudu mogą pomieścić każdą liczbę małych ludzi. Beata w lot pojęła aluzję.

– Napisz to, tato! Zrób to! – patrzyła na ojca błagalnie, ale jej głos brzmiał niemal jak rozkaz. Próbował tłumaczyć, że to niczego nie zmieni, ale nie dawała się przekonać.

– Zmieni! Przekreślisz tamto kłamstwo o Katyniu! I znów ci ludzie uwierzą!

Nie wiedział, jakich argumentów użyć, żeby zrozumiała, że nie wystarczy napisać, musi to jeszcze ktoś wydrukować, a tej historii nikt nie wydrukuje! Nie chciała przyjąć tego do wiadomości i powtarzała w kółko swoje: „Zrób to, zrób!". Zrezygnowany i wściekły zwrócił się do Alfreda:

– Powiedzmy, że tam pojedziemy! I co? Rzucisz się na ślepego człowieka? Uderzysz go? Udusisz? Co mu zrobisz?

– Ja chcę mu tylko napluć w gębę – oświadczył Bizanc.

– Za to ty przekonasz się, że nawet umarli są wśród żywych, kiedy sprawa socjalizmu tego wymaga. Odsłonisz ludziom prawdę.

Jeszcze tego samego dnia zjawili się na Dzikiej. Hrabia pewnym krokiem wchodził po schodach, ale na widok tabliczki z wygrawerowanym nazwiskiem „Z. Malinowski" na drzwiach prowadzących do lokalu numer siedem zmieszał się.

– Przysiągłbym, że wczoraj tej wizytówki tu nie było...

Przycisnął dzwonek. Otworzył im mężczyzna trzy-dziestoparoletni, wyraźnie zaskoczony wizytą nieproszo-nych gości.

– My do pana Zaryna – wyjaśnił Bizanc.

– Zaryn? Tu nikt taki nie mieszka – chciał zatrzasnąć drzwi, ale Alfred mu przeszkodził. Upierał się, że jeszcze wczoraj stał na tym progu obywatel Zaryn, niewidomy starzec.

– Niewidomy?! – lokator spod siódemki zaczynał tracić cierpliwość. – Nikt taki nigdy tu nie mieszkał. Od sześciu lat to mieszkanie zajmuje Zygmunt Malinowski z rodziną!

– z hukiem zamknął drzwi przed nosem osłupiałego hrabiego.

Borowski z politowaniem pokiwał głową. Od początku był niemal pewien, że to urojenia starszego pana, kolejna obsesja, do czego ta zwariowana rodzina miała szczególną skłonność.

– Widziałem tego człowieka! – przekonywał go jeszcze Bizanc po powrocie do domu, kiedy zrelacjonowali całe zdarzenie Martynie i Beacie. – Nie rozumiesz, czego byłeś świadkiem? Że ci ludzie są w stanie w ciągu godziny zmieniać nazwiska, dokumenty, adresy! Wciąż chronią swoich! – z trudem łapał powietrze. – Tu nigdy, nigdy się nie zmieni...

Beata z kolei próbowała tłumaczyć ojcu, że nawet jeśli cała ta historia powstała jedynie w wyobraźni wujaszka, to i tak jest to wielki temat, wart opisania. Tym razem jednak Borowski stanowczo odmówił.

– To wszystko na nic – Martyna machnęła ręką zrezyg-nowana. – Alfred ma rację. Tu już nigdy się nie zmieni. Wyjedźmy z tego kraju, póki można.

Jan spojrzał wymownie na stojące za szybą sekretery zdjęcie Klary.

169

– Nawet na nią nie poczekasz? Przecież każesz nam wierzyć, że ona żyje.

★

Niefortunna wycieczka na Zachód skończyła się dla obu – i dla Henia, i dla Mietka – w więzieniu na Rakowieckiej. Mimo że stary Lermaszewski wynajął wziętego adwokata, na którego zrzuciła się cała kamienica nie wyłączając Prokopa, nic na razie nie można było w ich sprawie zrobić. Mijały tygodnie i oto niespodziewanie pewnego dnia do celi Mietka wszedł strażnik i zabrał go na widzenie. Chłopak nie spodziewał się żadnej wizyty, był więc trochę zaskoczony, mowę mu jednak odjęło, kiedy zobaczył gościa. To była Gosia. Wpatrywał się bez słowa w twarz dziewczyny przez rozdzielającą ich drucianą siatkę, wreszcie wykrztusił:

– Nie, nie! Na razie nic nie mów! – chciał oswoić się z faktem, że siedząca przed nim Gosia jest rzeczywistością, a nie wytworem jego wyobraźni. – Wiesz, że ja codziennie patrzę na ciebie? Jesteś tu zamknięta razem ze mną. Zgodzili się, żeby mama przyniosła mi twoje zdjęcie – przyglądał się jej z taką intensywnością, że poczuła się nieswojo, wytrzymała jednak jego wzrok i powiedziała rzeczowo:

– Mietek, wiem, dlaczego tu jesteś.

Machnął lekceważąco ręką. Tamto nie miało już dla niego znaczenia, teraz najważniejsze było to, że ona wróciła... Do niego!

– Wiesz, o czym myślałem dzisiaj w nocy? – zniżył głos, jakby wstydząc się tego, co miał do powiedzenia: – Że... że gdybym choć trochę więcej cię kochał, to wytrzymałbym wtedy to zimno.

Dziewczyna spuściła wzrok. Gdyby on wiedział, jak podle się czuła...

– Po raz pierwszy poznałam, co to znaczy mieć wyrzuty sumienia. Poruszę niebo i ziemię – obiecywała żarliwie.

– Ojciec wciąż jeszcze coś znaczy! Przysięgam, że cię stąd wyciągnę!

Patrzył na nią z czułością wdzięczny, że wróciła, że jest... Nie potrzebował jej obietnic. Teraz wszystko dla niej wytrzyma!

– Chyba pozwolą mi to zostawić? – powiedziała nieoczekiwanie, wyciągając z torebki czerwoną rękawiczkę.

Zareagował gwałtownie:

– To tak, jakbyś mi zwracała zaręczynowy pierścionek! Jak taki pomysł mógł ci przyjść do głowy. Przecież wiesz, że jestem przesądny!

Gosia zwinęła nieszczęsną rękawiczkę i upchnęła w kieszeni płaszcza. Widzenie dobiegało końca.

– Wyciągnę cię stąd! – powtórzyła na pożegnanie. – Na to mogę ci przysiąc!

Dopiero w jakiś czas potem dotarło do Mietka, że z jej strony nie padło ani jedno wyznanie, ani jedno słowo miłości. Nie wyjaśniła też, dlaczego właśnie teraz przyjechała do Polski.

Odetchnęła z ulgą, kiedy usłyszała za sobą głuchy łoskot zamykającej się więziennej bramy. Wolno podeszła do zaparkowanego nieopodal forda na niepolskich numerach rejestracyjnych. W środku czekał na nią młody, przystojny mężczyzna. Odłożył gazetę, którą właśnie skończył czytać, i przyglądał się Gosi badawczo.

– Widzę, że mu nie powiedziałaś?

– Nie miałam siły – wyznała, wciskając na serdeczny palec prawej ręki obrączkę ślubną. – Jedźmy już stąd – poprosiła.

171

★

O tym, że Halina została przyjęta do partii, Wrotek dowiedział się w dniu wyjazdu na Wybrzeże, gdzie miał kręcić film o żonach marynarzy.

– Sama dokonałaś wyboru! – krzyczał wrzucając do nesesera niezbędne drobiazgi. – Wybrałaś partię – to ze mną rozwód! Spotkamy się u adwokata!

Bliska płaczu powtarzała znany mu argument, że to dla niego i dla jego artystycznej kariery poświęciła się nie tylko jako człowiek, ale przede wszystkim jako kobieta, bo przez jego egoizm nie została matką.

– Mogłam mieć rodzinę jak wszyscy, a teraz co? Mam zostać sama?! – ocierała zaczerwienione oczy.

– Masz przecież partię! – Wrotka nie wzruszały ani jej łzy, ani błagalne spojrzenie. Zresztą nie miał już czasu na dalszą dyskusję. Służbowy samochód od dobrego kwadransa czekał na niego przed domem.

– Pogadamy, jak wrócę z Gdańska! – obiecał zamykając za sobą drzwi.

Był grudzień 1970 roku.

Wracając z roboty Bawolik jak zwykle wstąpił do Lermaszewskich, żeby się dowiedzieć, co z Heniem. Stary natychmiast skorzystał z okazji i ochoczo nalewał „po maluchu", kiedy w radiu usłyszeli komunikat:

– Na wybrzeżu padły strzały. Zginęli ludzie. Podpalono gmach Komitetu Wojewódzkiego. Zadajmy sobie pytanie, komu są na rękę tego rodzaju wydarzenia? Kto prowokuje klasę robotniczą do wystąpień przeciwko robotniczej władzy.

Bawolik wyciągnął z kieszeni zmiętą gazetę.

172

– Tę mowę-trawę składałem dziś w nocy – podsunął Lermaszewskiemu pod nos płachtę papieru, ale stary odsunął ją lekceważąco.

– Warszawę czwartą trzeba znaleźć – zaczął jeździć strzałką po skali, pokonując wycie zagłuszacza.

– O jest!

– ...słuszny gniew stoczniowców obrócił się przeciwko partyjnej biurokracji. Podpalony Komitet Wojewódzki to zaledwie pierwsza iskra tego płomienia. Padły bratobójcze strzały. Zginęli ludzie... – głos spikera uciekł zagłuszony trzaskami. Lermaszewski próbował go odszukać.

– Nasz dozorca jest nie tylko do zamiatania – szepnął mu do ucha Bawolik. Na palcach podszedł do drzwi i wyjrzał na korytarz. Na podeście nie było nikogo.

Prokop siedział w swojej służbówce z uchem dosłownie przylepionym do radioodbiornika, z którego płynął komentarz z radia „Wolna Europa".

– ...ilość ofiar liczona jest w dziesiątki, a być może i w setki ludzi! Tej krwi komunistyczny reżim nigdy już nie zmyje ze swego sumienia. Czarne przepaski na hełmach zabitych stoczniowców staną się symbolem narodowej żałoby...

Przeraźliwe wycie zagłuszyło dalszy ciąg. Prokop zaklął. Tego by brakowało, żeby ktoś usłyszał... Bezszelestnie uchylił drzwi i rozejrzał się po klatce schodowej.

– Tylko czekają, żeby mnie namierzyć – mruknął do siebie. Ale na schodach nikogo nie było. Wszyscy siedzieli przed telewizorami bądź słuchali komunikatów radiowych.

Cyrankiewicz kończył właśnie swoje przemówienie, kiedy Halina dodzwoniła się wreszcie do międzymiastowej. Od godziny bezskutecznie próbowała zamówić rozmowę z Gdańskiem.

– Jak to nie ma połączenia?! – zawołała histerycznie.
– Ale ja muszę... Ja tam mam męża! On kręci tam film...
– Nic pani nie poradzę – usłyszała. W telefonie rozległo
się głuche buczenie.

★

O żonach marynarzy i ich problemach Wrotek zapomniał w chwili, kiedy znalazłszy się na Wybrzeżu został wciągnięty w wir wypadków. Sam nie wiedział, kiedy stał się uczestnikiem wydarzeń. Decyzję podjął błyskawicznie. Oto miał jedyną, niepowtarzalną okazję zarejestrowania tego, jakimi metodami władza ludowa posługuje się w walce ze swoją przodującą klasą, że nie cofa się przed niczym. Z narażeniem życia filmował szarże milicyjnych oddziałów i w panice uciekających ludzi, polowanie opancerzonego transportera na biegnącego człowieka i padające na śnieg ofiary zastrzelone serią z broni maszynowej. Wraz z kamerą dotarł na cmentarz Postomino.

– On szedł zwyczajnie... Do roboty... Usłyszał wezwanie wicepremiera, żeby iść... Znaczy do pracy... do stoczni... I kiedy wysiadł z kolejki... wtedy posieli po nich... i on... i on... – przed kamerą blada twarz kobiety w czarnej chuście na głowie. – To jego narzeczona – z trudem powstrzymując łkanie, wskazała zrozpaczoną dziewczynę klęczącą przed rzędem jednakowych, niczym nie oznaczonych trumien, stojących przed kaplicą.

Rajmund skierował kamerę w tamtą stronę, ale wtedy jak spod ziemi wyrósł przed nim młody mężczyzna.

– Spadaj stąd! – warknął przez zęby. Pięści miał zaciśnięte, a w twarzy tyle nienawiści, że Wrotek przestraszył się. – On kręci dla ubecji! – krzyknął mężczyzna.

Z kaplicy wypadło kilku stoczniowców. Otoczyli Mundka zwartym kołem i zażądali filmu.

– Chcę pokazać ten pogrzeb – przekonywał Wrotek, broniąc kamery.

Zawlekli go przed ołtarz.

– Przysięgnij, że nie jesteś z UB!

Przysiągł.

– Przysięgnij, że pokażesz Polsce, jak ginęli stoczniowcy!

Mundek wyprostował się i patrząc na krucyfiks złożył przysięgę.

Pokaz w salce projekcyjnej Wytwórni Filmów Dokumentalnych przywiezionego przez Mundka materiału odbywał się w kompletnej ciszy. Pierwszą taśmę kończyło ujęcie transportera, który miażdży leżącego na bruku człowieka. Wrotek chciał puścić drugi krążek, ale wtedy odezwał się Bednarski:

– Te materiały już nie są twoje.

– Ani nawet nasze – dorzucił redaktor. – Są już w ścisłym archiwum i wyłącznie do dyspozycji KC.

Wrotek zrozumiał, że o dalszym przeglądzie nie ma mowy, tym bardziej że „tych materiałów nie ma i nigdy nie było", jak wyjaśnił towarzysz Bednarski.

– Ty sam lepiej zapomnij, że tam byłeś.

– O tym nie ma mowy! – ryknął Wrotek. W oczach mu pociemniało, bezsilnie zacisnął pięści. Wtedy podszedł do niego siwy mężczyzna, którego dotąd nie zauważył, ponieważ tamten siedział w głębi sali, ukryty w półmroku.

– Kapitan Pazurek – przedstawił się. – Może porozmawiamy. Woli pan tu czy na Rakowieckiej? – zapytał uprzejmie.

175

Mundek zmrużył oczy: „Ty skurwysynu! – pomyślał.
– Ja miałbym o tym zapomnieć?! Nigdy!!!"

Cała rodzina Talarów, zebrana przy świątecznym, tradycyjnie suto zastawionym stole, z przejęciem słuchała relacji Wrotka. Wszyscy chcieli wiedzieć, co stało się z taśmami, czy Mundek ma jeszcze do nich dostęp.

– Taśmy szlag trafił. Położyli pieczęć. Ale tu nigdy mi się nie dobiorą – postukał palcem w głowę. – Zawsze będę pamiętał, co tam widziałem! Zresztą, na całe szczęście, zrobiłem trochę fotosów – sięgnął do kieszeni marynarki. – Cholera! Zostawiłem w drugim ubraniu! Zaraz przyniosę!

Kiedy wracał ze zdjęciami i miał już zapukać do Talarów, dostrzegł znajomą postać wchodzącą powoli po schodach.

– Kogo ja widzę?! – zawołał, nie dowierzając własnym oczom. – Ucieczka czy amnestia?

– Odpękałem swoje! – odpowiedział wesoło Henio Lermaszewski. – Widzi pan wolnego człowieka!

Rzucili się sobie w ramiona i uściskali serdecznie.

– Ludzieeee! – ryknął Wrotek na całe gardło. – Henio wrócił!!!

Kolejno zaczęły otwierać się drzwi najpierw od Bawolików, potem od Jasińskich, wszyscy biegli wyściskać i wycałować wypuszczonego na wolność sąsiada. Znowu byli prawie w komplecie, brakowało tylko Mietka. Potem uradowani wrócili do swoich mieszkań, by wysłuchać w telewizji noworocznego orędzia.

– A już się wydawało, że ten Gomułka będzie na wieczność – westchnął Mundek podnosząc kieliszek. – Co tam u was w fabryce mówią o tym nowym? – zwrócił się do Andrzeja. Jak zwykle przy świątecznym stole Polaków polityka zajmowała pierwsze miejsce.

Talar uśmiechnął się.

– Ta nowa ekipa zapowiada, że coś takiego już się nigdy nie powtórzy.

Jak zawsze wierzył w dobre intencje władzy i z przekonaniem spełnił toast „za pomyślność". Leszek też podniósł kieliszek, choć z mniejszą wiarą.

– Mnie to przypomina pięćdziesiąty szósty. Wtedy też się piło z nadzieją.

Trudno było się z nim nie zgodzić, ale przecież tak bardzo chcieli wierzyć, że mimo wszystko coś się jednak zmieni w kraju. Na ekranie telewizora pojawił się nowy pierwszy sekretarz Edward Gierek i zaczął przemawiać. Ewa przygotowała kieliszki do szampana. Zbliżała się północ.

– Nie poczekamy na Halinę? – zapytała nieśmiało Ula.

Mundek wzruszył ramionami.

– Nie miała dziewczyna szczęścia – wyjaśnił sucho.

– Wyznaczyli jej nocny dyżur na Okęciu. – I nie czekając na zaproszenie sięgnął po butelkę.

Ewa wiedziała, że Wrotek nie mówi prawdy, ponieważ poprzedniego dnia Halina powiedziała jej, że sama poprosiła o ten dyżur, bo stosunki między nią i mężem nie układają się – delikatnie mówiąc – najlepiej.

Gierek kończył właśnie swoje orędzie, kiedy odezwał się dzwonek u drzwi. Andrzej poszedł otworzyć.

– Może to jednak Halina – ucieszyła się Ewa i pobiegła za nim do przedpokoju. Ale to nie była Halina. W progu stał Wiktor z Danusią. Dziewczyna miała zaczerwienione od płaczu oczy, a Wiktor zacięty wyraz twarzy.

– Przyjechałem ci podziękować – wycedził przez zęby, patrząc oskarżycielsko na Andrzeja. – Ładnie mi córki dopilnowałeś!

Talarowie spojrzeli po sobie zdumieni.

– Co się stało? – zapytał Andrzej.

– Sama się przyznasz, czy... – Wiktor popchnął Dankę, a ponieważ milczała, zaczął gwałtownie rozpinać jej płaszcz. – Ładny mi prezent na nowy rok wyszykowała! – Dziewczyna stała ze spuszczoną głową. – Przypatrzcie się! – Wiktor nerwowo przełknął ślinę. – Piąty miesiąc. Dziś rano się o tym dowiedziałem...

Andrzej otarł pot z czoła. To było jak grom z jasnego nieba. Podszedł do Danusi i patrząc w jej naiwne, wielkie oczy zapytał łagodnie:

– Azja? – Dziewczyna potrząsnęła przecząco głową. – Mietek? – zaryzykował. Danusia zaprzeczyła. – A więc kto?

– W każdym razie ktoś z tej kamienicy – oświadczył Wiktor spoglądając z wściekłością na Talara, jak gdyby to on był sprawcą nieszczęścia.

– Wie tatuś co? – perorował Henio z pełnymi ustami. – Wszystkiego się mogę wyrzec: gorzały, panienek, pieniędzy, tylko nie wolności! – siedział przy rodzinnym stole, na którym co chwila pojawiały się nowe przysmaki podsuwane mu przez uszczęśliwioną matkę. Stary Lermaszewski natomiast dbał, żeby kieliszek syna nawet przez sekundę nie był pusty.

Spełniali właśnie toast „za wolność", kiedy w drzwiach stanął Andrzej. Powitali go wylewnie.

– No to jesteśmy w komplecie! – zawołał uradowany Henio, nalewając Talarowi kieliszek wódki. – Darowali mi te cztery miesiące...

– Ale nie pięć! – Ku zdumieniu gospodarzy gość nie przyjął poczęstunku. Miał bladą, zaciętą twarz, odwrócił się za siebie i kiwnął na kogoś ręką.

– Co ja widzę? Moje oczęta! – wykrzyknął Henio. Mina mu jednak zrzedła, kiedy Andrzej wypchnął Danusię do przodu i oczom wszystkich ukazał się powód tej sąsiedzkiej wizyty. Młody Lermaszewski przez chwilę sprawiał wrażenie boksera oszołomionego nokautującym ciosem, a Andrzej kogoś, kto tylko czeka na pretekst, aby wszcząć karczemną awanturę. Do niczego jednak nie doszło, ponieważ Henio szybko się pozbierał i odzyskując zwykły rezon oświadczył:

– Mówi się trudno... Przed miłością nie uciekniesz! – podszedł do zalanej łzami Danusi i obejmując ją serdecznie, wzniósł toast: – Dziadziu! Babciu! Za wasze zdrowie! – teraz i Andrzej, rozluźniony, już nie wzbraniał się przed jego spełnieniem, zwłaszcza że Henio przytulając dziewczynę do siebie zawołał: – Nowy Rok, nowy sekretarz i nowy Lermaszewski.

Komu gra ta orkiestra?

Gdyby przed paru laty jakaś wróżka przepowiedziała Heńkowi Lermaszewskiemu, że stanie się przykładnym ojcem i mężem, pewnie popatrzyłby na nią jak na wariatkę i znacząco popukał się w czoło. Sporo od niego młodsza, niebieskooka panienka z prowincji potrafiła jednak całkowicie odmienić jego stosunek do życia. Sam nie wiedział, czy to dlatego, że był jej pierwszym mężczyzną, czy też dlatego, że tak bardzo była inna od jego dotychczasowych zdobyczy – dość, że uważał, iż powinien ją chronić przed całym złem świata. A poza tym, co tu dużo gadać, działała na niego jak żadna kobieta. Wystarczyło, że dostrzegł kawałeczek nagiego ciała żony albo że w przelocie musnęła go długimi blond włosami i już był gotów. Nie obchodziło go, że matka, nie wiedzieć czemu, nie mogła przekonać się do synowej. Ilekroć dochodziło między nimi do sprzeczek, zawsze brał stronę żony. Tłumaczył, że Danusia jest zbyt młoda, żeby jednocześnie podołać obowiązkom gospodyni i opiece nad dzieckiem. Gdyby tylko była dla niego milsza i tak się od niego nie oganiała... Teraz też, kiedy ledwie rozbudzony próbował przyciągnąć ją do siebie i wtulić głowę w bujne piersi, nawet nie otwierając oczu, fuknęła ostro:

– Co ci przychodzi do głowy? O tej godzinie?!

- A co ja mogę poradzić, że noc jest dla mnie za krótka? - Mimo wyczuwalnego oporu Henio nie wypuszczał z objęć żony, ale gdy spróbował zacisnąć dłoń na jej krągłych wypukłościach, odepchnęła go zdecydowanie i wyskakując z łóżka zawołała z oburzeniem:
- Nie słyszysz, że Irminka płacze?
- A wiesz dlaczego? - Przeciągnął się leniwie i zachęcająco poklepał odchyloną kołdrę. - Bo ciągle nie ma braciszka...

Danusia wymownie wzniosła oczy do góry, jakby wzywając niebo na świadka swych nieustannych zmagań z nieujarzmioną żądzą swego męża, po czym przypomniała mu:
- Czy przypadkiem nie na dzisiaj umawiałeś się z panią Lidką?

Zerknął na stojący przy tapczanie budzik i błyskawicznie opuścił nogi na podłogę. W przelocie cmoknął pochyloną nad łóżeczkiem córki żonę i pognał do łazienki. Nie minął kwadrans, jak dzwonił do mieszkania Jasińskich.
- Bryka gotowa! - oświadczył od progu.

Lidka porwała przygotowany pakunek z ubraniem syna i już na schodach, bardziej do siebie niż do sąsiada, powiedziała:
- Ciekawe, czy i ona tam będzie? - Bywały chwile, kiedy szczerze nienawidziła Gosi za to, że tak opętała Mietka. Gdyby nie ona, ilu nieszczęść by uniknęli.
- Narzeczona na pewno czeka - uspokajał Lermaszewski. - Jeśli czegoś, to tylko orkiestry zabraknie w komitecie powitalnym. - Wyprowadził sąsiadkę na podwórko, ale kiedy podeszła do błyszczącego nowego samochodu, zatrzymał ją i skierował do zdezelowanej wołgi. - Tam,

dokąd jedziemy, bezpieczniej tym ruskim mercedesem – oświadczył, jednocześnie wyciągając z kieszeni podniszczony zegarek na starym plastikowym pasku. Odpinając złotego rolexa wyjaśnił: – Jak idę do urzędu skarbowego albo tam gdzie dziś, ten wolę. Ruska pobieda najszybszy zegarek świata! – roześmiał się.

Nie zareagowała na żart. „Henio to naprawdę dobry człowiek – pomyślała. Tyle wycierpiał przez mojego chłopaka, a mimo to nie żywi urazy". Podziękowała mu.

– Kochana, po co te superlatywy? – udawał obojętność, lecz wdzięczność sąsiadki sprawiła mu przyjemność.

Znowu nie odpowiedziała pochłonięta bliskim spotkaniem z dzieckiem. „Jaki wpływ wywarło na niego więzienie? Czy bardzo się zmienił? Czy potrafi odnaleźć się w normalnym życiu?" – zastanawiała się gorączkowo.

Po raz kolejny spotkało ją rozczarowanie. Strażnik mokotowskiego więzienia najpierw długo przeglądał papiery, a potem oświadczył, że niejaki Mieczysław Pocięgło wyszedł na wolność i że zabrał ze sobą depozyt, to znaczy barani kożuch. Lidka domyślała się, gdzie Mietek mógł pójść. Oczywiście do niej! „Miał prawo – usprawiedliwiała syna sama przed sobą – bez świadków przywitać się z dziewczyną. Mogę poczekać. W końcu jestem tylko matką".

– Pan do kogo?

Mietek mimochodem zarejestrował, że po raz pierwszy przy wejściu do domu Gosi zwrócono się do niego w formie „pan" i że pytanie zadał cywil, a nie wojskowy. Zbyt jednak był przejęty długo oczekiwanym spotkaniem z dziewczyną, żeby zastanowić się nad przyczyną tych zmian.

– Chciałbym się widzieć z panną Lejczerówną. – Postąpił krok do przodu.

Mężczyzna zagrodził mu drzwi, informując:

– Lejczerowie od dawna już tu nie mieszkają.

– A gdzie? Przecież wrócili już z zagranicy!

Portier obojętnie wzruszył ramionami.

– Nie moja broszka. – I jakby obawiając się gwałtownej reakcji chłopaka, wyjaśnił: – Panie, ja tu jestem dopiero od roku i o tym, co było, nic nie wiem. Czasy się zmieniły.

Zmęczona urzędniczka w dziekanacie polonistyki nie zadawała żadnych pytań, tylko podeszła do szafy z segregatorami, otworzyła jeden z nich i odczytała:

– Dyplom zrobiła półtora roku temu. Zastrzegła zmianę nazwiska, ale wtedy występowała jeszcze jako Małgorzata Lejczer.

– Ma pani jej adres?

– Aleja Róż.

– Tam nie mieszka. Czy naprawdę nie wie pani, gdzie jej szukać?

W głosie interesanta było coś takiego, co przebiło się przez urzędniczą skorupę niewrażliwości. Podniosła oczy znad papierów i powiedziała z nieoczekiwanym współczuciem:

– Przykro mi...

Może na wydziale został ktoś, kto znał Gosię, i wie, co się z nią dzieje? Może to jedyna szansa odnalezienia dziewczyny? Szybko wbiegł po schodach na pierwsze piętro. Mógł mówić o szczęściu, bo w drzwiach jednej z sal wykładowych dostrzegł koleżankę z grupy Gosi w towarzystwie kilkorga, wyglądających na pierwszorocznych, studentów. Nie zwracając na nich uwagi, złapał dziewczynę za rękę i pociągnął do wnęki okna.

– Co z Gosią?! – wyszeptał gorączkowo.

– Coś ty? – Poznała dawnego chłopaka koleżanki i tym bardziej była zaskoczona. – Na jakiej balandze ostatnio byłeś? To nie wiesz, że ona już dwa lata temu za mąż wyszła?

Z przerażeniem spostrzegła, jak zmienił się w oczach. Odruchowo cofnęła się, ale chwycił ją za ramię i ściskając z nieuświadamianą siłą, zażądał:

– Przyznaj się, że sama wymyśliłaś te bzdury! – A kiedy przecząco pokręciła głową, jeszcze wzmocnił uścisk i z groźbą, ale i błaganiem dodał: – Albo przyznaj, że kłamiesz, albo powiedz, jak ona się teraz nazywa!

Szarpnęła się do tyłu i zawołała ze złością:

– Zwariowałeś?! Czepiaj się tramwaju, nie mnie! Zresztą poza tym, że Gośka jest mężatką, nic o niej nie wiem!

Nie miał pojęcia, w jaki sposób trafił nad Wisłę. Niczym na zwolnionym filmie przesuwały mu się przed oczyma sceny wszystkich spotkań z dziewczyną: manifestacja w sprawie „Dziadów", 8 marca na uniwersytecie, próby do pamiętnej polit-operetki, spacer w Łazienkach, spotkanie na poligonie i wreszcie jej odwiedziny w więzieniu. Tak dużo i tak mało...

Ciągle taszczył pod pachą ciężki barani kożuch, symbol tej fatalnej w skutkach ucieczki na Zachód. I po co to wszystko było, skoro ona już wtedy miała innego? Zbliżył się do barierki mostu i cisnął kożuch do rzeki. Śledził wzrokiem, jak rozwija się w locie, przybierając postać człowieka, jak opada na wodę i wreszcie, porwany nurtem, niknie w oddali. Ten rozdział miał już za sobą.

Zupełnie odrętwiały, ciężkim krokiem powlókł się do domu.

Postanowić, że się zapomni, było łatwo, wykonać trudniej.

Od dwóch tygodni Mietek w niczym nie przypominał człowieka, jakim był dotąd. Owszem, czasem zjadał, co mu matka lub babka podsunęły pod nos, czasem nawet zamienił kilka słów z którymś z odwiedzających go sąsiadów, ale najczęściej zamykał się w pokoju i z zapamiętaniem ciskał strzałkami w przypiętą do drzwi szafy fotografię Gosi. Słyszał, jak matka raz po raz podchodzi do drzwi pokoju, jak puka, ale nie odpowiadał.

– Mietek! Mieciu! Proszę... tak nie można...!

Milczenie.

Jasińska położyła dłoń na ramieniu córki.

– Daj sobie spokój, Lidzia. Ja to czasem tak myślę, czy to, co na niego naszło, to nie jest kara boska. – Spotkała pytający wzrok Lidki, więc wyjaśniła: – No, za ojca... Przez niego ojciec zawału dostał.

Gwałtownie odsunęła matkę od siebie. Trzęsącymi się ze zdenerwowania rękami wyciągnęła z szafy nowiutki garnitur syna i zaczęła owijać w gazetę.

– Lidziu, co ty? Przestań!

– Kupiłam mu go na dyplom. – Pakowała ubranie z jakąś nie spotykaną u niej zawziętością. – Tak marzyłam, żeby był kimś... – Nagle, jakby zupełnie pozbawiona sił, przysiadła na krześle i tłumiąc łkanie mówiła: – A po co to jemu? Jak tak sobie życie marnuje, to magistrem na pewno już nie będzie! Oddam biednym, bo...

W tym momencie rozległ się dzwonek. Otarła oczy i otworzyła drzwi. W progu stał Andrzej Talar z niepewną miną. Nie musiał otwierać ust – wiedziała, że znowu nic nie wyszło z załatwienia Mietkowi pracy. Nawet w FSO, fabryce, którą jego dziadek budował od początków. Andrzej bezradnie rozłożył ręce.

– Naprawdę się starałem...

Niespodziewanie z pokoju wyłonił się Mietek. Wyjął z rąk sąsiada podanie o pracę i ostentacyjnie przedarł na pół.

– Mówiłem, że ja się do t e j Polski nie nadaję – burknął.

– A masz jakąś inną? – spytał Talar. – Coś się przecież zaczyna zmieniać...

– Chyba tylko hasła! – chłopak był nieprzejednany.

– Może na trochę inną nutę, ale ciągle gra ta sama orkiestra!

Prokop uważał się za człowieka gołębiego serca. Od lokatorów znosił wiele, ale gdzieś były granice! Za przekroczenie jednej z nich uznał kupienie przez Lermaszewskiego nowego alfa-romeo. To jego, ciężko pracującego na państwowej posadzie, nie stać nawet na syrenkę, a taki, co to i w więzieniu siedział, otwiera własny interes z częściami samochodowymi i kupuje sobie taki wóz? Myślał nawet o jakimś donosiku do urzędu skarbowego, ale zrezygnował. Gdyby co, to Heniek też znalazłby na niego niejednego haka. W poczuciu całkowitej bezsilności rąbnął miotłą w oponę i zaklął:

– Ażeby cię obesrało!

I wtedy wpadł na pomysł: to jest to! Zerknął, czy nikt go nie widzi, wyciągnął z kieszeni nadgryzioną kajzerkę i rozkruszył na dachu auta. Łopot skrzydeł nadlatującego ptactwa upewnił go, że gołębie wezmą zemstę na siebie.

– Wiadomo, poczciwe warszawskie ptaki! – zarechotał w duchu i wrócił do zamiatania podwórka.

Tego dnia Heniek miał zawieźć żonę z córeczką na badania kontrolne do lekarza. Do przychodni niby nie było daleko, ale wykopy na ulicach stanowiły problem dla kobiety z wózkiem. Wyszedł z domu pierwszy, żeby zrobić miejsce w bagażniku, a kiedy dostrzegł harcujące na dachu samochodu gołębie, mało go szlag nie trafił. W biegu napluł na chusteczkę i zabrał się do usuwania obrzydliwych placków. Skutek był niewielki.

– Ja to kręcę! – krzyknął do obserwującego go spod oka ciecia. – Alfę mi na szambiarę przerobiły, skubane! Obleci mi pan to szlauchem, panie Edziu?

Prokop, ciągnąc za sobą wąż, niespiesznie podreptał w jego stronę. Mruczał przy tym, że gołębie to wredne ptaki, a on brat lata i dla niego to małe piwo przed śniadaniem, oczywiście nie za frajer.

Lermaszewski nie miał czasu na targi, bo na podwórku pojawił się ojciec, dźwigając wspólnie z Danusią wózek z dzieckiem. Już sięgał do kieszeni, ale stary go powstrzymał:

– Heniuś, nie bądź frajer! Spójrz na inne samochody. Dlaczego tylko u ciebie takie szambo? – Wyciągnął oskarżycielsko palec. – Bo on im specjalnie bułki nakruszył!

Dozorca zrobił minę niesłusznie oskarżanej dziewicy, jednak ani ojciec, ani syn nie dali się nabrać.

– W butelkę chciał mnie pan maksymalnie nabić, tak?! – Jeśli było coś, co doprowadzało Heńka do szału, to jak ktoś jego, warszawskiego cwaniaka, próbował zrobić w jelenia.

Prokop przezornie wycofywał się w kierunku stróżówki i awantura pewnie umarłaby śmiercią naturalną, gdyby nie to, że idąc tyłem, wpadł na Danusię wysadzającą w bramie Irminkę. Wściekły, wrzasnął po chamsku:

– Za stodołę niech wiocha z tym idzie! To nie szalet, tylko porządny dom!

– N a s z dom! – pozorny spokój w głosie Lermaszewskiego nie wróżył nic dobrego. Najpierw powoli, potem coraz szybciej ruszył w stronę ciecia.

Ten jednym susem znalazł się w mieszkaniu i zatrzaskując drzwi przed nosem nieprzytomnego ze złości mężczyzny, zawołał z triumfem:

– Ale ja tu rządzę!

Heniek walnął we framugę, aż zatrzęsły się szyby w oknach.

– Jak się, łobuzie, jeszcze raz przypieprzysz do mojej żony albo auta, to dam takiego kopa, że z głodu zdechniesz w powietrzu! – Drugiego uderzenia szyby by nie wytrzymały. Stary odciągnął syna:

– Zostaw go – uspokajał – ty jesteś prywatna inicjatywa, a on zwykły chamio. Z takimi się nie dyskutuje, takich się kupuje.

– Pan mnie wzywał? – zapytał nieco zdenerwowany Andrzej, wchodząc do gabinetu dyrektora naczelnego. Z Kuźniakiem, który w ostatnich latach awansował na stanowisko zastępcy do spraw produkcji, miał codzienny kontakt, ale naczelny rzadko spotykał się z szeregowymi inżynierami. A teraz w dodatku nie był sam; przy stole konferencyjnym, tyłem do drzwi, siedział mężczyzna z czarną opaską na rękawie i coś notował w kalendarzu.

– Siadajcie, inżynierze – gestem zaprosił gospodarz i od razu przeszedł do rzeczy: – Jest taka sprawa. Do Warszawy lada dzień przyjeżdża Farinelli z Turynu.

– Dokładnie drugiego maja – uściślił mężczyzna z opaską, odwracając się do Talara. Był to Jerzy Korn. – Mamy go przywitać i w ogóle się nim zająć...

– M y? – Andrzej znacząco popatrzył w oczy byłego przyjaciela.

Zdezorientowany dyrektor wodził wzrokiem od jednego do drugiego.

– A niby kto? – zapytał wreszcie. – Przecież obaj byliście na stażu we Włoszech, prawda?

– Niestety... obaj – Talar potwierdził z goryczą i wpatrując się w Korna, dodał: – A tak się składa, że ja mam bardzo dobrą pamięć.

A jednak kiedy później Jerzy poprosił go o wybaczenie, postanowił o wszystkim zapomnieć. Jakoś nie potrafił odrzucić wyciągniętej do zgody ręki człowieka, który zaledwie przed tygodniem stracił synka. Jeśli zawinił, los wystarczająco go ukarał. Oczywiście o przyjaźni nie mogło być mowy, ale zwykłe koleżeństwo czemu nie? Nie chciał tylko słuchać żadnych wyjaśnień w rodzaju, że Korn absolutnie nie chciał mu zaszkodzić, że składając raport z ich pobytu we Włoszech był przekonany, iż to rutynowe sprawozdanie, że sam został oszukany...

Wyszli razem z budynku dyrekcji, każdy pogrążony we własnych myślach. Na chwilę musieli przystanąć, żeby przepuścić kolumnę orkiestry fabrycznej ćwiczącej marsze przed jutrzejszym świętem 1 Maja. Andrzej w gruncie rzeczy był zadowolony, że ciągnący się tak długo konflikt między nim a Kornem został zażegnany. W dalszym ciągu uważał, że donosicielstwo zasługuje na potępienie. Brak jednak przez tyle czasu bezpośrednich kontaktów z Jurkiem – szczegóły produkcyjne uzgadniali przez osoby trzecie – poważnie komplikował ich współpracę zawodową. Teraz więc, chcąc odrobić zaległości, postanowili od razu przejrzeć zmiany wprowadzone w karoserii nowego modelu fiata.

Korn otwierał właśnie drzwi do kantorka, kiedy do jego świadomości dotarła niespodziewana cisza.

– Chryste Panie! Znowu zasilanie wysiadło! – rzucił się do tyłu, z napięciem wpatrując się w gigantyczny elektromagnes zawieszony na wysokości dwunastu metrów nad ogromną halą.

Talar też zamarł w bezruchu, rejestrując, co się dzieje. Z ramienia unieruchomionej pod sufitem maszynerii, niczym karty w ręku szulera, posypały się arkusze blach i gnały po betonowej podłodze w kierunku pracujących robotników. Większość z nich w porę dostrzegła niebezpieczeństwo, ale jeden, w wyciszających nausznikach, nadal piłował kantówki. Wydawało się, że nic go nie uratuje, kiedy od grupki osłupiałych mężczyzn oderwał się młodziutki praktykant i mocnym uderzeniem w pierś odrzucił na bok trasera.

Wszyscy zdrętwieli, ale po sekundzie rozległo się zbiorowe westchnienie ulgi. Korn dopadł leżącego na podłodze człowieka i pomógł stanąć mu na nogi, inni z uznaniem poklepywali po plecach praktykanta. Jeden z traserów zawołał do poszkodowanego kolegi:

– No, Pastusiak, moment, a byłbyś krótszy o dwie nogi! Za lewą małemu należy się flacha, a za prawą Panu Bogu msza!

– Jak tu siatki ochronnej nie założą – krzyknął wzburzony majster – wszyscy lada dzień będziemy niby Jan Chrzciciel! Każdy bez głowy!

– A bo to pierwszy raz? – dodał starszy robotnik i zwrócił się wprost do Korna: – To gorzej jak gilotyna. A jeszcze smarem oblepiona. Jedzie jak Protopopow po lodzie.

Pełni żalu ludzie wianuszkiem otoczyli obu inżynierów.

Andrzej rzadko bywał na produkcji i do tej pory nie bardzo się orientował, jakie są tam warunki pracy. Nigdy nie uważał się za społecznika, ale zrozumiał, że tej sprawy nie wolno tak zostawić. Położył rękę na ramieniu Korna i w imieniu ich obu zapewnił:

– Obiecujemy, że zrobimy z tym porządek!

Dobrą godzinę zajęło im zredagowanie postulatów i pytań pod adresem dyrekcji – na przykład: „Dlaczego zdarzają się nie uzgodnione wcześniej zaniki napięcia na głównym kablu, powodujące utratę mocy elektromagnesu...?" – lecz w końcu z gotową listą stawili się w gabinecie Kuźniaka. Ten pobieżnie przejrzał ich elaborat i odrzucił na blat biurka.

– Zabieraj stąd tę makulaturę! – warknął do Talara, rozpoznając w nim inicjatora petycji. – Zachciało ci się siatek ochronnych! A może od razu założymy poduszki powietrzne?! Czy ty w ogóle wiesz, czego żądasz?! Żeby założyć siatki, trzeba by na dwie doby zatrzymać produkcję!

Andrzej nie myślał ustępować.

– Żądam minimum bezpieczeństwa dla ludzkiego życia – powiedział twardo. – Słyszałeś o czymś takim jak BHP?

– A ty słyszałeś o czymś takim jak plan?! – Kuźniak poderwał się z krzesła i z całą siłą rąbnął pięścią w stół.

Talara mało krew nie zalała. Czy ten idiota naprawdę nie pojmuje, że każdego dnia ludzie narażeni są na potworne ryzyko? Próbował przekonywać, tłumaczyć, ale uwagę zastępcy dyrektora całkowicie pochłonęła ćwicząca na placu przed biurowcem orkiestra. Andrzej podszedł do okna, popatrzył na rozpięty nad dziedzińcem transparent z napisem: BUDUJEMY DRUGĄ POLSKĘ, potem na maszerujących muzyków i z goryczą zapytał:

– I komu właściwie gra ta orkiestra?

– Jak to komu? – obruszył się Kuźniak. – Nam wszystkim! – Spojrzał na Korna, oczekując poparcia z jego

strony, ale ponieważ tamten milczał, zaczął pojednawczo:
– Po co ty mącisz, chłopie, no, po co? Teraz, kiedy wspólnym wysiłkiem staramy się dogonić Japonię, ty proponujesz zwolnienie tempa? Dobrze ci radzę, nie rzucaj kłód pod nogi! Nie mamy środków, nie mamy czasu, musimy gonić produkcję...
– Jeśli ty mi nie pomożesz – przerwał mu Andrzej – znajdę pomoc gdzie indziej! Obiecałem ludziom Jurka, że tej sprawy nie odpuścimy!
Takiej postawy wicedyrektor Kuźniak nie mógł tolerować. Rzucił natrętowi na kolana plik kartek i ostrzegł:
– Ty, Talar, za krótki jesteś, żeby mi grozić! Zabieraj ten swój raport i umówmy się, że nigdy go na oczy nie widziałem! A więcej nie przynoś mi podobnych gówien!
Rozjuszeni stali naprzeciwko siebie. Wydawało się, że jeszcze moment, a dojdzie do rękoczynów. Pierwszy opanował się Andrzej. Bez słowa podniósł z podłogi rozsypane papiery, złożył je i położył na biurku zwierzchnika. Potem skinął na Korna i obaj opuścili gabinet. Jedynie głośne trzaśnięcie drzwiami mogło świadczyć, że z trudem trzymali nerwy na wodzy.

Prokop pospiesznie likwidował pierwszomajowy wystrój kamienicy: zdjął już czerwoną flagę, lecz kiedy sięgnął do biało-czerwonej, powstrzymał go głos wracającego z miasta Alfreda Bizanca:
– Że tamtą pan zdjął, to słusznie, ale tę powinien pan zostawić.
– A niby czemu? – dozorca znieruchomiał na szczycie drabiny.

– Bo jutro jest święto właśnie tych kolorów. Trzeci Maja – wyjaśnił starszy pan nie tyle cieciowi, co Kajtkowi Talarowi z zainteresowaniem przysłuchującemu się rozmowie. – Jeśli zdejmie pan polską flagę, historia nigdy panu tego nie wybaczy.

Prokop zawahał się przez moment, ale ostatecznie wrócił do przerwanej pracy.

– Eee tam, jak nie zdejmę, to mi administracja nie wybaczy. A to ona daje premie – oznajmił cynicznie i sięgnął po chorągiew. – I w ogóle to na moim stanowisku obowiązują wyłącznie rocznice socjalistyczne – dodał.

– Najważniejsze to myśleć politycznie, ot co!

Bizanc spojrzał z porozumiewawczym uśmieszkiem na chłopca i westchnął z politowaniem:

– Mądrość polityczna, panie gospodarzu, polega często na mówieniu bzdur, ale, na miłość boską, nie na ich myśleniu! Nie ma obowiązku być głupszym, niż konstytucja przewiduje.

Kajtek aż zapiszczał z uciechy! A to staruszek dołożył znienawidzonemu dozorcy! Chociaż wcale nie przepadał za nauką, był zadowolony, że to właśnie ten sąsiad będzie po wakacjach uczył go angielskiego. A cieć i tak dostanie za swoje, już jego, Kajtka, w tym głowa! Musi tylko zaczekać, aż nikogo nie będzie na podwórku.

Trzy godziny później na Złotej rozpętało się piekło. W otwartych drzwiach dozorcówki czerwony ze złości administrator krzyczał na Prokopa:

– Ażeby pan wiedział, za taki numer pojedziemy po premii!

– Za co, łaskawco?! Za co, kurde, panie?! – ze środka dobiegał piskliwy ze zdenerwowania głos Prokopa.

– Było zarządzenie, żeby pozdejmować flagi przed trzecim maja?!

– I zdjąłem – służalczo zapewnił dozorca. – U mnie zawsze wszystko gra: od Bizeta do bideta. – Przekonany o swej niewinności pociągnął urzędnika przed dom, aby udowodnić mu, jak gorliwie wypełnia polecenia władzy. – Patrz, pan... – uniósł rękę i zdębiał: po obu stronach bramy powiewały na wietrze dwie biało-czerwone flagi! – Albo skleroza, albo... jakiś cud! – Podniósł oczy, a kiedy ujrzał w oknach twarze lokatorów obserwujących go ze złośliwą satysfakcją, zaklął: – Cholera! Lepiej chyba być klawiszem w pudle niż tu gospodarzem domu!

„Nie ma co dyskutować" – pomyślał z rezygnacją. Ujął administratora pod łokieć i z atencją poprowadził do siebie. Trudno, pójdzie butelczyna bimbru, ale zawsze to lepsze niż uwagi wpisane do akt personalnych.

Kajtek Talar puchł z dumy. Gdyby jeszcze mógł się przed kimkolwiek pochwalić swoim wyczynem... No, ale wtedy pewno dowiedziałby się ojciec, a tego wolał nie ryzykować.

– Proszę, to wypłata za kwiecień – Mietek położył przed babką niewielki plik stuzłotówek.

– Mogą mówić, co chcą, ale ten Lermaszewski to porządny człowiek – stwierdziła przeliczając banknoty. – Przesiedział przez ciebie, a tylko on jeden dał ci robotę. – Podzieliła pieniądze na dwie kupki i jedną przesunęła w stronę wnuka. – Weź, chłop zawsze musi mieć przy sobie parę groszy – przekonywała, kiedy przecząco pokręcił głową. – Będziesz chciał wpaść z kolegami na piwo albo umówisz się z dziewczyną...

– Wolałbym raczej szamba czyścić! – przerwał ostro.

Po minie babki domyślił się, że pewnie za chwilę rozpocznie kolejne kazanie w swoim stylu: „Na jednej dziewczynie świat się nie kończy, musisz ułożyć sobie życie, matka po nocach nie śpi ze zmartwienia itp., itp.". Tym razem jednak z kłopotu wybawił go dzwonek telefonu. Staruszka podniosła słuchawkę, ale na próżno wołała: – Halo! Halo! – bo z drugiej strony odpowiedziało jej milczenie. Takich głuchych telefonów mieli ostatnimi czasy tyle, że kiedy ponownie zabrzęczał dzwonek, udali, że go nie słyszą.

– Dlaczego nie odbieracie? – z drugiego pokoju wychyliła się Lidka.

– Pewnie znowu nikt się nie odezwie – powiedział chłopak, nie ruszając się z miejsca. – Gdybym tak dopadł tego żartownisia!

Lidka podeszła jednak do aparatu, a po chwili przekazała słuchawkę synowi. Bez entuzjazmu rzucił konwencjonalne:

– Tak, słucham...? – i nagle gwałtownie zmienił się na twarzy. Obie kobiety obserwowały go z niepokojem.

– Na pewno?! Nie mylisz się?! – dopytywał się gorączkowo. – Poczekaj na mnie, zaraz tam będę! – Cisnął słuchawkę i jak nieprzytomny wypadł z domu.

Na rogu udało mu się złapać taksówkę, tak że minęło zaledwie kilkanaście minut, gdy przeskakując schody po kilka stopni, wpadł do głównej czytelni Biblioteki Uniwersyteckiej. Nie zwracając uwagi na podejrzliwe spojrzenie bibliotekarki, przebiegł przez wszystkie sale szukając znajomej twarzy. Niestety, Gosi nigdzie nie było, ale na jego widok zza jednego stolika podniósł się młody mężczyzna. Mietek błyskawicznie znalazł się przy nim.

– Gdzie ona jest?! – Chociaż odruchowo ściszył głos, zewsząd dobiegły potępiające syknięcia czytelników.

Znajomy wyprowadził chłopaka z sali i po drodze tłumaczył szeptem:

– Była tu, ale krótko. Wyszła jakieś pięć minut temu.

– Ty, idioto! – Pocięgło znowu podniósł głos. – Trzeba ją było zatrzymać!

– W jaki sposób?

Chcąc, nie chcąc, musiał przyznać mu rację. Trudno. Najważniejsze, że Gosia jest w Warszawie. A skoro tak, to prędzej czy później ją odnajdzie! Tak bardzo w to wierzył, że kiedy znowu znalazł się na ulicy, kilkakrotnie miał wrażenie, iż nadchodząca z naprzeciwka dziewczyna to właśnie ona. Siłą rozpędu odwiedził nawet zakład fryzjerski, w którym zazwyczaj się czesała, ale nie widziano jej tam od ponad roku.

Mijały dni, a jemu ciągle nie udawało się trafić na ślad ukochanej. Posunął się nawet do nawiązania krótkiego romansu z jej dawną koleżanką, licząc, że może ona naprowadzi go na jakiś trop, ale – poza niesmakiem do samego siebie – przygoda ta niczego mu nie przyniosła. Wiedział, że ludzie uważają jego uparte dążenie do spotkania z Gosią za rodzaj szaleństwa, jednak było to silniejsze od niego. Tylko Danusia Lermaszewska go rozumiała. Tylko z nią mógł swobodnie rozmawiać o tym, co myśli i czuje.

– Wytłumacz mi, jak to jest? – prosiła, układając jednocześnie kaski motocyklowe na półkach sklepu męża. – Dlaczego jednym trafia się wielka miłość, a innym nie?

Uśmiechnął się do żony szefa z sympatią i nie przerywając segregowania pasków klinowych, przypomniał:

– Przecież Heniek świata za tobą nie widzi.

Z lekceważeniem wzruszyła ramionami.

– Każdy ma swój świat. A on by tylko forsę liczył i dzieci robił.

Żartobliwie pstryknął Danusię w zadarty nosek i powiedział z niespodziewaną powagą:

– Uważaj, co mówisz. Ja na swego szefa nie dam złego słowa powiedzieć nawet tobie.

– Tere-fere! – nadąsana odęła usta. – A wiesz, że ja tylko przez ciebie z nim jestem? Gdyby nie ty, Heniek nie byłby ojcem Irminki.

– A kto?! Gregory Peck? A może Daniel Olbrychski?

– zakpił. – Obudź się matko-Polko! Życie to nie kino!

– Nie kino? – odparowała. – A kto wpadł na szalony pomysł, żeby w chłodni z wieprzowiną uciekać za granicę? To nie było kino?

Nagle spoważniał i cicho, po raz pierwszy, wyznał:

– Nie... to... to była głupota.

Chyba nie dosłyszała pogrążona we własnych myślach: jak to w końcu jest – lepiej kochać czy być kochaną?

Mietek spojrzał na dziewczynę z uwagą i zadał pytanie, które męczyło go od dawna:

– Dlaczego wybrałaś właśnie Heńka?

– Akurat był pod ręką – wyznała szczerze. – Powiedziałam mu: niech t o się stanie, ale pod warunkiem, że przewiezie ciebie przez granicę.

Zaskoczyła go. Szczerze mówiąc, nigdy się nie zastanawiał, co było powodem, że wtedy Heniek tak nagle zmienił zdanie. A to ona! Ciągle jednak nie mógł zrozumieć, dlaczego to zrobiła.

– Bo chciałam, żebyś był z nią! Żebyś chociaż ty był szczęśliwy!

Nie ukrywał wzruszenia. Ta naiwna paniereczka z prowincji uczyniła dla niego więcej niż ktokolwiek na świecie. W geście wdzięczności objął ją i z czułością pocałował w policzek.

Wybrał fatalny moment. Lermaszewski wnosił właśnie do sklepu kartony z towarem, ale kiedy ujrzał żonę

197

w ramionach młodego sąsiada, upuścił pudła na podłogę i z twarzą wykrzywioną wściekłością rzucił się na Mietka.

– To ja przez ciebie kiblowałem, a ty mi żonę próbujesz przekręcić?! Spadaj grabarzowi na łopatę, podrywaczu! Już tu nie pracujesz! – Nie chciał słuchać żadnych wyjaśnień, tylko otworzył drzwi na oścież i z całej siły wypchnął chłopaka na ulicę. – Rwać to sobie możesz włosy z głowy, a nie moją żonę, pętaku! – krzyczał za nim.

To właśnie wtedy Mietek wpadł na pomysł, żeby zobaczyć się z doktorem Zbożnym, ulubionym wykładowcą Gosi. Może będzie wiedział, gdzie ona jest? Dawni znajomi wspomnieli mu kiedyś, że po wyrzuceniu z uniwersytetu doktor długo nie mógł znaleźć stałej pracy, aż wreszcie dostał etat w Towarzystwie Wiedzy Powszechnej. Chociaż nie robił sobie złudzeń, że Zbożny go rozpozna, następnego dnia zjawił się w siedzibie towarzystwa.

W pierwszej chwili Łukasz rzeczywiście nie skojarzył twarzy gościa z konkretnym nazwiskiem, ale szybko przypomniał sobie: no tak, to przecież adorator małej Lejczerówny! Z powitalnym uśmiechem wyciągnął dłoń i nie pytany powiedział, iż słyszał, że Gosia poślubiła jakiegoś obcokrajowca i że nie ma wątpliwości, iż dzięki stosunkom ojca świetnie się jej wiedzie. A potem ze szczerym zainteresowaniem dopytywał się o losy chłopaka.

Mietek z rezygnacją machnął ręką.

– Co tu gadać, właśnie zostałem bez pracy – wyznał ponuro. – A z moją kartoteką na wiele nie mogę liczyć.

Zbożny wiedział coś o tym. Gorączkowo zaczął się zastanawiać, jak mógłby pomóc. A gdyby tak u nich? Oczywiście, przynajmniej na razie, stały etat nie wchodziłby w grę, ale zastępstwa? Dyrektorka, chociaż prezentowała poziom intelektualny i czujność rewolucyjną typową dla większości docentów marcowych, miała słabość do przystojnych, młodych mężczyzn. A chłopakowi urody nie można było odmówić.

– Umiesz wyświetlać przezrocza? – zapytał.

– Oczywiście.

– A co wiesz o RWPG? – indagował dalej, wręczając mu konspekt najbliższej prelekcji.

Pocięgło uśmiechnął się z ironią:

– Chyba to, co każdy przytomny Polak: że fundament tej organizacji opiera się na zaletach poszczególnych społeczeństw będących podwalinami tej wspólnoty. Składa się na nią polska pracowitość, radziecka abstynencja, niemieckie poczucie humoru, czeska odwaga, rumuńska uczciwość...

Łukasz z trudem zachowywał powagę. Ten młodzieniec coraz bardziej mu się podobał. Miał głowę i potrafił robić z niej użytek. Tylko jaką cenę przyjdzie mu zapłacić za niezależność poglądów? Nie musiał długo czekać na odpowiedź, bo kiedy chłopak podawał przykłady następnych walorów członków socjalistycznego stowarzyszenia gospodarczego, jak mongolska myśl naukowo-techniczna oraz język węgierski stanowiący gwarancję wzajemnego porozumienia, w progu stanęła czerwona ze złości szefowa Zbożnego.

– Czy mogę wiedzieć, co ten pan tu robi?! – oskarżycielsko patrzyła na podwładnego. – Nie myślał pan chyba o zatrudnieniu go w naszej instytucji?!

Mietek wycofał się pospiesznie. Nie miał zamiaru sprawiać doktorowi kłopotów, tym bardziej że gość okazał się w porządku. Już w drzwiach oświadczył:

– Przepraszam, wstąpiłem tylko tak. Jestem byłym studentem pana doktora.

★

Z chłopskim uporem Talar nękał wszelkie możliwe instancje związkowe i partyjne w sprawie konieczności poprawienia warunków pracy robotników w FSO. Dotarł nawet ze swoją petycją do Komitetu Dzielnicowego PZPR. Ciągle jeszcze pełen optymizmu, zdawał się nie dostrzegać zniecierpliwienia, z jakim powszechnie przyjmowano te starania, a kiedy otrzymał wezwanie do sekretarza ekonomicznego Komitetu Wojewódzkiego, był przekonany, że wszystko jest na dobrej drodze. Lojalnie zaproponował Kornowi, żeby mu towarzyszył w tym spotkaniu, i został niemile zaskoczony postawą kolegi. Daleki od entuzjazmu – nie dość, że najwyraźniej próbował się wycofać z całej tej historii, to i jego do tego namawiał.

– Daj sobie spokój, Andrzej – przekonywał – ani to twój wydział, ani twoi ludzie. Nie bądź święty, jeśli cię o to nie proszą!

– Idziesz ze mną czy nie?! W końcu obaj podpisaliśmy protokół!

– Chciałbym... – Jerzy patrzył gdzieś w bok – ale dzisiaj absolutnie nie mogę! Moja córka, Agnieszka, ma po południu operację migdałków. Wybacz, naprawdę się śpieszę.

W domu, przebierając się w odświętny garnitur, relacjonował Ewie rozmowę z Kornem. Spodziewał się, że będzie podobnie jak on oburzona, ale zawiódł się.

– Szykujesz się niby drużba na wesele – mruknęła niechętnie i dodała: – Tym razem Jurek ma rację. Sam powiedz, co ci z tego przyjdzie? Na górze okrzykną cię wichrzycielem, a na dole też nikt ręki nie poda.

Zaczął jej tłumaczyć, że najzwyklejsza uczciwość nakazuje przeciwstawić się złu i że to właśnie ludzka obojętność sprawia, iż w Polsce jest tak, jak jest, ale przerwał, bo do pokoju wszedł Kajtek.

– Dlaczego wy mi nigdy nic nie mówiliście o siedemnastym września? – zapytał chłopiec z pretensją w głosie. Wrócił właśnie z lekcji angielskiego. W przerwie między ćwiczeniami gramatycznymi i powtarzaniem obcych słówek stary hrabia widząc, że Kajtek raz po raz zerka na srebrną pięciozłotówkę z wizerunkiem Piłsudskiego, opowiedział, w jaki sposób ta moneta w trzydziestym dziewiątym roku ocaliła mu życie. Kajtek jako piątkowy uczeń z historii za pewnik przyjął, że Bizanc mówi o agresji hitlerowskiej na Polskę, toteż poczuł się jak ostatni nieuk, kiedy się okazało, że nigdy nie słyszał, iż we wrześniu nie tylko Niemcy napadli na Polskę, ale i Rosjanie.

– Związek Radziecki, też mi przyjaciel! – prychnął z pogardą.

Andrzej wiedział, że powinien natychmiast porozmawiać z synem, jednak czas naglił. Pełen poczucia winy obiecał:

– Pogadamy o tym później. Teraz naprawdę muszę już lecieć.

Chłopiec wycofał się z pokoju, wzruszając ramionami.

– Wy nigdy nie macie czasu – burczał zamykając drzwi.

– Z nim będą jeszcze kłopoty, przekonasz się – z troską westchnęła Ewa.

Gdyby Talar mógł przewidzieć, co mu zaproponują w KW, z pewnością zostałby w domu.

Sekretarz, zwalisty okularnik, ani słowem nie wspomniał o problemach BHP, natomiast szeroko rozwodził się nad talentami organizacyjnymi gościa, nad doskonałymi referencjami, jakie dał mu towarzysz Kuźniak, po czym przedstawił Talarowi ofertę objęcia stanowiska dyrektora fabryki, która produkowała w Ciechanowie gaźniki.

Andrzej zmartwiał, chociaż od momentu gdy padło nazwisko zastępcy dyrektora, nie oczekiwał niczego dobrego. Próbował protestować, ale bez skutku.

Promiennie uśmiechnięty grubas stwierdził, że sprawa jest przesądzona, i on osobiście życzy towarzyszowi inżynierowi sukcesów na nowej drodze życia.

I wtedy do gabinetu weszła stara koleżanka Talara z politechniki – Zoja. Na pierwszy rzut oka widać było, że czuje się w tym miejscu jak w domu, ba, że jest tu kimś ważnym. Ale spotkanie z dawnym znajomym wyraźnie ją ucieszyło. Jeszcze na studiach miała słabość do tego jasnowłosego chłopaka, plotkowano nawet, że się w nim kocha. Teraz od razu zorientowała się, że Andrzej ma kłopoty, i postanowiła przekonać się, na czym polegają. Usiadła w wygodnym klubowym fotelu, wysoko zakładając nogę na nogę, i przysłuchiwała się rozmowie. Kiedy skończyli, wyszła z Andrzejem i bez żadnych wstępów wprost zapytała:

– Rozumiem, że nie masz ochoty opuszczać Warszawy?

Nie udawał, że jest inaczej. Przecież wyjazd wywróciłby do góry nogami życie jego i całej rodziny.

– Zwyczajnie chcą mnie wyślizgać! – wybuchnął. – Ci, co chcą lepiej, zawsze są niewygodni!

Przyglądała mu się spod oka. Przez te lata niewiele się zmienił i... nadal się jej podobał. Z kokieteryjnym uśmieszkiem zaproponowała:

– Jeśli mnie ładnie poprosisz, spróbuję tę sprawę załatwić.

Poprosił. Co miał zrobić...

★

Przynajmniej raz na dwa tygodnie Martyna starała się odwiedzić przedwojenną sąsiadkę i przyjaciółkę matki – panią Natalię. Właściwie od dawna była już z nią na „ty", ale w myśli zawsze, tak jak w dzieciństwie, dodawała „pani" przed imieniem. Kto, widząc ją dzisiaj – schorowaną pensjonariuszkę Domu Opieki, ubraną w skromną, żeby nie powiedzieć, biedną lnianą sukienkę i ciasno opasującą głowę chustką – rozpoznałby w niej słynną w całej okolicy z urody wytworną damę? A przecież nigdy nie użalała się i zawsze była pogodna – pomyślała Stroynowska z podziwem.

Siedziały obok siebie na ławeczce w przydomowym ogrodzie i rozmawiały.

– To kiedy masz dostać odznaczenie za powstanie warszawskie? – spytała Martyna.

– Pewnie na dwudziestego drugiego lipca, jak to u nich – starsza pani uśmiechnęła się z lekką kpiną, ale zaraz spoważniała. – Tylko że ja go chyba nie odbiorę. Na cmentarz pierwszego sierpnia też raczej nie pójdę.

– Odbierzesz ten medal czy nie, to twoja sprawa, chociaż uważam, że powinnaś, bo ci się należy. Na Powązkach jednak musisz być!

Natalia nerwowo dotknęła głowy i nieco zawstydzona własną próżnością wyznała:

– W chustce głupio, a te moje włosy są takie rzadkie, jak u kucyka Irysa w waszym Jazłowcu. Chyba że... – zawahała się. – Nie wiesz, czy peruka drogo kosztuje?

Stroynowska uspokajającym gestem położyła dłoń na jej kolanie i obiecała:

– Choćby nie wiem, ile kosztowała, będziesz ją miała.

– Ja mam odłożone – pani Natalia szybko podniosła się z ławki, najwyraźniej zaniepokojona, że córka przyjaciółki pomyśli, iż oczekuje na prezent. – Chodźmy, najlepiej od razu dam ci pieniądze. – I kiedy tylko wróciły do pokoju, wyjęła z nocnej szafki tekturowe pudełko po czekoladkach pełne starych fotografii, na których leżał opasany gumką rulonik banknotów. – Proszę, weź!

Martyna nie wyciągnęła ręki. Z bolesnym grymasem wpatrywała się w jedno ze zdjęć.

– Aaa – domyśliła się Natalia – ślub twoich rodziców? Pokręciła przecząco głową.

– Nie, to mój ...

– Boże! Jaka ty jesteś podobna do matki! – Milczała przez chwilę, a potem, pozornie bez związku, dodała: – Słyszałam, że twój mąż zrobił prawdziwą karierę. Liczą się z nim... Stroynowska wzruszyła ramionami. Nie lubiła mówić o Janie, ale nie chciała kłamać.

– Zawsze się rozmijaliśmy – wydusiła. – Człowiek musi mieć jakieś zasady...

Starsza pani popatrzyła na nią wnikliwie. Na tyle dobrze znała życie, że wiedziała, iż tu nie idzie wyłącznie o zasady. Im prędzej to sobie Martynka uświadomi, tym lepiej.

– A mnie się wydaje, moja droga – powiedziała ze smutkiem – że to po prostu nie była miłość. Ty tylko bardzo pragnęłaś pokochać kogoś, kto tyle wycierpiał. Przez kilka sekund kobiety mierzyły się wzrokiem, aż w końcu młodsza załamała się. Wybuchnęła głośnym szlochem. Nie ma co się oszukiwać, życie z Janem było tragicznym nieporozumieniem i nie można ciągnąć tego dalej.

Kiedy wreszcie uspokoiła się, ucałowała panią Natalię i wyszła z pokoju. Za drzwiami niemal wpadła na mężczyznę obwieszonego aparatami fotograficznymi. Wydało jej się, że patrzy na nią z wytężoną uwagą, jakby oczekiwał, że go rozpozna.

Biegnąc do przystanku przypomniała sobie, w jakich okolicznościach się poznali. Słynna wojna o krzyże w Domu Opieki. Przed kilku tygodniami dyrektorka placówki, chcąc dobrze wypaść w oczach spodziewanej wizytacji, kazała pousuwać z pokoi pensjonariuszy wszystkie symbole kultu religijnego. Oburzona Martyna wpadła do jej gabinetu i zastała tego człowieka, jak ściągał ze ściany portret Gierka. Na protestujące piski dyrektorki odpowiedział: „Robię to samo, co pani! Usuwam coś, w co pani wierzy!". Potem rozmawiali jeszcze przez moment. Przedstawił się jako Adam Rygier, ateista, i z lekko kpiącym uśmiechem dodał, iż wierzy jedynie w to, że każde zło można pokonać miłością i walką.

★

Stroynowska mogła przewidzieć, jak Beata przyjmie wiadomość o rozwodzie.

– Bo ty nie umiesz kochać! – krzyczała, powtarzając zarzuty ojca. – Nikogo! Żyjesz przeszłością, swoimi wyrzutami sumienia...

– Dosyć! – przerwała matka. – Za mało wiesz, żeby osądzać!

Odpowiedzią było trzaśnięcie drzwiami i dziewczyna zniknęła w swoim pokoju. Zrozpaczona Martyna ukryła twarz w dłoniach, ale po chwili uniosła głowę. Jeśli nie chce ostatecznie stracić córki, muszą wreszcie normalnie porozmawiać. Poszła do niej.

– Widzisz, dzisiaj wiem, że tak naprawdę nigdy ojca nie kochałam – zwierzyła się, lecz jeśli liczyła na zrozumienie, bardzo się zawiodła.

– To po co za niego wyszłaś? – usłyszała tylko.

– Nie powinnam – przyznała. – Jednak nie umiałam odmówić jego miłości. Chciałam widzieć Jana takim, jakim go odmalował wuj Alfred: heros, bohater, a ja...? Nie zapominaj, że miałam wtedy tyle lat, co ty teraz. Byłam zbyt młoda, a on zbyt niedojrzały. I taki niestety pozostał do dziś. Kiedy wyszedł z więzienia, za wszelką cenę chciał dogonić stracony czas. I dotąd go tak goni, że zapomniał, kim kiedyś był. Ja nawet mogę zrozumieć, że pragnął coś znaczyć, dojść do czegoś, ale nie takim kosztem!

– I dlatego chcesz go po tylu latach zostawić samego?

– Argumentacja matki wydała się Beacie po prostu śmieszna.

– Pamiętaj, że ja też zostaję sama – przypomniała Martyna.

– O, nie! – głos dziewczyny ociekał złośliwością.

– Tobie zostaje Klara! Dla niej poświęcisz wszystko! – zeskoczyła z łóżka i tak jak stała, nawet bez butów, wybiegła z domu.

Z poczuciem poniesionej klęski Stroynowska wróciła do siebie. Kompletnie wykończona skuliła się w fotelu, tępo wpatrując się w skórzane obicie. „Czy nie mam prawa decydować o swoim życiu? – myślała z goryczą. – Beata za rok czy dwa wyfrunie z domu, a mnie co zostanie? Życie z człowiekiem, którego nie szanuję, a ostatnio coraz częściej nie lubię?"

Przymknęła oczy... Sądziła, że minęło zaledwie kilkanaście minut, kiedy dobiegł ją ostry dźwięk telefonu. Za oknami było już ciemno. Brak zapalonych świateł świadczył, że jest w domu sama. Niechętnie podniosła słuchawkę.

– Stroynowska, słucham?

– Mówi Klara – dobiegł ją z drugiej strony niewyraźny, ale bardzo młody głos. – Zostaw nieobecnych w spokoju, a zajmij się tymi, co cię kochają...

Natychmiast oprzytomniała.

– Jak możesz?! To podłość! Czyj ten głupi żart?! – krzyczała, ale połączenie zostało przerwane.

Powtórzyła to pytanie, kiedy tylko Beata przekroczyła próg mieszkania.

Dziewczyna, bynajmniej nie zmieszana, wyzywająco popatrzyła matce w oczy i przyznała:

– Mój! Poprosiłam przyjaciółkę, ale to wcale nie był żart!

– Widziałaś się z ojcem, prawda? – Martyna domyśliła się bez trudu. Nie miała właściwie żalu do córki, lecz przede wszystkim do siebie samej. Przez te wszystkie trudne lata konsekwentnie trzymała się zasady, żeby nie mówić dziecku źle o ojcu. A Jan, jak się okazało, wcale nie odpłacał jej tym samym. Zachowywała się jak idiotka, ale teraz dosyć! Chce walki, to będzie ją miał! – Jak sama podkreślasz, jesteś już dorosła – zaczęła spokojnie – przypuszczam więc, że nie zrani cię wiadomość, że kochający tatuś zobaczył cię dopiero czwartego dnia po urodzeniu. Tak był zajęty oswajaniem świata, że nie zdążył wrócić znad morza. Teraz oczywiście jest bardzo dumny ze swojej ślicznej królewny.

Beata milczała, tylko uśmiechała się złośliwie. Przecież to ojciec, a nie matka, zawsze miał dla niej czas, obsypywał ją prezentami. I miałaby go nie bronić?! Znała tylko jeden sposób, żeby zranić Martynę.

– Dziwisz się, że uciekał z domu?! – zawołała ze złością. – Ożenił się z tobą, a przez cały czas miał na głowie was dwie!

Martyna nie odpowiedziała. Otworzyła drzwi do swojego pokoju i zanim je zamknęła, z żalem popatrzyła na córkę. To był jej wybór.

Beata wcale nie czuła się zwycięzcą w tym starciu. Nie wiedziała, jak powinna się zachować, więc kiedy matka wyszła, odczekała chwilę i wpadła do kuchni, gdzie, jak się spodziewała, Bizanc opychał się słodyczami. Zdawał sobie sprawę, jakie to dla cukrzyka niebezpieczne, ale nie potrafił się powstrzymać. Uprzedzając kolejną połajankę, poprosił:

– Nic nie mów, Beciu, ostatecznie nie mam tak wielu nałogów: nie piję, nie palę, kobiet nie używam, więc coś mi się chyba od życia należy!

– Wujaszku! – przytuliła się do niego. – Może lepiej by było dla twojego zdrowia, żebyś zadawał się z kobietami. – Próbowała się uśmiechnąć, ale łzy same zaczęły kapać. Komuś musiała powiedzieć, co ją dręczy. – Wujaszku, a jeśli mama kogoś ma?!

– Cześć! – powitała Mietka Danusia Lermaszewska, kiedy mijali się na schodach. Nie widzieli się od tamtej awantury w sklepie, więc teraz chciała mu powiedzieć, jak bardzo jej przykro, że z powodu idiotycznej zazdrości Heńka został bez pracy.

– Nie jest tak źle! – uśmiechnął się. – Wyobraź sobie, że Bawolik załatwił mi etat korektora u siebie w drukarni. Co prawda na nocną zmianę, ale to mi nie przeszkadza, bo i tak nie mogę spać po nocach. – Pomachał jej ręką i wybiegł na ulicę.

Szybkim krokiem dotarł do Alej Jerozolimskich i zatrzymał się w oczekiwaniu na zmianę świateł. Bezmyślnie przyglądał się przejeżdżającym samochodom, aż nagle w mijającej go taksówce dostrzegł Gosię. Gwałtownie rzucił się do przodu! Nie słyszał wściekłych klaksonów ogarnięty jedną tylko myślą – nareszcie ją znalazł! Taksówka zniknęła za zakrętem... Dosłownie w ostatniej chwili zdołał jeszcze zauważyć napis MPT i numer boczny wozu. Powtarzał tych kilka cyfr, jakby od tego, czy je zapamięta, zależało jego życie.

Od tej chwili działał jak automat: odnalazł kierowcę i dzięki niemałemu datkowi pieniężnemu otrzymał adres, pod jaki kazała się zawieźć blond pasażerka w okularach.

Przed drzwiami, na których widniała wizytówka ze znanym imieniem i obco brzmiącym nazwiskiem, pojawił się już po zmroku. Nie umiałby powiedzieć, dlaczego nie zadzwonił ani nie zapukał, tylko lekko nacisnął klamkę. Nieoczekiwanie drzwi się uchyliły... zrobił krok do przodu... wszedł do pokoju... Nie było nikogo... Jedynie gdzieś z głębi mieszkania usłyszał szmer lejącej się wody. Zamarł, kiedy doleciał go stamtąd pamiętny aż do bólu głos:

– To ty, Hanka?! Poczekaj moment! Myję głowę!

Rozejrzał się po mieszkaniu. Elegancki wystrój: stylowe zachodnie meble, dywan, na półkach wymyślne bibeloty i artystyczne szkło. Coś w nim pękło! Dopadł komódki i jednym ruchem zgarnął wszystko, co na niej stało! A potem podbiegł do licznika elektryczności i wykręcił korki. I dalej szalał w ciemności, przewracając krzesła, tłukąc wazony stojące na podłodze.

I wtedy usłyszał krzyk:

– Co się tam dzieje?!

Ociekająca wodą kobieca postać w jednej ręce trzymała zapaloną świecę, drugą podtrzymywała poły szlafroka. Mrużąc krótkowzroczne oczy wpatrywała się w Mietka. Wreszcie poznała go! Strach zniknął z jej twarzy. Odstawiła świecę na bok, podeszła do chłopaka i zarzuciła mu ręce na szyję.

– Kochany mój! – szeptała tuląc się do niego. – Tak się modliłam, czekałam...

Odsunął ją.

– Nie musiałaś. Wiedziałaś, gdzie mnie znaleźć – powiedział z pretensją.

Zasłoniła mu dłonią usta i obsypując pocałunkami, tłumaczyła:

– Bałam się... tak mi było wstyd... Ja go zostawiłam, jeszcze zanim ty wyszedłeś z więzienia! A potem...

209

potem... dzwoniłam do ciebie tysiące razy, żeby chociaż usłyszeć twój głos...

– To ty?! – przypomniały mu się nieustanne głuche telefony.

– Rano i wieczór, w słońcu i w deszczu! – wyrecytowała z emfazą. – Cały czas modliłam się, żebyś mi wybaczył... Błagam! – A kiedy milczał, dodała z rozpaczą: – Albo będę z tobą, albo... albo mnie nie będzie!

Całowała go gorączkowo, zachłannie, jakby chciała stopić lodową powłokę, jaką się otoczył. Wreszcie odtajał: z całej siły przytulił dziewczynę do siebie, a po chwili osunęli się na tapczan...

Tej nocy kochali się kilkakrotnie. Ze zdumieniem stwierdził, że Gosia z niewinnej panienki, która oddała mu się po raz pierwszy na Mazurach, zmieniła się w namiętną i pełną żaru kochankę, o jakiej może marzyć każdy mężczyzna. Powinien więc czuć się szczęśliwy, a wcale tak nie było. Zbyt długo ścigał swoje marzenie, aż w końcu coś się w nim wypaliło. Ogarnęło go znużenie i smutek.

★

W oczekiwaniu na panią Natalię Stroynowską z zainteresowaniem przyglądała się porozwieszanym na ścianach świetlicy portretom starych ludzi. Były naprawdę znakomite. Autor potrafił z każdej fotografowanej twarzy wydobyć indywidualny los człowieka.

– Dzień dobry! – usłyszała za sobą niski głos. Nie musiała się odwracać, by wiedzieć, do kogo należy. Od pewnego czasu spotykała Adama Rygiera częściej, niżby chciała. Nie umiała dociec dlaczego – ale ten mężczyzna po prostu ją irytował. Było coś takiego w jego lekko zmrużonych, kpiących oczach, co za każdym razem wyprowadzało Martynę z równowagi. Nigdy nie wiedziała, kiedy mówi poważnie, a kiedy żartuje. Z siebie, z niej, z całego świata. Nie, stanowczo ten pan nie należał do ulubieńców Stroynowskiej.

– Niech mnie pani zapyta, dlaczego lubię fotografować starych ludzi? – poprosił.

– Dlaczego?

– Bo są piękniejsi od młodych: bardziej prawdziwi, szczerzy. W ich twarzach można czytać jak w książce...

– nie zwracając uwagi na wchodzących do sali na pierwszosierpniową uroczystość pensjonariuszy Domu Opieki, w intymnym geście ujął dłoń Martyny i podniósł do oczu. Zesztywniała. Próbowała wyszarpnąć rękę, ale trzymał mocno.

– Pani jest bardzo z kimś związana – zaczął tajemniczo. – Ma pani siostrę... to bliźniaczka. Szuka jej pani. A teraz ma pani szansę trafić na jej ślad.

– Skąd pan... o tym wie?!

– Jeśli chce się pani dowiedzieć czegoś o siostrze, proszę być w środę o zachodzie słońca w Wilanowie.

– W Wilanowie? Dlaczego akurat w Wilanowie?

– Bo będę tam robił zdjęcia do przewodnika – powiedział innym już tonem, puścił jej dłoń, ukłonił się i odszedł.

W tym momencie do Martyny podeszła Natalia.

– No, jak wyglądam? – spytała szeptem i pokręciła głową, żeby w pełni zaprezentować perukę.

– Świetnie! Dobre dziesięć lat młodziej.

Starsza pani podziękowała za komplement i dodała:

– Widziałam, że rozmawiałaś z panem Adamem. Cóż to za wspaniały człowiek! Ty wiesz, że on mnie zawiózł dzisiaj na Powązki do mojego batalionu? Całą drogę rozmawialiśmy o tobie.

Ach, więc to tak?! Przeprosiła Natalię i rozzłoszczona odszukała fotografa.

- To był dość tani chwyt! – Jak pan mógł...
Przerwał jej, uśmiechając się z przekorną bezczelnością.
– Możliwe... A mimo to przyjedzie pani do Wilanowa.
– Kiedy oddaliła się, przecząco kręcąc głową, zawołał za nią: – Proszę nie zapomnieć: w środę o zachodzie słońca!

Siedząc obok Rygiera w zabawnym, groszkowym samochodzie, kątem oka rejestrowała bogate barwy poźnoletniego krajobrazu, jaki przesuwał się przed oknami wartburga. Milczała zastanawiając się, czy gdyby wtedy nie pojawiła się w Wilanowie, ukryłby przed nią fakt istnienia pamiętnika z Kazachstanu. Nie, chyba nie... Spodobało jej się, że choć z wykształcenia był architektem, zdecydował się odejść z zawodu, bo nie potrafił pogodzić się z idiotycznymi normami socjalistycznego budownictwa. Mówił, iż nie wierzy, że ludzie mogą być szczęśliwi, tłocząc się w ciasnych, żelbetowych klatkach. A kiedy pół żartem, pół serio spytała, w co w takim razie wierzy, niespodziewanie poważnie odrzekł: w to, że żyje się tu i teraz i jedynym obowiązkiem człowieka jest być szczęśliwym.
Powróciła myślami do rękopisu spoczywającego w torbie. Były to wspomnienia zaprzyjaźnionego z Adamem leśniczego Sochejki z pobytu w sowieckim domu dziecka. Jeden fragment poświęcił spotkaniu z dziesięcioletnią rodaczką pochodzącą z ziemiańskiej rodziny. Martyna tyle razy czytała ten fragment, że bez trudu mogła go odtworzyć z pamięci: „Ta mała w żaden sposób nie chciała śpiewać pieśni o Stalinie ani gadać po rusku, mówiła, że jest Polką, nie chciała nosić pionierskiej chusty, a jak jej kazali, to gryzła i kopała, za co często trafiała do ciemnicy, ale to nie pomagało, więc wreszcie dali ją do psychuszki,

gdzie polewali ją wodą i ogłupiali proszkami..." I wreszcie to straszne zdanie: „Jak ona wróciła od tych wariatów, to chodziła pod ścianami, a oczy miała do cała puste, a jak wołali na nią Kławdia, to zatykała rękami uszy". Boże! Czy to możliwe, że to była Klara?!

– Już niedaleko! – Rygier przerwał jej rozmyślania. – Jeszcze dwa kilometry lasem i będziemy na miejscu. – Z uśmiechem rozglądał się po znajomej okolicy i nagle roześmiał się na cały głos. – Kiedy byłem tu ostatni raz fotografować toki cietrzewi, zastałem Sochejkę, jak pił z wypchanym jastrzębiem.

– Jak to?

– Ano leśniczy siedział po jednej stronie stołu, jastrząb na drugim końcu, a pośrodku flacha bimbru. Opowiadał ptaszysku o swoim życiu w Kazachstanie, bo do ludzi nie miał zaufania. Przez trzy dni opowiadał, póki kot nie rozszarpał jastrzębia tak, że tylko szklane oczy z niego zostały.

Rygier skręcił w niewielką boczną dróżkę i po chwili ich oczom ukazał się ceglany dom. Na ławce pod płotem siedział, wygrzewając się w słońcu, mężczyzna, a obok na ziemi wylegiwał się ogromny pies.

– Jest, stary zbój! – ucieszył się Adam, ale kiedy nacisnął klakson, tamten nie zareagował. – Śpi czy co? – zastanawiał się, wysiadając z samochodu. – Hej! Olek! – wołał wesoło, idąc w jego stronę. – Ocknij się, stary! Masz gości!

Pies uniósł leniwie głowę i bardziej z nawyku niż z przekonania zaszczekał kilka razy, lecz leśniczy nawet nie drgnął.

– Co tu się stało?! – Rygier przeraził się nie na żarty.

– Nie wie pan, jaki on był? – powiedziała leśniczyna, kiedy po dobrej godzinie wróciła z zakupami z pobliskiej

213

wioski. – Jak się dowiedział w nadleśnictwie, że najwięk-
szego złodzieja zrobili dyrektorem, bo partyjny i szwagier
sekretarza z gminy, tak z miejsca go rąbło i od tych pór
ani be, ani me. – Postawiła na stole szklanki z cieniutką
herbatą i obserwowała Martynę, która nie rezygnowała
z prób porozumienia się z chorym.
    – Bardzo proszę, niech pan sobie przypomni! – pod-
suwała mu pod oczy zdjęcie siostry. – Czy to była ona?
Czy ta dziewczynka miała na imię Klara? Niech mi pan da
jakiś znak – błagała.
    – On nijak pani nie odpowie – odezwała się Sochejkowa.
– Tak po prawdzie, to nawet nie wiadomo, czy on panią
słyszy...
    – Dlaczego? Dlaczego?! Teraz, kiedy jest wreszcie jakiś
trop? – rozpaczała Martyna, ale natychmiast zawstydziła
się tych słów. Tutaj także przeżywano tragedię.
    Na Złotą dojechali dopiero wczesnym rankiem. Prokop
ze złośliwą satysfakcją obserwował, jak Stroynowska
wysiada z nie znanego mu samochodu. Nie miał wątpliwości, że mężczyzna w środku nie był jej mężem.
    – Proszę, niby taka wielka dama, co to bez kija do niej
nie podchodź, a po nocach się szlaja! – pomyślał zgryźliwie.

★

    W tym roku po raz pierwszy od długiego czasu mogły
uczcić w domu urodziny Mietka. Babka upiekła wspaniały
tort i właśnie składała życzenia wnukowi, kiedy zadzwonił
telefon. Chłopak niechętnie sięgnął po słuchawkę, przez
chwilę słuchał w milczeniu, a wreszcie burknął niezbyt
uprzejmie:
    – Dzisiaj nie mogę. Mam urodziny.
    – Właśnie dlatego musimy być dzisiaj razem! – dobiegł
go świergotliwy głosik Gosi. – To nie wiesz, że urodziłeś

się tylko dla mnie?! – roześmiała się kokieteryjnie.
– Przyjdź koniecznie! Czekam! Pa!

Zamyślony popatrzył w okno. Dziewczyna coraz bardziej go drażniła. Przede wszystkim dlatego, że od tamtej nocy próbowała całkowicie zawładnąć jego życiem. Ba, nawet starała się go namówić, żeby podjął pracę tłumacza w wydawnictwie, którego dyrektorem był jej ojciec. Poza tym przez te wszystkie lata on wydoroślał, a ona zatrzymała się na etapie kilkunastolatki – przekonanej, że wokół niej kręci się cały świat. Jednak najwięcej złościła go jej niezachwiana pewność, że on nie potrafi się bez niej obejść.

A jednak wieczorem poszedł do niej. Zadzwonił, ale nie otworzyła, tylko przez drzwi zawołała, żeby wszedł do środka. Nie zaskoczył go widok butelki wina i stojących na nocnym stoliku dwóch kryształowych kieliszków – zdziwiła natomiast nieobecność samej gospodyni.

– Gośka! Gośka! Gdzie jesteś? – krzyknął.

Poprzez płynącą z długogrającej płyty piosenkę Marka Grechuty przebił się od strony szafy cichutki dźwięk dzwoneczka. „Czyżby tam była?" – pomyślał i otworzył drzwi. W głębi ujrzał dziewczynę, omotaną zwisającą z wieszaków garderobą.

– Co ty wyprawiasz?! Co to za wygłupy? – podniósł głos.

– Ja tak nieraz robiłam... Wyobrażałam sobie, że to ta zamknięta chłodnia...

– Po ile? – Wykrzywił twarz z ironią. – Po ile bilety na ten teatr? – Podał jej rękę i pomógł wydostać się z szafy. – Sam pomysł przedstawienia niezły, tylko scenografia do kitu. Zamiast ciuchów były wieprzowe półtusze i temperatura jak na lipiec kiepska: minus dziesięć!

– Tylko miłość daje taką siłę... – westchnęła.

– Dopóki się nie wypali.

– Nie! – gwałtownie otoczyła chłopaka ramionami i tuląc się namiętnie, szeptała: – Proszę, przestań przed samym sobą udawać, że mnie nienawidzisz! Przecież znowu jesteśmy razem i wszystko możemy zacząć od nowa!

W jednym miała absolutną rację, wcale nie czuł do niej nienawiści. Miłości jednak również nie. Kiedy usnęła, ostrożnie zsunął się z tapczanu, położył na poduszce ofiarowany na urodziny zegarek i cichutko wymknął się z mieszkania. Wiedział, że więcej tu nie wróci...

Wrotek, krztusząc się ze śmiechu, streszczał Talarom dzieje niedoszłej kariery filmowej Danusi Lermaszewskiej. Smarkata wyczytała gdzieś w gazecie, że do nowego filmu poszukuje się romantycznej blondynki, i postawiła mężowi ultimatum: albo załatwi jej rolę, albo więcej nie wpuści go do łóżka. Po kilku dniach biedak spasował. A ponieważ nie miał innych dojść, udał się o pomoc właśnie do niego. Cóż, Heniek niejeden raz kombinował dla sąsiadów różne deficytowe części samochodowe, więc nie bardzo wypadało mu odmówić. Zresztą załatwienie udziału w zdjęciach próbnych nie było dla Mundka problemem. Czerwonym alfa-romeo, z przesadnie wyelegantowaną i umalowaną Danusią, pojawili się przed studiem i reżyser od pierwszego wejrzenia popadł w uwielbienie. Niestety, nie do żony Heńka, lecz do auta. Z błyszczącym wzrokiem oświadczył, że właśnie takiego od tygodni poszukiwał, i gotów jest od ręki podpisać umowę. Jednak wyposzczony od tygodnia Lermaszewski postawił twardy warunek: albo dają rolę Danusi i biorą samochód, albo nie ma o czym mówić. Stanęło na ostatnim.

★

– ... Oto zapadł wyrok w procesie braci Kowalczyków, oskarżonych o to, iż w okresie od tysiąc dziewięćset sześćdziesiątego ósmego do października tysiąc dziewięćset siedemdziesiątego pierwszego, działając w celu osłabienia władzy ludowej, gromadzili materiały wybuchowe... – z ekranu telewizora dobiegał gładki głos spikera. – ...bracia Kowalczykowie dokonali próby wysadzenia auli Wyższej Szkoły Pedagogicznej w Opolu, aby w ten sposób dokonać zamachu na uczestniczących w rozpoczęciu roku akademickiego działaczy politycznych i państwowych...
– Jak oni mogli?! – oburzyła się Jasińska. – Bomby podkładać?! Tak tylko bandyci postępują!

Kiedy za moment Mietek usłyszał, że za ten czyn starszego z braci skazano na karę śmierci, a młodszego na dwadzieścia pięć lat więzienia, jednym ruchem wyłączył telewizor i oświadczył:
– Tylko prawdziwi bandyci mogą wydać taki wyrok!
– Co ty, Mieciu? – Babka nie rozumiała wzburzenia wnuka.
– Bomba to bomba. Masz ty pojęcie, ilu ludzi mogło zginąć?
– Ale nie zginął nikt! Bo oni zrobili to w nocy! To było tylko ostrzeżenie! – Nie pojmował, w jaki sposób władzy udaje się od tylu lat ogłupiać ludzi. „W każdym razie ja do tego ręki nie przyłożę" – postanowił.
– Co to jest?! No, co?! – redaktor dyżurny podetknął Mietkowi zaakceptowaną przez niego szpaltę jutrzejszej gazety. – Miało być: „Sprawiedliwie wydany surowy wyrok", a pan zmienił na: „Sprawiedliwy surowy wyrok" ze znakiem zapytania.
– A może to ja mam rację? – spytał chłopak z pełną świadomością, że właśnie stracił kolejną pracę.

Wchodząc do bramy wpadł na wybiegającą na ulicę Beatę.

– Jak leci? – uśmiechnęła się szeroko.

– Właśnie mnie wywalili – poinformował z pozorną beztroską.

– Co ty?! – Mietek, odkąd go poznała, był dla niej wzorem solidności i uczciwości. – Za co?!

– Za niepotrzebny znak zapytania. A propaganda sukcesu takich znaków nie uznaje.

Chociaż sytuacja wcale nie była wesoła, poczuli się rozbawieni, nie wiadomo dlaczego. Zataczali się ze śmiechu, kiedy do chłopaka dotarł pełen pretensji głos Gosi:

– Mieeetek!

Wiedział, że wydzwaniała do niego systematycznie, przychodziła pod dom, ale do tej pory jakoś udało mu się uniknąć i rozmowy telefonicznej, i bezpośredniego spotkania. Z desperacją odrzucał argumenty matki i babki, że powinien dać dziewczynie jeszcze jedną szansę. Nie rozumiecie? – powtarzał. – To koniec.

– Szukałam cię w drukarni – powiedziała Gosia.

– Właśnie mnie wylali – oświadczył obojętnym tonem.

W dziękczynnym geście wzniosła ręce do góry.

– Dzięki ci, Boże! Od ilu to dni modliłam się o jakieś nieszczęście dla ciebie! Nie ostateczne, ale takie, które pozwoliłoby ci się przekonać, że beze mnie nie dasz sobie rady!

– Dam! – Ruszył w kierunku klatki schodowej.

– Mietek, błagam cię, nie odchodź! My bez siebie nie możemy istnieć!

Wzruszył niechętnie ramionami i poszedł dalej. Już go nie zatrzymywała.

Talarowie byli w pełni przygotowań do nie chcianej przeprowadzki, kiedy Andrzej odebrał telefon od Zoi.

– Zostajesz w Warszawie – zakomunikowała. – Wpadnij do mnie wieczorem. Musisz podziękować człowiekowi, który ci to załatwił.

– Będę, będę na pewno! – obiecał. – Zaraz zawiadomię Korna. On też podpisał się pod tą petycją.

– Dobrze. Ale przyjdź trochę wcześniej. Mam jeszcze coś do ciebie.

Ewa dziękowała Bogu, że kiedy zatelefonował Gienek Popiołek, Andrzeja nie było w domu. Przerażona pobiegła na komisariat. Tam dowiedziała się, że Krzyś został przyłapany w Samie na kradzieży trzech tabliczek czekolady.

– Chcieli zawiadomić szkołę, ale pomyślałem, że lepiej będzie, jak dam znać pani – powiedział porucznik.

– Dziękuję – Talarowa czerwona ze wstydu nie wiedziała, gdzie oczy podziać. – Możemy już iść?

– Sekundę! – sięgnął po torbę z książkami chłopca i wysypał na blat biurka kilkanaście fabrycznych znaczków samochodów. Przeważały pospolite: fiatów, żuka, syrenki, trabanta, ale jeden wyróżniał się zdecydowanie: kolorowy, okrągły z białym krzyżem pośrodku.

– To... to chyba... – zaczęła niepewnie.

– Uhm... – potwierdził milicjant. – Od alfy Henia Lermaszewskiego.

– Jak tyś mógł! – krzyknęła na syna stojącego ze spuszczoną głową w kącie pokoju.

Przez całą drogę do domu nie odezwała się nawet słowem. Krzysio wolałby, żeby go skrzyczała, w ostateczności nawet zbiła, wszystko, tylko nie to milczenie. Dotknął rękawa jej kostiumu i szepnął:

– Mamusiu... ja... ja przepraszam.

Zatrzymała się w pół kroku.

– Czy ty rozumiesz, dziecko, coś zrobił?!

– Wiem... ja... ja nie chciałem.

– Jakie słowa mówiła zawsze babcia Talarowa? Pamiętasz?

– No... no... żyj tak, żeby... żeby... – jąkał się zawstydzony, jakby dopiero teraz dotarło do niego, co się stało.

– Żyj tak, żeby przez ciebie nikt nie płakał! – dokończyła Ewa. – I albo przysięgniesz, że tak właśnie będziesz postępował, albo...

Za nic nie mógł dopuścić, żeby matka wyartykułowała swoją groźbę, toteż pospiesznie zapewnił:

– Przysięgam!

– Wierzę ci – powiedziała z powagą. – Najpierw jednak musisz iść do pana Lermaszewskiego i oddać mu, coś zabrał.

– A ty nie możesz? – próbował się targować.

Pokręciła przecząco głową.

– Tę sprawę musisz załatwić sam.

– Tatuś się nie dowie?

Obiecała, że tym razem nie.

Jednakże się dowiedział i to jeszcze tego wieczora. W parszywym nastroju wracał do domu, przeklinając pod nosem własną głupotę. Przecież znał Zoję, powinien więc przewidzieć, że bez kłopotów się nie obejdzie. Kiedy do niej przyszedł, okazało się, że to jej należą się podziękowania za przysługę i że najchętniej wyegzekwuje je w naturze. Robiła tak niedwuznaczne aluzje, że zupełnie nie wiedział, jak się zachować. Na szczęście z opresji wybawił go Korn, ale i tak czuł się jak idiota!

Wchodził do bramy, gdy zaczepił go Lermaszewski. Raczej rozbawiony niż zły, opowiedział Andrzejowi o wyczynie Krzysia. Heńkowi łatwo było się śmiać, ale nie jemu! Tego jeszcze nie było w ich rodzinie! Wściekły wpadł do mieszkania, krzycząc od progu:

– Gdzie on jest?! Już ja mu wybiję złodziejstwo z głowy!

Przerażony chłopiec przemknął chyłkiem do łazienki i zamknął drzwi na klucz. Liczył, że matce uda się ułagodzić ojca.

– Proszę cię, Andrzej, daj spokój! – błagała. – On mi na wszystkie świętości przysiągł, że już nigdy czegoś takiego nie zrobi!

– Wiesz, jak się najlepiej zapamiętuje dziesięć przykazań?! – Odepchnął usiłującą zagrodzić mu drogę żonę. – Dziesięć pasów na gołą dupę!

Nie ustępowała.

– Wy, Talary, to tylko pasem umiecie wychowywać! Na Bronka z pasem, na Leszka... – głos Ewy się załamał. – Co z ciebie za człowiek?!

– Jak jestem taki cham – wrzasnął całkowicie wyprowadzony z równowagi – to czemu się do mnie przyczepiłaś?! No czemu?!

– Wiesz czemu?! – zawołała z pasją. – Bo byłam głupia! Myślałam, że mnie też potrafisz kochać tak jak tę swoją Basię! – Z rozpaczliwym szlochem wybiegła do drugiego pokoju i rzuciła się na tapczan, zanosząc się łkaniem.

Przez chwilę stał bez ruchu, jakby wahając się, co robić, po czym poszedł do żony, przytulił ją i cicho poprosił:

– Nie kłóćmy się, Ewa... W końcu kogo my mamy oprócz siebie?

Gosia tak długo nękała Mietka telefonami, tak często wystawała przed domem, że chociaż miał świadomość, iż popełnia błąd, zgodził się z nią spotkać.

Podjechała na Złotą pożyczoną od ojca ładą i z tajemniczą miną zaprosiła Mietka do środka. Z widocznym brakiem wprawy zapaliła silnik i ruszyli ku północnemu wylotowi z miasta.

– Dokąd mnie wieziesz? – zapytał.

– Do źródeł – odparła enigmatycznie.

Gdy wjechali w mazurskie lasy, zaczął się domyślać, do czego dziewczyna zmierza, a kiedy go wprowadziła do opustoszałego teraz ogrodu, nieopodal wiejskiego kościółka, był już pewien.

I rzeczywiście! Wiernie odtwarzając wydarzenia sprzed paru lat, jakby próbowała przywrócić miniony czas. Najpierw odegrała ucieczkę przed wyimaginowanymi pszczołami, a potem krętymi schodami wspięła się na dzwonnicę i pociągnęła go za sobą. Z niesmakiem obserwował, jak układa się na zakurzonej podłodze i rozpina sukienkę.

„Czy ona nie widzi, że to żałosne?" – pomyślał z irytacją.

– Czytałaś chyba nie te książki, co trzeba – powiedział ostrym tonem.

Przeciągnęła się kusząco.

– Chodź... chodź tu do mnie... Niech będzie, jak było...

Odwrócił się i pędem zbiegł po schodach. Biegł przez całą drogę na stację – byle tylko dalej od niej i od jej fałszywego świata!

Niestety dopadła go przed odejściem pociągu.

– Tak się nie robi. – Kurczowo trzymała go za rękaw. – Przyjechaliśmy razem.

– To była podróż w jedną stronę! – Uwolnił się z jej rąk i wskoczył na stopień wagonu. Odetchnął, kiedy zawiadowca podniósł czerwoną chorągiewkę i pociąg ruszył. Stanął przy oknie, obserwując jesienny las oddzielony od torów szosą. Nagle pojawiła się na niej łada Gosi. Zrównała się z wagonem Mietka i przez jakiś czas jechała równolegle z pociągiem. Była tak blisko, że dokładnie widział dziewczynę. Wykrzykiwała coś, wymachiwała rękami, zupełnie nie zwracając uwagi na to, co się dzieje wokół!

„Wariatka!" – pomyślał z gniewem, ale kiedy ujrzał nadjeżdżający z naprzeciwka autobus, zdrętwiał z przerażenia.

Zgrzyt metalu o metal... hamujący gwałtownie PKS... koziołkująca kilkakrotnie łada... Wszystko trwało parę sekund...

Dopadł drzwi wagonu, szarpnął i wyskoczył na zewnątrz. Trochę potłuczony, błyskawicznie poderwał się z ziemi i ruszył pędem na miejsce katastrofy, krzycząc przeraźliwie:

– Gośka! Gooośka!

Jeszcze zanim dobiegł, zobaczył, jak jakiś człowiek, który przed chwilą pochylał się nad wrakiem, zdejmuje czapkę z głowy.

– Boże, tylko nie to!

Psy pożarły swego pana

Gdyby ksiądz, który przed niecałą godziną poświęcił nowo otwartą myjnię samochodową, usłyszał piętrowe przekleństwa wypływające z ust właściciela, z pewnością poczułby się zgorszony. No, trzeba przyznać, że Heniek Lermaszewski miał wszelkie powody do takiego zachowania. Tyle przygotowań: zaproszeni na uroczystość sąsiedzi, szampan chłodzący się w lodówce na zapleczu, Danuśka w „tapirze" prosto od fryzjera i w cytrynowej, wcale nie taniej, komisowej garsonce, nawet reklama w zachodnim stylu, że pierwszego dnia firma świadczy usługi za darmo – a taka obsuwa! Bo kiedy pierwszy samochód wjechał do środka, a Heniek odkręcił szlauch, nieszczelne przewody puściły i na zebranych klientów oraz gości polały się strumienie wody!

Co za diabeł go podkusił, żeby – gdy zamówiona wcześniej ekipa hydrauliczna nie stawiła się do pracy – skorzystać z usług Prokopa?! No, ale tym razem cieciulo się przeliczył! Jemu takich numerów wycinał nie będzie! Lermaszewski, im bliżej Złotej, tym mocniej dociskał pedał gazu swojego BMW.

Tymczasem niczego nieświadomy dozorca osuszał w towarzystwie szwagra pierwszą półlitrówkę bimbru i żalił się na niesprawiedliwość losu:

– Sam powiedz, czy to w porządku, że on już rozkręca drugi interes, a ja nic?

– A ja ci mówię, Edziu, że wystarczy trochę pogłówkować. – Szwagrowi wszystko wydawało się łatwe. – Jak chce się mieć parę groszy, trzeba postawić na coś, co się najczęściej psuje...

– A jest u nas coś, co się nie psuje? – Prokop czknął i po raz kolejny napełnił szklanki. – Wszystko jest do dupy – zachichotał – może tylko z wyjątkiem papieru toaletowego, bo do niej on się najmniej nadaje!

– Rusz czaszką! Co najczęściej wysiada? Samochody! A w nich co? A... Aku... Akumu...

– Akumulatory! – załapał Prokop. – I myślisz, że my byśmy mogli otworzyć punkt regeneracji? – Podrapał się w głowę. – Masz pojęcie, ile by trzeba wybulić za samą dzierżawę lokalu?

– A po kiego nam lokal? Mało to masz miejsca na podwórku? Postawi się gustowny blaszak i po krzyku!

– A jak lokatorzy się nie zgodzą?

– Wielkie mi co! Oni nie mają nic do gadania! Ostatecznie kto tu rządzi? – podburzał i zaczął roztaczać wizję rychłego wzbogacenia się. Już prawie dogadali się co do podziału zysków, gdy do dozorcówki wpadł jak burza młody Lermaszewski z gaśnicą samochodową w ręku.

– Przez pana przed wszystkimi plamę dałem! – krzyczał wściekły. – Poprawił pan złącza w zaworach, tak?! Wymienił trójnik na szwedzki, tak?! A co, kochany, powiesz na polski prysznic?! – Jednym ruchem uruchomił gaśnicę i po sekundzie obaj mężczyźni pokryci byli grubą warstwą piany.

Andrzej Talar też nie miał dobrego dnia. Najpierw zastał swoje miejsce na fabrycznym parkingu zajęte przez wóz Polskiej Kroniki Filmowej. Potem zobaczył, że jego pracownicy zamiast przy deskach kreślarskich tkwią w oknach i z zaciekawieniem obserwują, jak pięć par potężnych perszeronów mocuje się z chodzącym na najwyższych obrotach nowym modelem fiata 125p. Choć na widok szefa natychmiast wrócili do roboty, nie poprawiło to humoru Andrzejowi. Szybkim krokiem zbliżył się do grupki filmowców

– Co tu się właściwie dzieje?! – zawołał.

– Robię temat do kroniki... – poinformował operator, nie odrywając oczu od kamery. – Pod hasłem: Nawet tyle par najsilniejszych koni nie da rady koniom mechanicznym polskiego fiata!

– Kto wymyślił taką bzdurę?!

– Ja!

To był kobiecy głos. Andrzej odwrócił się gwałtownie. Tuż przed nim stała zgrabna, atrakcyjna, mniej więcej trzydziestoletnia blondynka i uśmiechała się ironicznie. Z miejsca poczuł do niej antypatię. Chyba z powodu zbyt, jak na jego gust, krzykliwego stroju i przemądrzałej miny. W tym momencie podszedł do nich Kuźniak.

– Poznajcie się... – dokonał prezentacji. – Inżynier Talar, nasza nowa plastyczka, pani Dominika Frej.

Andrzej skłonił tylko głowę. Zbliżył się do błyszczącego, wiśniowego fiata i popukał w dodatkowe, zamontowane najwyraźniej dla potrzeb filmu, reflektory.

– Rozumiem, że ten idiotyzm to też pani pomysł? Przecież takich halogenów nigdzie pani w Polsce nie dostanie! To trzeba zmienić! Bezapelacyjnie! – zadecydował.

Plastyczka ujęła się pod boki i wycedziła:

– Zmienić to trzeba przede wszystkim swoją drętwą wyobraźnię!

– Tak pani sądzi, pani... artystko?

226

To „artystko" zabrzmiało jak najgorsza inwektywa, ale nie wywarło na Dominice najmniejszego wrażenia. Przymrużyła oczy i potwierdziła:

– Bezapelacyjnie, panie technokrato!

Kuźniak milczał.

– Na szczęście – Andrzej zwrócił się do niego – nie ja będę musiał świecić oczami na Targach! Bo...

– A właśnie, że ty! – przerwał mu wicedyrektor. – Do Poznania mają przyjechać Włosi z Turynu, Farinelli koniecznie chce się z tobą spotkać.

– I co mu powiem?! Że co drugi nasz samochód ma taką czy inną fabryczną wadę?

– To jest spojrzenie pesymisty, bo optymista... – plastyczka wskazała dłonią wyblakły już nieco transparent z hasłem: „Budujemy drugą Polskę" – ...optymista powiedziałby, że aż co drugi jest bez usterki!

– Nie interesują mnie pani opinie! – Talar uciął krótko i wycofał się na z góry upatrzone pozycje. Tam, gdzie na uboczu stał Korn.

W tym momencie z piskiem opon nadjechał czerwony jaguar. Samochód gwałtownie zahamował i wyskoczył z niego wysoki, potężnie zbudowany mężczyzna w zachodnich ciuchach. Kuźniak, cały w lansadach, podbiegł do niego.

– Kto to? – Andrzej spytał Korna.

– Nie wiesz? – zdziwił się Jerzy. – Czerwony Książę. – Nachylił się do ucha Talara i wymienił znane w całym kraju nazwisko tatusia. – Ten rajdowiec też gra w Górniku Zabrze. – Złożył ręce, przyłożył do ust i naśladując megafon dworcowy, zacytował krążący po Warszawie dowcip: – „Uwaga, uwaga! Pociąg z Katowic wjeżdża na peron drugi. Proszę odsunąć się od stanowisk!" A w ogóle to mówi się, że dla tego „Księcia" otwierają u nas ten

Ośrodek Badawczo-Rozwojowy. Ostatecznie synek takiego ojca nie może zacząć kariery zawodowej poniżej dyrektora.

Tymczasem kilkadziesiąt metrów dalej gość nie bez ciekawości obserwował mocujące się z wiśniowym fiatem konie. Wreszcie zadał to samo pytanie co Talar:

– Kto to wymyślił?

– Pani Frej – odpowiedział zastępca dyrektora. Nie potrafił przewidzieć, czego może się spodziewać: pochwały czy nagany. Raczej spodziewał się tego drugiego...

Pomylił się jednak, bo mężczyzna, ze znawstwem doświadczonego kobieciarza oceniwszy urodę dziewczyny, stwierdził z uznaniem:

– Brawo! Pogratulować! Prawdziwie amerykański styl! Uważam, że zasłużyła pani na duży koniak! – Zachęcająco uchylił drzwiczki auta i rzucając powłóczyste spojrzenie, zaproponował: – To jak? Podskoczymy?

Popatrzyła na niego z odcieniem drwiny.

– A może poczekamy na inną okazję?

Tyle było obietnicy w jej głosie, że bez oporu przystał.

– Poczekam... – Był pewny, że ta panienka mu się nie wymknie.

Nie wiadomo kto usłyszał, kto komu powtórzył, dość, że o nowo mianowanym dyrektorze Ośrodka Badań Rozwojowych FSO nikt nie mówił inaczej, jak „Ekstramocny". Kiedy to przezwisko dotarło do zainteresowanego, zareagował pełnym aprobaty uśmieszkiem. Pochlebiło mu, że w oczach „motłochu" postrzegany jest jako rodzaj peerelowskiego supermana.

★

Wojna mieszkańców kamienicy przy Złotej z tak zwanym gospodarzem domu wkroczyła w ostrą fazę. A zaczęło się od próby postawienia na ich podwórku warsztatu regeneracji akumulatorów.

Wszyscy, nawet Ewa Talarowa, od pewnego czasu głównie zajęta suszeniem mężowi głowy, by zajął się wreszcie rodziną i pomyślał choćby o kupnie nowych mebli, też była oburzona:

– Jak zaczną różne kwasy na ziemię wylewać, to jeszcze dzieciaki się potrują!

Sprawa stanęła na ostrzu noża, kiedy pewnej nocy Heniek, wracając z podróży służbowej, usłyszał, jak Prokop ze szwagrem przymierzają się do ścięcia topoli, która od zawsze tu rosła. Nie zauważyli go i rozmawiali głośno:

– Dla mnie zlikwidować tego badyla to małe piwo przed śniadaniem! – przechwalał się dozorca, sprawdzając ostrze siekiery. – A tamci... – powiódł ręką po ciemnych o tej godzinie oknach – mogą mi co najwyżej na odcisk naskoczyć! Ja tu rządzę!

Lermaszewski jednym susem był przy nim.

– Jeszcze długo nie, a potem wcale! – darł się tak, że prawie we wszystkich oknach zapaliły się światła. – Tylko spróbuj dotknąć tego drzewa, burasie!

– Burasie?! – głos Prokopa załamał się ze zdenerwowania, tym bardziej że na podwórzu zaczęło się pojawiać coraz więcej okutanych w szlafroki lokatorów.

Byli już oboje starzy Lermaszewscy, Bawolikowie, Jasińska, a nawet Bizanc. Ojciec Heńka, widząc siekierę w ręku ciecia, wrzasnął:

– Zwariował pan?! Pan wie, co to za drzewo?! Na nim w powstaniu wisiała Matka Boska! I wszyscy się do niej modliliśmy!

– Gdyby nie to – poparła go Jasińska – nikt by pewnie nie ocalał! To, co pan chciał zrobić, to... to... – gwałtownie szukała słów – ... to prawie świętokradztwo!

229

Korzystając z zamieszania, Heniek dopadł dozorcy i wyrwał mu siekierę z ręki.

– A to będzie dowód rzeczowy albo inaczej corpus delicates! – zawołał z triumfem.

Stary hrabia długo zanosił się śmiechem. W końcu zdołał wykrztusić:

– A może to szkoda, że państwo tak protestują przed ścięciem tej topoli? Bo gdyby tak przyszło do obrachunków, ktoś mógłby wpaść na pomysł, żeby ją wykorzystać w charakterze szubienicy. A chyba nikt nie wątpi, że w Polsce bez trudu znalazłoby się paru odpowiednich kandydatów na to miejsce...

Teraz chichotali już wszyscy, popatrując na Prokopa i jego szwagra.

Leszek nigdy nie żałował, że po tragicznej śmierci Gosi zaproponował Mietkowi pracę w stadninie. Chłopak był całkowicie rozbity, obwiniał siebie o śmierć dziewczyny, wspominał nawet o samobójstwie. Nikt w tych trudnych miesiącach nie potrafił się przebić przez skorupę, którą się otoczył, aż wreszcie młodszemu z braci Talarów udało się do niego dotrzeć. Ich rozmowy zaczęły się od zwierzeń Leszka. Opowiadał o nienawiści, jaką czuł do wszystkich kobiet po bezsensownej śmierci Bronka i o tym, że z całą premedytacją starał się je ranić. Tak był zapiekły, iż o mały włos nie zabił jedynej prawdziwej miłości, a na dodatek nie zniszczył życia najbliższych i swojego! A jednak udało mu się podźwignąć. Dlaczego więc Mietek nie miałby spróbować? Najpierw namówił chłopaka, żeby ot tak, dla kawału, złożył na uniwersytecie podanie o zaliczenie ostatniego roku studiów i zezwolenie na przystąpienie do egzaminu magisterskiego, a potem zabrał go do siebie na wieś.

Od kilku miesięcy obserwował, w jaki sposób młody Pocięgło odnosi się do zwierząt i ludzi, toteż był absolutnie przekonany, że los powinien dać mu jeszcze jedną szansę. Dlatego kiedy Lidka zadzwoniła z Warszawy, informując, że napisana jeszcze przed wojskiem praca magisterska syna ma pozytywne recenzje, a egzamin wyznaczono mu za dwa tygodnie, szczerze się ucieszył. Był tylko problem z przekonaniem samego zainteresowanego...

Spotkali się w stajni, przy boksie kasztanowej klaczki. Biedaczka, porażona kolką, zległa na ściółce i mimo starań stajennych nie dawała się podnieść. Wydawało się, że sprawa jest beznadziejna, ale Mietek nie przestawał masować jej brzucha. Minuta... dwie... – koń ciągle nie reagował. I wreszcie, kiedy chłopak chciał już dać za wygraną, klaczka zaczęła oddychać normalnie, a po chwili z wyraźnym trudem dźwignęła się na nogi.

Leszek z uznaniem poklepał Pocięgłę po plecach i nawiązując do wcześniejszej rozmowy, wskazał na zwierzę:

– Pora już, żebyś i ty, jak ona, stanął na nogi. Przez całe życie nie możesz uciekać. A poza tym jesteś coś winien matce.

Lidka wprost puchła z dumy, słuchając gratulacji składanych synowi przez członków komisji egzaminacyjnej, a potem – fakt, że niezbyt głośnego – oświadczenia jednego z profesorów, że gdyby nie okoliczności, chętnie powitałby świeżo upieczonego magistra w gronie swoich asystentów. Wreszcie zaoferował pomoc w znalezieniu jakiejś odpowiedniej pracy w Warszawie. Oczekiwała, że

Mietek się ucieszy, podziękuje, ale on tylko burknął coś niezobowiązującego i szybko się pożegnał.

– Nie zachowuj się jak dziecko! – dogonił go Leszek.

– Nie widzisz, że jesteś potrzebny matce i babce? Ja cię ze stadniny nie wypędzam, ale magister germanistyki i widły? To trochę bezsensowne połączenie, nie sądzisz?

– Nie masz pojęcia, jaki ci jestem wdzięczny za te widły! Gdyby nie ty...

– Daj spokój. Do mnie też ktoś wyciągnął pomocną dłoń. A tkwiłem w gorszym szambie niż ty!

★

Andrzej wrócił z Targów Poznańskich całkowicie rozbity. Nie zapomniał o prezentach dla Ewy i chłopców, więc w domu zgotowano mu ciepłe przyjęcie, ale mimo to nie mógł dojść z sobą do ładu. A wszystko z powodu tej pokręconej plastyczki – Dominiki Frej!

Najpierw pokłócili się o wystrój ekspozycji, który być może był oryginalny i efektowny, ale tak się miał do rzeczywistości, jak piernik do wiatraka! Potem ścięli się wieczorem, w hotelowym barze. Nieproszona dosiadła się do niego i nieustannie prowokowała: ostentacyjnie kokietowała zagranicznych handlowców, a kiedy spotkała się z jednoznaczną propozycją podchmielonego Szweda, zażądała, żeby Talar wystąpił w obronie jej cnoty. Oczywiście nie dał się wciągnąć w żadne idiotyczne gierki, ale wtedy przedstawiła taką jego charakterystykę:

– Oto pana portrecik: rano ciup żoneczkę w dziób, dryp, dryp do pracki, lista obecności. Odprawka, operatywka, herbatka, kawka, dla luzu dwa piwka, gadu-gadu, szurum-burum, plan wyrobić, ecie-pecie, premia leci, siup do domciu prosto w kapcie, telewizja, odrobek przy żonce i lulu z budzikiem pod poduszką!

Zapytał zgryźliwie:

– A jaki jest pani portrecik?

– No cóż... mam parę wad... Na przykład po wódce z reguły dostaję małpiego rozumu. – Ostentacyjnie pokiwała mu przed nosem szklanką mleka. – Kiedyś zdarzyło mi się tańczyć nago na balkonie i chociaż to nic złego, pan zapewne byłby zgorszony... – a widząc potakujący gest Andrzeja, dodała: – Bo pan się boi wolności. Należy pan do stada mutantów, które maszerują tak, jak im zagrają. Tylko artyści potrafią być naprawdę wolni!

Uśmiechnął się ironicznie:

– Ciekawe – na czym według pani polega wolność?

– Na tym, żeby niezależnie od sytuacji móc powiedzieć „n i e"!

– Nawet przed ołtarzem? – kpił dalej.

– Myśli pan, że to ma dla mnie jakieś znaczenie? – Pociągnęła ze szklanki łyk mleka. – Pan oczywiście nieżonaty?

– Dlaczego „oczywiście"?

– Nie spotkałam jeszcze mężczyzny na delegacji, który byłby żonaty.

Wściekły bardziej, niż należało, podetknął jej obrączkę pod nos:

– Ja nie jestem wszyscy!

– Czyżby?! – zachichotała, wstając. Prowokacyjnie zakołysała biodrami, a po chwili już wirowała na parkiecie w towarzystwie kilku rozbawionych mężczyzn.

Z hukiem odstawił kieliszek, rzucił banknot na blat baru i wyszedł z hotelu.

Od tamtej scysji minęło już kilka dni, a on ciągle miał w uszach oskarżenia dziewczyny. Czyżby rzeczywiście stał się człowiekiem dbającym jedynie o napełnienie żołądka? Czy naprawdę zrezygnował już z wszelkich marzeń? Pogrążony w myślach, nie widzącym wzrokiem wpatrywał się w zdezelowaną pralkę Franię, którą Ewa kazała mu zreperować. Nie docierały do niego również narzekania żony:

– Ty wiesz, co Kajtek powiedział po lekcjach u pana Bizanca? Że prawdy o tym, co się dzieje w Polsce, można się dowiedzieć jedynie z „Wolnej Europy"! A jak on chlapnie coś takiego w szkole?

Milczał, więc potrząsnęła go za ramię:

– Co się z tobą ostatnio dzieje?! Rodzina wcale cię już nie obchodzi?! – Zdesperowana objęła go ramieniem.

Wyrwał się z uścisku i nie podnosząc głowy znad pralki stwierdził ponuro:

– Czasami mam wszystkiego dosyć! Wiecznego kieratu: dryp-dryp do pracki, premia leci, w domu ciepłe kluski... Co to za życie?!

Protekcjonalnie, z wyższością osoby uporządkowanej i w gruncie rzeczy zadowolonej, pogłaskała męża po głowie:

– Jesteś zwyczajnie przemęczony.

★

Czego Mundek nie znosił w swojej pracy, to wszelkiego rodzaju kolaudacji. Żeby chociaż szefowie, którzy zatwierdzali programy do emisji, oceniali je w kategoriach artystycznych czy nawet skuteczności przekazu, lecz ich interesowała głównie wymowa polityczna tego, co widzą.

Po minie dyrektora Bednarskiego bez trudu rozpoznał, że i tym razem prezentowany materiał nie przypadł mu do gustu. A sądził, że zestawienie samotnego niewidomego człowieka z białą laską na ruchliwej ulicy i kilkunastu dorodnych owczarków alzackich, szkolonych w milicyjnej szkole, będzie miało dla wszystkich oczywistą wymowę: każdy zrozumie, komu te psy są bardziej potrzebne. I chyba było to wystarczająco czytelne, ponieważ kiedy zapaliło się światło, Bednarski popatrzył na niego z najwyższą dezaprobatą, by nie powiedzieć z politowaniem.

– Wiesz, co ci powiem? To ty jesteś ślepy, a nie twój bohater! Ślepy politycznie! Co niby chcesz tym filmem udowodnić?! Że milicja obywatelska „podbiera" niewidomym te zwierzaki?

– A nie?! Czy wiesz, że temu człowiekowi kazali w Związku Niewidomych czekać sześć lat na psa przewodnika? Jest trzysta piętnasty na liście! A owczarki szkolone są przede wszystkim dla milicji.

– To, co teraz mówisz, to czystej wody krytykanctwo, a władzy ludowej niepotrzebna taka krytyka! – rozsierdził się dyrektor. – W żaden sposób to nie przejdzie, chyba że porobisz skróty!

– Czemu nie? Poskracam! – Wrotek poderwał się z krzesła. – Zostawię tylko milicję, a niewidomego won! Przecież w naszym idealnym ustroju nie może być nieidealnych ludzi!

Gdyby w tym momencie nie wezwano Mundka do telefonu, za chwilę mógłby powiedzieć coś, czego nie dałoby się odkręcić. Ciągle jeszcze wściekły, podniósł słuchawkę i rzucił niezbyt uprzejmie:

– Wrotek. O co chodzi?

– To pan jest tym reżyserem, co robił kiedyś film o Stoczni Gdańskiej? – usłyszał nieznajomy męski głos.

– Powiedzmy. A kto mówi?

- Jeden z tych, którym coś pan obiecywał. Pamięta pan?
- Powiedzmy.
- Przysięgał pan, że świat dowie się prawdy! No i gdzie ta prawda?!
- Panie, o co panu chodzi?! - Mundek przez sekundę zastanawiał się, czy to aby nie prowokacja, ale nie odkładał słuchawki.
- To nie na telefon rozmowa - usłyszał. - Jestem teraz na Starym Mieście, w Warszawie. W imieniu kolegów specjalnie do pana przyjechałem. To jak? Zobaczy się pan ze mną?

Sam nie wiedział, dlaczego zgodził się na to spotkanie, dosyć, że umówili się za godzinę w „Krokodylu". Przez pewien czas obserwowali się podejrzliwie, wreszcie mężczyzna sięgnął do podniszczonej teczki, wyciągnął kopertę i pod stolikiem przekazał reżyserowi.

Rzut oka na czarno-białe amatorskie zdjęcia i Mundek nie mógł mieć wątpliwości, gdzie i w jakich okolicznościach zostały wykonane. Trumny na śniegu, nad rozkopanym grobem kilka osób w czerni, ksiądz z wystającą spod grubego płaszcza komżą... Tamten Grudzień...

- Wszystko to prawda, ale kiedy to było? - powiedział zmieszany, zwracając fotografie. - Kto o tym dzisiaj pamięta?

- Kto? Wdowy pamiętają! Bezpieka też nie zapomniała, bo nie ma dnia, żeby kwiatów z grobów nie zdejmowali. A ma pan pojęcie, ilu jeszcze stoczniowców w pierdlu pudłuje? Ja do dzisiaj żadnej roboty znaleźć nie mogę, a takich jak ja jest wielu.

Gdańszczanin uniósł głos, a na ostrzegawcze psyknięcie Rajmunda zareagował gwałtownie:

– Pana raczej skutecznie udało się im wyciszyć. A to, że nam pan słowa nie dotrzymał, nie ma przecież żadnego znaczenia!

– Człowieku, kto by mi ten materiał zatwierdził do emisji?! Ani wtedy, ani teraz! – bez przekonania bronił się Mundek.

– A czy ja mówię, żeby pokazać to tutaj, w tym kraju? – wyszeptał tamten. – Do nas, do portu dużo statków zawija: z Francji, Niemiec, Anglii... Mamy takie układy, że moglibyśmy wywieźć taśmy na Zachód...

– Sam pan to wymyślił czy...?! – przerwał mu ostro. Stoczniowiec w pierwszym momencie jakby nie zrozumiał, co jego rozmówca insynuuje, ale kiedy dotarło do niego, o co jest podejrzewany, chwycił Mundka za rękę i pociągnął do toalety. Jednym ruchem podciągnął koszulę i pokazał plecy „ozdobione" kilkoma szramami.

– Myśli pan, że sam sobie to zrobiłem? Ciągle pan nie wierzy i boi się, że nasłała mnie bezpieka? – Tyle w jego głosie było żalu, że Wrotek poczuł się jak ostatni idiota. Powinien przeprosić, a zamiast tego parsknął z lekceważeniem:

– Wierzyć to można w dziesięć przykazań, lecz warto pamiętać również o jedenastym: nie pchaj palca między drzwi.

We wzroku mężczyzny malowała się bezbrzeżna pogarda. Splunął na podłogę i z komentarzem:

– Inteligenci, psia ich mać! Wszyscy jesteście siebie warci! – szybkim krokiem opuścił toaletę.

Mundek oparł się ciężko o umywalkę i lekko przygięty obserwował swoją twarz w lustrze. Nie był zachwycony tym, co zobaczył. Jeśli chce zachować dla siebie odrobinę szacunku, za wszelką cenę musi dotrzymać słowa danego wtedy, w tym strasznym Grudniu.

★

Od dobrej godziny Andrzej bezskutecznie usiłował wbić do głowy Kajtka podstawowe wiadomości z zakresu chemii.

– Koniec roku za tydzień, a ty kompletnie nic nie umiesz! – Cisnął podręcznikiem o biurko. – Na kino i kolegów masz czas, tylko nie na naukę! Za dobrze się wam teraz powodzi! Ja w twoim wieku uczyłem się pasąc krowy! A jeszcze i sieczki musiałem narżnąć, i konia napoić!

– Przestań! Krzyk to nie jest metoda! – Ewa coraz częściej musiała stawać między ojcem a synami. – Dla nich to nie argument, że ty akurat pasałeś krowy.

Nic nie powiedział. Złapał wiatrówkę i pobiegł do drzwi.

– Andrzej! Gdzie idziesz?! – zawołała za nim.

– Do jubilera! Zamówić ci sygnet z herbem, żebyś ty, „wielka dama", nie musiała się mnie wstydzić! – Trzasnął drzwiami i już na schodach zorientował się, że właściwie nie bardzo ma dokąd pójść. „Oto jak wygląda moje życie: w kółko praca i dom, praca i dom!" – pomyślał ponuro. Zrezygnowany zadzwonił do mieszkania Wrotków.

– Coś ty wymyślił, idioto?! – Halina szarpała za rękaw niezbyt trzeźwego męża. – Andrzej, musisz wybić mu to z głowy!

– Ona ma rację. To szaleństwo. – Andrzej pociągnął łyk słonecznego brzegu.

– Złożyłem im wtedy przysięgę – Mundek z uporem kiwał głową. – Muszę to zrobić, muszę!

– Ale jest taka zasada, że swoje brudy pierze się w domu.

– W domu tak, ale nie w burdelu! – Wrotek wskazał na telewizor, w którym właśnie towarzysz Gierek dzielił się z narodem informacjami o ostatnich sukcesach „przewodniej siły". – Dosyć mam tego nieustającego knebla na gębie!

Nawet nie podejrzewał, że dotknął czułego punktu przyjaciela. Andrzej niedawno słyszał już coś podobnego, tyle że od pewnej pyskatej plastyczki, dlatego odpowiedział niespodziewanie ostro:

– Wy, artyści, chcecie być niby tacy wolni, niezależni, ale ktoś musi na was pracować.

Komentator dziennika opowiadał teraz z entuzjazmem o stale rosnącej produkcji małych fiatów, a potem przeszedł do relacjonowania zobowiązań załogi pracującej przy budowie Dworca Centralnego w Warszawie.

– Wszystko to jedno wielkie kłamstwo! – krzyknął zaperzony Mundek.

– Co?! Nowy samochód?! Nowy dworzec?! – Talar nie mógł się zgodzić, że wszystko, nad czym on i inni w Polsce od tylu lat pracowali, miałoby być bez sensu.

– A właśnie że tak! Bo jak się chce naprawić coś w burdelu, zaczyna się od wymiany panienek, a nie łóżek!

– Tobie się wszystko z burdelem kojarzy! – naskoczyła na męża Halina.

– Jak tego nie zrobię, będę świnią, nie rozumiecie?!

Andrzej uderzył pięścią w stół.

– Będziesz nią, jak to zrobisz!

– A ty co?! Polecisz nakablować na mnie?!

Talar poczuł się tak, jakby Mundek uderzył go w twarz. Na chwilę zastygł w bezruchu, po czym wstał i powoli ruszył do drzwi.

Tego Halinie było już nadto! Doskoczyła do męża niczym furia!

– Jak mogłeś mu coś takiego powiedzieć?! Jak mogłeś?! – podniosła rękę...

– Dajcie wy mi wszyscy spokój! – krzyknął Wrotek i sięgnął po butelkę.

W tym momencie do pokoju wrócił Talar. Popatrzył poważnie na przyjaciela i cicho zapytał:

– Naprawdę myślisz, że jestem taką szmatą?

Wrotek podskoczył do niego i objął w geście przeproszenia.

– Upił się i tyle! – burknęła Halina trochę mimo wszystko wzruszona.

– A pewnie, że się upiłem! A wiesz dlaczego?! – Odwrócił się w stronę żony. – Ze strachu, że to ja okażę się szmatą!

★

Mimo apelu sędziego prowadzącego rozprawę o pogodzenie się stron Martyna była nieugięta. Wobec takiej postawy Jan nie miał wyjścia, musiał się poddać. Sędzia czytał już ostatnie fragmenty orzeczenia o rozwodzie, gdy w sali sądu pojawiła się Beata. Stała przy drzwiach i z wyrzutem patrzyła na rodziców. Ojciec bezradnie rozłożył ręce i uśmiechnął się ze smutkiem, a potem, już na korytarzu, przytulił ją i powiedział:

– Teraz z całej rodziny zostałaś mi tylko ty.

Pocałowała go na pożegnanie i podeszła do matki, która razem z wujem Alfredem zbliżała się do wyjścia.

– Dlaczego ukrywaliście przede mną, że to dzisiaj?! – zaczęła z pretensją. – Dlaczego?! Czy ja się już dla was w ogóle nie liczę?!

– Sama wiesz, że to nieprawda – Martyna próbowała objąć córkę, ale ta odsunęła się z niechęcią. – Chciałam ci tylko tego oszczędzić...

– Ach, tak? – dziewczyna uśmiechnęła się z ironią. – Więc z litości mnie oszukujesz? A podobno nienawidzisz kłamstwa?

240

Spodziewała się ostrej reakcji, ale matka, lekko speszona, patrzyła gdzieś ponad jej głową. Spojrzała tam również: naprzeciwko stał wysoki, przystojny mężczyzna i machał w ich kierunku. Kiedy Martyna zbliżyła się do niego, pochylił głowę i złożył długi pocałunek na jej dłoni. Widziała gwałtowny rumieniec, jaki wykwitł na twarzy matki.

– Zdaje się, że zaczynam rozumieć – mruknęła pod nosem. – Jak tak chciała rozwodu, to niech się rozwiedzie i ze mną! – Nie oglądając się na wuja, wybiegła na ulicę.

– Beaciu, tak nie można! – wołał za nią, ale nawet się nie odwróciła.

Zdenerwowana do nieprzytomności Stroynowska zadzwoniła do eksmęża.

– Beata zniknęła z domu! – zaczęła bez wstępów. – Nie wiem, co robić...

– Nie zniknęła – odpowiedział Borowski. – Przeniosła się do mnie. Nie zapominaj, że tu także jest jej dom. Może po prostu uznała, że ten jest jej bliższy od tego, w którym czuła się zbędna.

– Daruj sobie złośliwości i poproś ją do telefonu. Chcę z nią porozmawiać. – W głosie Martyny zabrzmiała wyraźna ulga.

– Nie ma jej w tej chwili. – Zerknął na córkę, która suszyła przed lustrem włosy, i dorzucił: – Uczy się u Bożeny. Nie zapominaj, że już wkrótce zaczynają się egzaminy na studia. Przepraszam cię, moja droga, ale mam pilny artykuł do skończenia. Jak wróci, powtórzę, że dzwoniłaś. – Odłożył słuchawkę.

– Dlaczego powiedziałeś, że mnie nie ma? – Beata nie kryła dezaprobaty. – Czy wszyscy dookoła ciągle muszą kłamać? – Sięgnęła po stojące na biurku ojca zdjęcie całej ich trójki sprzed kilku lat i stwierdziła nieoczekiwanie dojrzale: – Jej też nie jest łatwo, sama nie wie, kim w gruncie rzeczy jest: siostrą, matką czy... kobietą...

– Ona kogoś ma? – nie potrafił opanować zazdrości.

Nie chciała sprawiać mu bólu, więc przemilczała scenę przed gmachem sądu.

Strażnicy w Wytwórni Filmów Dokumentalnych traktowali swoją pracę niezwykle serio. Każdy wychodzący, jeśli nie miał przepustki, był dokładnie kontrolowany. Wrotek, obserwując to od kilku dni, coraz bardziej tracił nadzieję na wyniesienie kopii zatrzymanego filmu z wydarzeń grudniowych w Gdańsku. Mimo to ciągle nie rezygnował. W końcu musi się trafić jakaś okazja! I rzeczywiście. Dowiedział się, że na przełomie czerwca i lipca wytwórnię odwiedzi sam Marcello Mastroianni. Spodziewał się, że wtedy i strażnicy, i wszyscy inni – porażeni wizytą światowej sławy aktora, nie będą zbyt skrupulatnie wypełniać swych obowiązków. Dlatego kiedy tylko usłyszał w TV, że aktor przyleciał już do Warszawy, trwał w pełnej gotowości bojowej.

Gdy reprezentacyjny samochód przyozdobiony chorągiewką z barwami narodowymi Włoch wjechał w bramę wytwórni, wkroczył z bukiecikiem fiołków do pokoiku Lusi, kierowniczki archiwum. Młoda, przystojna kobieta serdecznym uśmiechem powitała zawsze uprzejmego i szarmanckiego reżysera.

Wręczył jej kwiatki, całując w policzek.

– Przyszedłem po mój film o ślepcu. Masz go gdzieś pod ręką?

– To nie wiesz, że Bednarski wszystkie zakwestionowane materiały każe trzymać w „bunkrze"? – zdziwiła się.
– Właśnie muszę tam iść. Tu Mastroianni, a ja... – z rezygnacją machnęła ręką.
– Jeśli pozwolisz, pójdę z tobą. Pal diabli gwiazdora! Sam na sam z piękną dziewczyną więcej dla mnie warte od oscarów!
Zbyt dobrze go znała, aby poważnie traktować te dusery, ale było jej miło. Roześmiała się i wsuwając rękę pod pachę Rajmunda, zaprosiła:
– A więc weź wózek i chodźmy!
Znudzony wartownik uśmiechnął się na widok Lusi. Wrotek pomógł jej otworzyć drzwi „bunkra", potem ściągać z półek pudła z taśmami i wkładać do wózka. Gdzieś po kwadransie zadzwonił telefon.
– Sam poszukaj tego swojego ślepca – powiedziała Lusia i podeszła do aparatu. Mundek nerwowo grzebał po regałach, ale właściwie nie musiał się śpieszyć, bo dziewczyna wcale nie zwracała na niego uwagi. Długo słuchała rozmówcy, a w końcu zawołała:
– Naprawdę?! Mastroianni zgodził się zrobić sobie zdjęcie z wszystkimi pracownikami?! Rety, moja siostra zzielenieje z zazdrości! Już lecę!
Właśnie w tym momencie Wrotek znalazł pudełka ze swoim filmem i błyskawicznie ulokował je na dnie wózka.
– Słyszałeś rozmowę? – spytała Lusia. – Muszę wracać. Znalazłeś?
– Nie, ale nie ma sprawy, wpadnę kiedy indziej. Dzień w tę czy w tamtą nie robi różnicy. Chcesz, żebym odwiózł wózek do twojego pokoju?
– Zrobiłbyś to dla mnie? – Pocałowała go w policzek.
– Będę twoją dozgonną dłużniczką!

Po wyjściu z „bunkra" jeszcze raz go cmoknęła i już jej nie było.

Rajmund schował taśmy do teczki. Ale jak je wynieść za bramę? Mimo ogólnego zamieszania strażnicy wcale nie osłabili czujności. Kontrolowali wszystkich wychodzących. Co tu robić? Żaden sensowny pomysł nie przychodził mu do głowy. Gotów był już zrezygnować, kiedy spostrzegł, że samochodu Ireny Kwiatkowskiej w ogóle nie sprawdzano. Natychmiast więc podbiegł do fiata, którym zamierzał właśnie ruszać Stanisław Mikulski. Kapitana Klossa na pewno nie będą kontrolować.

– Panie kapitanie, mógłbym się z panem zabrać do miasta? – zapytał i już sadowił się na tylnym siedzeniu.

Szlaban natychmiast się podniósł, a strażnik rozciągnął wargi w uśmiechu:

– Wszystko w porządku, panie Kloss!

Beata z rozpaczą uderzyła pięścią w tablicę, na której przed chwilą wywieszono wyniki egzaminów wstępnych.

– Cholerny świat! Gdyby nie te przeklęte punkty za pochodzenie, byłabym już studentką! – Jeszcze raz spojrzała na listę, gdzie pod kreską wypisano nazwiska kandydatów, którzy zdali, ale nie zostali przyjęci z powodu braku miejsc. – No tak, zabrakło głupich czterech punktów!

– A ja? Sprawdziłaś, co ze mną?! – z lękiem w głosie dopytywała się Bożena.

– Przykro mi, oblałaś...

Obydwie, z trudem hamując łzy, zaczęły przeciskać się do wyjścia. Już na ulicy Bożena powiedziała pocieszająco:

– Ty masz jeszcze szansę. Ojciec na pewno załatwi ci przyjęcie z miejsc rektorskich.

– Nigdy w życiu! – zaperzyła się Beata. – Nie wiem jak ty, ale ja nie uznaję drogi na skróty! Zresztą ojciec też nie uznaje takich metod! Wiesz, co mówi wujaszek mojej mamy? Że z przynętą trzeba uważać, bo zdarza się, że duża ryba połyka haczyk razem z wędkarzem!

A jednak to Bożena miała rację, bo kiedy Borowski usłyszał złą nowinę, wcale się nie zmartwił, tylko z uśmiechem pocałował córkę w policzek.

– Dlaczego taka ponura mina? To sprawa na jeden telefon! Znam dobrze rektora.

– Chcesz mnie wepchnąć na studia przez protekcję?! Jeśli to zrobisz, więcej mnie nie zobaczysz! – krzyczała wściekła.

– Daj spokój, dziecino. Nie rozumiesz, że inteligencja musi się jakoś bronić? Jeżeli my się poddamy, oni zagarną całą pulę...

– O kim ty mówisz „oni"?! Ty sam już jesteś „o n i"!

– Nie daj się ponosić emocjom. – Pogładził dziewczynę po głowie. – I o nic się nie martw, tatuś wszystko załatwi.

Patrzyła, jak wykręca numer, przedstawia się i prosi o połączenie z towarzyszem rektorem. Jeszcze raz ostrzegła:

– Więcej mnie nie zobaczysz! – A kiedy mimo to nie przerwał połączenia, złapała torbę i już jej nie było.

Z łkaniem biegła ulicami. Zawiódł ją, a ona tak bardzo mu ufała! Najchętniej zaszyłaby się w mysiej norze, byle dalej od ludzi... No ale jest jeszcze jedno miejsce, gdzie może się schronić – mieszkanie matki. Zwalniając z każdym krokiem, powlokła się w kierunku Złotej.

Przed progiem zdjęła buty i cicho przekręciła klucz w zamku. Kiedy zobaczyła Martynę w objęciach faceta sprzed sądu, zamarła. Tak byli pochłonięci sobą, że nawet jej nie zauważyli. Przez moment stała bez ruchu, a potem wypadła na schody. A więc to tak?! Jak ona śmie?! I to ma być m a t k a?! Całe jej gadanie o uczciwości, zasadach, szacunku

245

do samej siebie okazało się jednym wielkim oszustwem! Zwyczajnie zachciało się jej nowego chłopa! Każdy dla matki jest ważniejszy od córki! Wybiegła na podwórko. Pochłonięta gorzkimi myślami nie dosłyszała ironicznej uwagi dozorcy:

– Bez kapci w miasto? No, i patrz pan, panie Bawolik, wychodzi na to, że faktycznie puściliśmy arystokrację z torbami i bez butów!

I Jan, i Martyna odchodzili od zmysłów. Minęły już trzy tygodnie, a oni – mimo bezustannych poszukiwań – nie trafili na ślad córki. Przysłała im tylko dwie kartki z identycznym tekstem: „Nie szukajcie mnie. Muszę uporządkować swój świat. Wrócę, jak wy uporządkujecie swoje życie".

★

Święto 22 Lipca było w tym roku wyjątkowo uroczyście obchodzone w FSO. Z okazji otwarcia Ośrodka Badawczo-Rozwojowego, którego szefem mianowano syna drugiej osobistości w kraju, na terenie fabryki mieli się pojawić rozmaici notable, z samym ministrem na czele. Nic więc dziwnego, że Kuźniak dwoił się i troił, doglądając prac wykończeniowych. Miał nadzieję, że zdążą na czas: biało-czerwone i czerwone flagi powiewały na lipcowym wietrze, transparenty z odpowiednimi hasłami porozwieszano w strategicznych miejscach, wybudowane z tej okazji podium przystrojono kwiatami. Kiedy zauważył podjeżdżającego jaguara, pospieszył mu naprzeciw i gnąc się w ukłonach, zapewniał:

– Dopinamy, wszystko dopinamy. Brakuje tylko nożyczek do przecięcia taśmy! – pozwolił sobie na dowcip.

„Ekstramocny" odsunął go niczym natrętnego owada i skierował się – a Kuźniak i jego ludzie za nim – do swego gabinetu. Otworzył drzwi i znieruchomiał w miłym zaskoczeniu: na podłodze, zwinięta w kłębek, spała Nika Frej.

Głośna rozmowa obudziła dziewczynę – uniosła się na łokciu i nieprzytomnie mrugając oczami, usiłowała się zorientować, gdzie się znajduje. Wreszcie przypomniała sobie: FSO... Zmieszana, przygładziła potargane włosy i wybąkała:

– Przepraszam, za chwilę mnie tu nie będzie. Pracowaliśmy do piątej rano i tak jakoś...

Nowo mianowany dyrektor ośrodka wypchnął towarzyszącą mu ekipę za drzwi, podał rękę dziewczynie i zapewnił:

– Nic się nie stało. A poza tym chciałbym panią zaprosić na otwarcie.

Nika szybko wracała do formy. Roześmiała się kpiąco:

– Jest pan tu wszechwładny, ale nawet pan nie może mnie zmusić, żebym w poplamionym kitlu wystąpiła przed wystrojonymi w najlepsze ciuchy babami!

– To żaden problem! – Pstryknął palcami na przechodzącego robotnika i polecił: – Weźmiesz jakiś wóz i podskoczysz do „Telimeny". – Z wypchanego portfela wyciągnął kilka banknotów. – Kup coś ekstra na pani rozmiar, cena nie gra roli.

Jeśli się spodziewał, że taki gest obezwładni Dominikę, grubo się pomylił. Przeciągnęła się, odpędzając resztki snu, i pogodnie oświadczyła:

– Chyba jednak wolę wystąpić w roboczym stroju! W każdym razie dziękuję za dobre chęci! – Wygładziła poplamiony farbą fartuch i, jakby miała na sobie kreację od „Diora", dumnym krokiem wymaszerowała na podwórze.

A potem nastąpiło uroczyste przecięcie wstęgi, ta-
siemcowe przemówienia, wręczanie odznaczeń zasłu-
żonym pracownikom – w tym inżynierom: Talarowi
i Kornowi – znów przemówienia i wreszcie działaczki
organizacji młodzieżowej – ubrane w białe koszule
i czerwone krawaty – wniosły na tacach kieliszki
z winem.

Wśród składających gratulacje udekorowanym orderami
znalazła się i Nika. Z krzywym uśmieszkiem poklepała
Andrzeja po pustej klapie marynarki.

– Szkoda, że tylko jeden... Dla symetrii powinien
jeszcze drugi tu dyndać!

Chciał odpowiedzieć w podobnym tonie, ale zanim
znalazł właściwe słowa, już jej nie było. Przez chwilę
rozglądał się, aż wreszcie wypatrzył dziewczynę: z zalotnie
przechyloną głową rozmawiała z bohaterem dnia. Nie
miał pojęcia dlaczego, ale poczuł rozdrażnienie...

A Dominika wcale nie bawiła się tak dobrze, jak na
pozór wyglądało. „Ekstramocny" wciskał jej do ręki
kieliszek z winem.

– Ze mną się pani nie napije? Nawet w dniu otwarcia
m o j e j placówki?!

– Przykro mi – wykręcała się. – Ja piję tylko mleko. Po
alkoholu dostaję małpiego rozumu.

– I w porządku! Pięknej dziewczynie rozum do niczego
nie jest potrzebny! – zarechotał, po raz kolejny podając
kieliszek.

Tym razem wzięła i patrząc mu przeciągle w oczy,
powoli wylała wino na ziemię. Pokiwała ręką na pożegnanie, a kiedy się odwróciła, przyłapała utkwione w sobie
spojrzenie Talara. „I bardzo dobrze! – pomyślała. – Niech
się przekona, jakie mam powodzenie! I to u samego
bossa".

Po kilku godzinach, kiedy wydawało się, że impreza zmierza ku końcowi, „Ekstramocny" wskoczył na podwyższenie i zawołał do zebranych:

– Mam przyjemność zaprosić wszystkich do Wierzbicy nad Zalew Zegrzyński, gdzie czeka na nas obiekt pływający! – Uciszył ręką gwar i oklaski, po czym powiedział:

– Daję państwu dziesięć minut forów i założę się z każdym o mojego jaguara, że i tak będę pierwszy! Moim beifahrerem będzie pani Dominika Frej! – zeskoczył z podestu i ujął dziewczynę za rękę.

– Obiecałam swoje towarzystwo komu innemu! – wyrwała mu dłoń i podbiegła do Andrzeja, lecz zamiast oczekiwanej pomocy spotkała się z chłodnym stwierdzeniem:

– Przykro mi, ale mam już komplet. – Nie było to prawdą, jako że jego jedynym pasażerem miał być Korn, chciał jednak odpłacić plastyczce za wszystkie jej złośliwości. – Nie rozumiem, dlaczego nie chce pani z nim jechać?

– To dziwkarz. Jest przekonany, że żadna mu się nie oprze! Nienawidzę takich!

– Niech mu to pani powie.

– Jemu? Zapomniał pan, kto jest jego tatusiem?!

– Proszę, proszę... – głos Talara ociekał ironią. – A podobno artyści są wolni, prawdziwie zaś wolny człowiek potrafi w każdej sytuacji powiedzieć „nie" – zacytował jej własne słowa. Otworzył drzwiczki fiata, zapraszając Jerzego do środka, i po chwili ruszyli w długiej kawalkadzie wozów. Tę rundę wygrał, ale wcale nie czuł się z tym dobrze.

Zbliżali się właśnie do Jabłonny, gdy z wizgiem opon, w ogóle nie zwracając uwagi na nadjeżdżające z naprzeciwka samochody, wyprzedził ich znajomy jaguar.

Andrzejowi mignęła przez szybę skulona postać dziewczyny. Poczuł się jak świnia, a słowa Korna, że to wariat i właśnie w takim idiotycznym wyścigu zabił swoją żonę, jeszcze pogorszyły jego samopoczucie. Przycisnął pedał gazu. Nie mógł przecież zostawić tej nieobliczalnej wariatki samej! Nagle poczuł się za nią odpowiedzialny.

Oczywiście jaguar dotarł do Wierzbicy pierwszy, a gdy o zmierzchu zatrzymał się tuż obok zacumowanego przy brzegu statku spacerowego, z pokładu rozległy się dźwięki cygańskiej muzyki. Nika w ponurym milczeniu weszła za zwycięzcą na górę, a kiedy u szczytu trapu powitał ich kelner z tacą zastawioną szklaneczkami z wódką, w dalszym ciągu bez słowa sięgnęła po jedną i wychyliła do dna. „Ekstramocny" uniósł kciuk do góry w geście uznania. Wiedziała, że popełnia głupstwo, ale wypiła jeszcze drugą.

W czasie gdy gospodarz wydawał polecenia załodze, alkohol zaczął działać: uczucie strachu i upokorzenia zniknęło bez śladu. Przywitała powracającego mężczyznę obiecującym uśmieszkiem i powolnymi ruchami rozpinając bluzkę, zaproponowała:

– Skoro tak pan się lubi ścigać, to przekonajmy się, kto pierwszy dopłynie do tamtej łodzi! – Wskazała jacht majaczący w mroku, mniej więcej w odległości stu metrów.

Nie wahał się nawet przez moment.

– Ale wygrywający zgarnia całą pulę? – upewnił się tylko.

Przytaknęła i nie zwracając uwagi na kręcących się po pokładzie ludzi, zaczęła ściągać ubranie. Natychmiast poszedł w jej ślady. Kilka sekund – i naga dziewczyna odbiła od burty stateczku. Po chwili zniknęła w ciemności... Skoczył za nią, silnymi ramionami zagarniając wodę. Wiedział, że i tym razem będzie pierwszy! A nagroda zapowiadała się kusząco.

Po mniej więcej minucie znalazł się przy jachcie. Nika, oczywiście, jeszcze nie dotarła do celu, ale w wodzie też jej nie było. Przez chwilę rozglądał się dookoła, a wreszcie zaniepokojony krzyknął:

– Halo! Halo! Gdzie pani jest?!

Odpowiedziała mu cisza. Opłynął łódź, znów nawoływał, a wreszcie zrezygnowany zawrócił do brzegu.

Andrzej i Korn dotarli nad Zalew, kiedy poszukiwania były w pełnym toku. Ktoś proponował, żeby zawiadomić milicję, inny, żeby reflektorami samochodów oświetlić powierzchnię wody. Talar, pełen poczucia winy i autentycznego lęku, pobiegł do swojego fiata, otworzył drzwiczki i... zdębiał! Na tylnym siedzeniu, niezdarnie naciągając na siebie koc, kuliła się Nika. Ociekająca wodą szczękała zębami, nie wiadomo z zimna czy ze zdenerwowania, i powtarzała w kółko:

– Nienawidzę! Nienawidzę was wszystkich! Całego tego stada mutantów! Siebie też nienawidzę!

Szczelniej otulił ją pledem i spytał:

– Za co?

– Że nie mam odwagi powiedzieć wam tego w oczy! – Pociągnęła nosem. – Pójdziesz mnie wydać, tak?

– Dlaczego pani... dlaczego tak sądzisz?

Nawet w takiej chwili nie mogła powstrzymać się od agresji.

– Mężczyzna z zasadami i krzyżem zasługi zawsze będzie trzymał ze stadem!

Z politowaniem pokiwał głową. Zachowywała się niczym rozkapryszone dziecko, jakby nie rozumiała, że zwykła przyzwoitość nakazuje poinformować zaniepokojonych gości, że nic się jej nie stało. Wrócił na statek, pozbierał z pokładu porozrzucane ciuszki, zamienił słowo z Kuźniakiem i Kornem, po czym opuścił przyjęcie.

Całą drogę do Warszawy Nika przespała głębokim snem. Nie obudziła się, kiedy przeszukiwał jej rzeczy, by sprawdzić, gdzie mieszka, ani gdy hamował przed domem na Brzozowej. Z trudem wytaszczył nieprzytomną dziewczynę z samochodu i oparł o maskę. Tyle miał kłopotu, żeby utrzymać bezwładne ciało w pionie, że nie zauważył, jak na najwyższym piętrze ktoś wychylił się z okna. Andrzej z całej siły potrząsnął Nikę za ramiona i odetchnął z ulgą, kiedy nareszcie otworzyła oczy.

– Chodź, odprowadzę cię do mieszkania – powiedział obejmując ją wpół.

W tym momencie na uliczkę wybiegła postawnie zbudowana dziewczyna. Andrzej usiłował przytrzymać Nikę, ale nieznajoma pociągnęła ją ku sobie.

– Odpieprz się od niej! – Zauważyła widać osłupienie Andrzeja, bo rzuciła przez ramię: – Jestem Meta, przyjaciółka Niki. Myślałeś, że jak ją spijesz, to będzie łatwiejsza?

★

Kiedy Wrotek usłyszał o mającym się odbyć w Amsterdamie meczu eliminacyjnym do Mistrzostw Europy między reprezentacjami Polski i Holandii, od razu wiedział, że to okazja, na którą tak długo czekał. Bez pukania wtargnął do gabinetu Bednarskiego.

– Masz pojęcie, co to będzie za materiał? – przekonywał z entuzjazmem.

– Mecz jak mecz... – Bednarskiego futbol specjalnie nie pasjonował.

– Nie rozumiesz? Po srebrnym medalu w Monachium piłka nożna to nie tylko sport, ale reklama władzy! – Uchwycił nagłe zainteresowanie we wzroku dyrektora.

– Nie chcę wcale robić filmu o kopaniu piłki! To

będzie o ludziach sukcesu, ich rodzinach, o ich patriotyzmie...

To były argumenty, które przemawiały do wyobraźni Bednarskiego. Z uznaniem poklepał po plecach krnąbrnego do tej pory reżysera i zdecydował:

– W porządku. Wyślemy cię. I cieszę się, że nareszcie zrozumiałeś, co się teraz liczy!

Po kilku dniach Mundek odebrał w sekretariacie służbowy paszport i bilety. Natychmiast zadzwonił na lotnisko, do Haliny.

– Posłuchaj, czy za dwa tygodnie, we wtorek, masz dyżur?

– Piętnastego? – zastanowiła się. – Nie, mam wolne.

– To się z kimś zamień!

– Ale dlaczego?

– W domu ci wyjaśnię, a teraz zrób, co mówię! – Odłożył słuchawkę.

Omijając porozrzucane po całej hali arkusze blachy, Talar szybkim krokiem szedł w kierunku zgromadzonych pośrodku robotników. Rozsunął ich i spojrzał na podłogę: ślady nie zakrzepłej krwi świadczyły, że przed chwilą musiało dojść tu do tragedii.

– Kto? – zapytał krótko.

– Brysiak – powiedział jeden z frezerów. – Zginął na miejscu.

– A mówiłem, że to się tak musi skończyć! – Andrzej wprost krztusił się z bezsilnej złości. – Ale winnego nie trzeba będzie długo szukać! – popatrzył wymownie na zbliżającego się Kuźniaka. – Ja o tym ostrzegałem w raporcie!

Dyrektor gwałtownie zamachał rękami.

– Nie ma żadnego raportu i nigdy nie było! – Odciągnął Talara na bok i powiedział z naciskiem: – Po co ty mącisz? Wypadki wszędzie się zdarzają...

– Ale tego można było uniknąć!

Wiadomość o śmierci Brysiaka lotem błyskawicy rozeszła się po zakładzie. Gromadziło się coraz więcej osób. W tłumie mignęła Andrzejowi przejęta twarz Dominiki. Wszyscy byli zdenerwowani do ostateczności, tak że wystarczyło jedno nierozważne słowo i mógł nastąpić wybuch. Kuźniak w pełni zdawał sobie z tego sprawę i dlatego musiał uspokoić rozjuszonego inżyniera.

– Wiem, że to straszna tragedia, ale cóż... – bezradnie rozłożył ręce – stało się.

– I tak właśnie wytłumaczysz to tym wszystkim ludziom?!

– No... powie się, że był pijany... – bąknął.

– Co?! – Talar nie wierzył własnym uszom. – Kto to wymyślił?!

– Ja. A bo co? – dobiegł go z tyłu głos „Ekstramocnego".

Andrzej odwrócił się na pięcie, a kiedy ujrzał ironiczny uśmieszek na twarzy mężczyzny, stracił panowanie – zaciśnięta pięść wylądowała prosto na szczęce tamtego.

Przerażony Kuźniak złapał go za rękę.

– Oszalałeś?! Za co?!

– Za całokształt! – odwinął się i przyłożył po raz drugi.

– Wylecisz za to z roboty! – usłyszał wściekły wrzask.

W ciszy, która nagle zapadła w hali, rozległy się powolne, pojedyncze brawa. Wszystkie głowy zwróciły się w tamtą stronę. Wyzywająco spoglądając na obu przedstawicieli kierownictwa, Dominika klaskała w dłonie.

– Ty też już tu nie pracujesz! – ryknął „Ekstramocny" i wypadł na dziedziniec. Kuźniak potulnie podreptał za nim.

– A jakby on tak towarzysza przeprosił? – zaczął pojednawczo. Mimo kłopotów, jakich mu Talar przysparzał, wcale nie miał ochoty tracić takiego dobrego fachowca. – To narwaniec, ale jeden z najlepszych specjalistów w kraju. Nawet Włosi chcieli go ściągnąć do siebie Dyrektor nie odpowiadał. Kiedy weszli do jego gabinetu, usiadł przy biurku i w milczeniu bębnił palcami po blacie. Łatwo wpadał w złość, ale gniew szybko mijał. Właściwie inżynierek nawet mu zaimponował. Niewielu było ludzi, którzy nie bacząc na pozycję ojca, ośmielali się przeciwstawić jego synowi. No cóż, chyba nieźle byłoby mieć kogoś takiego w swojej drużynie – zdecydował i wyciągnął z szuflady urzędowy blankiet. Wypełnił go i podał Kuźniakowi.

– Jak jest taki świetny, to daj mu to ode mnie. Niech zna pana...

– Po tym wszystkim asygnata na samochód?! – Kuźniak ze zdumienia szeroko otworzył oczy. Był zaskoczony, ale gorliwie przytaknął tej decyzji. Jeśli dzięki temu papierkowi uda mu się zatrzymać inżyniera, przynajmniej jeden kłopot będzie miał z głowy. Niemal wyrwał z rąk „Ekstramocnego" jasnozielony blankiet asygnaty i pobiegł szukać Talara. Talon nie wywarł jednak na Andrzeju oczekiwanego wrażenia. Z lekceważeniem podarł go na strzępy, a jako warunek powrotu postawił omówienie na najbliższej operatywce raportu w sprawie bezpieczeństwa pracy. Kuźniak nie miał wyjścia. Musiał się zgodzić.

Kiedy Talar wychodząc z fabryki znalazł zatkniętą za wycieraczką fiata kartkę z napisem: „Byłemu Symetrycznemu – była pracownica FSO", uśmiechnął się mimo woli. Dziewczyna nieustannie go prowokowała, drażniła, wyśmiewała, powinien więc unikać jej jak ognia, tymczasem – choć za nic by się nie przyznał – zależało mu na tym, by nie zostawiła go w spokoju. Gdy chował do kieszeni tę kartkę, poczuł na ramieniu czyjąś rękę. Odwrócił się i dostrzegł wbite w siebie zmrużone ironicznie oczy Niki.

– Masz teraz czas, panie Symetryczny? – spytała.

Wiedział, że powinien zaprzeczyć, ale zawiózł ją na Brzozową i czekał cierpliwie przy filiżance kawy, podczas gdy pakowała do toreb niezliczone pędzle i wyciągała kubły z farbami. Zniósł to wszystko do samochodu i upchał jakoś w bagażniku i na siedzeniu. Późnym wieczorem znaleźli się przed szczytową ścianą trzypiętrowego budynku z nie dokończoną reklamą totolotka.

– Do rana muszę skończyć tę chałturę – oświadczyła pogodnie, taszcząc wiadro na rusztowanie. – No, nie stój tak, pomóż!

Kiedy wnieśli materiały na wysokość drugiego piętra, Nika zarządziła odpoczynek. Przysiedli na platformie i po raz pierwszy normalnie rozmawiali, jedząc kanapki, które wyciągnęła z koszyka.

– Dzisiaj naprawdę mi zaimponowałeś.

– Niepotrzebnie biłaś brawo. Nie straciłabyś pracy.

– Daj spokój! – Wcale nie wyglądała na zmartwioną. – To i tak miało być tymczasowe zajęcie. Moje prawdziwe życie to malarstwo abstrakcyjne.

– Jak to? – wskazał reklamę na pozbawionym okien murze.

– Te parę nocy na rusztowaniu zapewni mi trzy miesiące wolności. Będę mogła robić, co chcę, więc chyba warto.

– Zgrabnie, niczym cyrkówka, podciągnęła się na rusztowaniu i sięgnęła po pędzel. – Twój akumulator w porządku? – Miał taką głupią minę, że wybuchnęła śmiechem. – Nie mogę przecież malować po ciemku, ktoś musi mi oświetlić ścianę.

Z dołu obserwował, jak pracowała. Kiedy w pewnej chwili spojrzał na zegarek, przeraził się – dochodziła trzecia! „Ewa pewnie umiera z niepokoju" – pomyślał, ogarnięty nagłymi wyrzutami sumienia. Szybko podszedł do stojącej niedaleko budki telefonicznej i wykręcił swój numer. Niemal natychmiast usłyszał głos żony:

– Nareszcie! Na litość boską, co się stało?!

– Wóz mi nawalił... Tryb atakujący w dyferencjale poszedł.

– Niech diabli porwą dyferencjał! Złap taksówkę i wracaj!

– Nie, nie... Poczekam na pomoc drogową... – Nie chciał przedłużać tej rozmowy, tym bardziej że za szybą zobaczył utkwione w siebie oczy Niki. Odłożył słuchawkę.

– Dzwoniłeś do domciu? Co powiedziałeś żonie? Jednak zanim odpowiesz, pamiętaj, że skala kłamstwa określa indywidualność mężczyzny. No więc co to było? Przeciągnęło się zebranie? Nie, to nawet jak na ciebie zbyt banalne! Nagła awaria w fabryce? A może kumpel z woja?

– Chciała go zranić i prawie się jej udało.

– Przestań!

– Aaa, pewnie nawalił samochód?

– Zgadłaś – przyznał ponuro.

Ruszyły już pierwsze tramwaje, kiedy wrócili na Brzozową. Dziewczyna zgarnęła swoje rzeczy, ale gdy Andrzej chciał wysiąść, powstrzymała go:

– A ty dokąd się wybierasz?

– Myślałem...

– To źle myślałeś! – Ruszyła w stronę domu.

– Spotkamy się jeszcze? – zawołał za nią.

Przystanęła i rzuciła przez ramię:

– Nie wystarczy ci jedno kłamstwo?

Poprzysiągł sobie raz na zawsze wykreślić pannę Frej ze swojego życia! Nie miał ochoty dłużej znosić jej humorów i złośliwości, zresztą był przecież szczęśliwym mężem i ojcem. Nika jednak nie należała do osób, o których można łatwo zapomnieć. Pewnego dnia wychodząc z fabryki zobaczył przy swoim samochodzie grupkę zanoszących się śmiechem robotników. Po kilku krokach przekonał się, co było powodem ich rozbawienia. Całą maskę fiata pokrywały najróżniejsze malowidła: po bokach wielkie, mieniące się wszystkimi kolorami motyle, czerwone serca przebite strzałą, a na dachu ogromny napis: MAKE LOVE.

Czerwony ze wstydu wyjechał na ulicę. Wiedział, że na Złotej spotka się z podobną reakcją sąsiadów.

Wieczorem zadzwonił do drzwi Dominiki. Chciał jej powiedzieć, co myśli o podobnych dowcipach. Nie dość, że ośmieszyła go przed ludźmi, to jeszcze naraziła na podejrzliwe pytania Ewy: kto i dlaczego chce z nim uprawiać miłość. Nacisnął przycisk raz i drugi, ale nikt nie otwierał. Już miał odejść, kiedy z sąsiedniego mieszkania wyjrzała Meta. Spojrzała podejrzliwie na Andrzeja i nie pytana poinformowała:

– Niepotrzebnie pan się fatygował. Jej nie ma i długo nie będzie.

– Ale gdzie jest? – Niespodziewanie poczuł lęk, że mógłby już nigdy nie zobaczyć Niki.

– Gdzieś w plenerze... Jak to malarka... – Meta nawet nie usiłowała ukryć niechęci do natręta.

– Ciociu, to już prawie cztery miesiące, jak Beaty nie ma w domu – Stroynowska nerwowo krążyła po maleńkiej klasztornej celi. – Gdzie mam jej szukać?

Zakonnica popatrzyła na siostrzenicę z powagą.

– I cóż z tego, jeśli ją nawet odnajdziesz? Nie zagubionego szukaj, a jego pogubionych myśli. Dopiero wtedy odnajdziesz córkę naprawdę.

Martyna jakby nie słyszała.

– Gdzie ona może być? – powtarzała w kółko. – Ona przecież oprócz cioci i nas nie ma nikogo.

– Mylisz się, moja droga – łagodnie napomniała Wiktoria. – Ona ma jeszcze Boga. I Bóg jej nie zostawi samej. W parę chwil później pożegnały się. Zakonnica podeszła do okna i odprowadzała siostrzenicę wzrokiem. „Czy dobrze postąpiłam, Panie?" – zastanawiała się. Chociaż szczerze współczuła zatroskanej matce, przemilczała, że Beata zjawiła się u niej tuż po ucieczce z domu. Była tak roztrzęsiona, że niewiele można było dowiedzieć się od niej poza tym, że nie wróci do żadnego z rodziców. Wreszcie, po rozmowie z matką przełożoną, siostra Wiktoria postanowiła, że najlepiej będzie, jeśli dziewczyna odpocznie przez jakiś czas od domowych problemów. Zaopatrzyła ją w niewielką sumkę oraz list polecający do swojej przyjaciółki z zakonu elżbietanek w Zakopanem. Prosiła o opiekę nad cioteczną wnuczką i pomoc w znalezieniu pracy. „Tak, to była słuszna decyzja" – podsumowała teraz. Wiedziała z telefonów siostry Hortensji, że Beatka doskonale się zaaklimatyzowała na Podhalu i powoli odzyskuje spokój ducha.

Andrzej apatycznie gapił się w rozłożoną na kolanach gazetę. Pochłonięty myślami, ledwo rejestrował dobiegające z kuchni hałasy, gdzie Ewa z chłopcami kończyła przygotowania do imieninowego przyjęcia. Nie był w nastroju do przyjmowania życzeń i bawienia gości. Ciągle jeszcze przeżywał swoje ostatnie spotkanie z Dominiką. Przez cały sierpień i wrzesień od czasu do czasu pojawiał się wieczorami przed jej domem, ale okna zawsze były ciemne. I wreszcie, na początku października – światło! Bez namysłu wbiegł na górę. Kiedy usłyszał dźwięk dzwonka, przeraził się – musiał chyba zwariować! A potem... potem znalazł się w świecie, jakiego istnienia nawet nie podejrzewał: w pokoju poza adapterem, niskim łóżkiem i obrazami właściwie nie było niczego. Hinduska muzyka, drażniący zapach kadzidełek, zapalone świece – wszystko to sprawiało dosyć niesamowite wrażenie. Nika przyjęła go, jakby był od dawna oczekiwanym gościem. Z błyszczącymi oczami wyciągnęła rękę i zaprosiła do wspólnego tańca. Zmysłowo kołysała biodrami, okrążając go wokół, cały czas szepcząc, że muzyka jest czymś transcendentalnym i przez nią będzie mógł się dowiedzieć, czym jest prawdziwa wolność. Wydało mu się to raczej idiotyczne, ale kiedy w pewnym momencie dodała, że muzyka przenika w człowieka tylko wtedy, gdy jest on nagi, i w ślad za tym oświadczeniem zaczęła się rozbierać, nerwowo przełknął ślinę. Później palce Niki powędrowały do guzików jego koszuli, odpięła jeden, drugi, trzeci... Wtedy stracił panowanie nad sobą – porwał dziewczynę w ramiona i obsypał pocałunkami.

I to był koniec bajki. Dominika gwałtownie odepchnęła go od siebie krzycząc, że wszystko zepsuł, że ma wracać do żony, a po drodze niech wymyśli dla niej jakieś nowe kłamstwo, w czym ma przecież ogromną wprawę, i że powinien się nauczyć trzymać swoje żądze jak psy na uwięzi. Nie został jej dłużny! Usłyszała, że on jest normalnym mężczyzną, a ona wariatką, która zbyt wiele naczytała się o hipisach, i że mimo pseudofilozoficznego bełkotu o wolności naprawdę chce chłopa, ślubu i bachora!

– Czemu siedzisz po ciemku? Źle się czujesz? – zaniepokoiła się Ewa, stając w progu.

– Nic mi nie jest – mruknął.

– To chodź do nas, będziemy wróżyć z wosku – uśmiechnęła się porozumiewawczo do męża. – Nigdy nie zapomnę, co się wydarzyło po naszych pierwszych Andrzejkach, a ty?
– Nie mógłbym, co roku mi o tym przypominasz.
– Niechętnie dźwignął się z fotela i poszedł do kuchni.

Halina w eleganckiej, wyjściowej sukni, choć ciągle jeszcze w lokówkach na głowie, pakowała butelkę pliski przeznaczoną na prezent imieninowy dla Andrzeja.
– A może byłoby poręczniej kupić mu krawat? Jak sądzisz, Mundi?
Nie odpowiedział, zajęty wyłapywaniem na skali radia odpowiedniej fali. Kolega z wytwórni powiedział, że od wczoraj „Wolna Europa" mniej więcej co godzina podaje informację, że telewizja RFN pokazała autentyczny film dokumentujący przebieg wydarzeń grudniowych. Jeśli jest to prawda, jego trud nie poszedł na marne! Do tej pory oblewał się potem, kiedy przypominał sobie wyjazd do Amsterdamu. Chociaż Halina wzięła wtedy dyżur, nie dostrzegł jej na żadnym stanowisku. Potem dowiedział się, że niespodziewanie wezwano ją do osobistej kontroli pasażerki przemycającej dolary. Musiał więc podejść do najbliższego wolnego celnika. Kiedy usłyszał: „Proszę otworzyć bagaże", wprost zdrętwiał ze strachu. Przez chwilę gmerał nieporadnie przy zamku torby. Oczami duszy widział już siebie w celi na Rakowieckiej, gdy w sali odpraw pojawili się piłkarze prowadzeni przez trenera Górskiego. Błyskawicznie skierował kamerę najpierw na reprezentację Polski, a potem na celnika. „Idź pan do nich – zawołał – i podnieś kciuk do góry, bo chyba życzysz zwycięstwa naszym? Tym

filmem do końca życia będzie się pan mógł dzieciom i wnukom chwalić!" Rozpromieniony celnik ustawił się do zdjęcia, a potem powiedział do Mundka: „Może pan przechodzić".

Teraz cała ta historia wyglądała nawet zabawnie, ale wtedy nie było mu do śmiechu. Jeśliby to wszystko miało pójść na marne, nigdy nie darowałby sobie własnej głupoty. Jeszcze raz pokręcił gałką odbiornika i wreszcie przez zagłuszające trzaski wyłapał kobiecy głos, który informował, że w dniu wczorajszym telewizje wielu europejskich krajów emitowały film anonimowego autora, ukazujący prawdziwy obraz dramatycznych wydarzeń w Polsce w Grudniu siedemdziesiątego roku. Nareszcie może spokojnie przejrzeć się w lustrze: chociaż minęło parę lat, dotrzymał danego słowa!

Imieninowe przyjęcie było w pełnym toku, kiedy Ewa odwołała męża do telefonu:

– Do ciebie. Jakaś kobieta...

– Talar, słucham? – rzucił do aparatu.

– Myślałeś o mnie? – usłyszał lekko zachrypnięty głos Dominiki.

Po dłuższej chwili zdobył się na krótką odpowiedź.

– Tak.

– To wróć!

– Czy coś się stało?

– Wszystko, co ma się stać, dopiero się stanie! – Dziewczyna najwyraźniej była bardzo zdenerwowana. – Proszę cię, wróć! Wróć natychmiast! I wiedz, że tym razem to ja na ciebie czekam. – Odłożyła słuchawkę.

Przez dłuższą chwilę stał w milczeniu, lecz kiedy żona zajrzała do przedpokoju, powiedział:

– Przykro mi, ale muszę wyjść. Dzwoniła sekretarka starego. Awaria na linii „Ricambi".

– Przecież dzisiaj są twoje imieniny! – Ewa nie kryła rozżalenia.

Pełen poczucia winy, bezradnie rozłożył ręce, bo kolejne, trzecie już kłamstwo związane z Niką nie chciało mu przejść przez gardło. Przepraszająco cmoknął żonę w policzek.

Tuż za drzwiami dogonił go Wrotek.

– Pamiętasz naszą kłótnię o taśmy z Grudnia?

– No, tak.

– A jak mnie odwoziłeś na lotnisko przed meczem w Amsterdamie?

– Jasne.

– To lepiej, żebyś zapomniał – Mundek konspiracyjnie nachylił się do ucha Andrzeja. – Jakby cię o to pytali – od dawna cierpisz na ostry przypadek sklerozy.

– W porządku. – Pewnie powinien zapytać, co się stało, ale nie miał w tej chwili głowy do problemów przyjaciela. Zbiegł po schodach.

Odurzeni i jakby zaskoczeni siłą wzajemnego pożądania, tulili się do siebie w ciemności.

– To... to było po prostu piękne... – drżącym głosem wyznała dziewczyna. – Po raz pierwszy przegrałam wielką bitwę.

– A może wygraliśmy ją oboje? – Andrzej z czułością dotknął spierzchniętych od pocałunków ust Dominiki.

– Nigdy nie wiem, czy gonię, czy uciekam – poskarżyła się cicho.

– Już teraz nigdzie mi nie uciekniesz. – Sięgnął do kontaktu stojącej na podłodze obok łóżka lampki nocnej.

Z zachwytem wpatrywał się w łagodne łuki bioder, prężne piersi zakończone ciemnymi brodawkami, ciągle nie mogąc uwierzyć, że to piękne ciało przed sekundą należało do niego. Nagle przypomniała mu się ich ostatnia kłótnia i nie mógł się powstrzymać od lekkiej kpiny:

– Może się mylę, ale wydawało mi się, że ktoś kiedyś mówił, że żądze to psy, które najlepiej trzymać na uwięzi? Co teraz się z nimi stało?

Uniosła do góry ręce w geście kapitulacji.

– Wiesz, co się stało? Ni mniej, ni więcej, tylko psy pożarły swego pana!

Dni kradzionej miłości

Tego roku piłkarska gorączka opanowała dosłownie wszystkich. Udział polskiej drużyny w Mistrzostwach Świata 1974 stał się sprawą narodową najwyższej wagi, a stopień zaangażowania się społeczeństwa w tę sprawę miarą patriotyzmu. Umiejętne podgrzewanie atmosfery wokół tego wydarzenia sprawiło, że zwycięska jedenastka z Wembley zyskała status zbiorowego bohatera, a triumfy polskich piłkarzy z powodzeniem rekompensowały niedostatek osiągnięć w innych dziedzinach życia i leczyły pogłębiającą się frustrację. Na podwórkach szalały zastępy Szarmachów, Deynów i Tomaszewskich, młodociani zaś naśladowcy niezmordowanego Jana Ciszewskiego śnili sny o karierze sprawozdawcy sportowego. Piłkarski szał nie ominął również domu przy Złotej.

– Koniec z tym! – Prokop wkroczył w sam środek toczącej się na podwórku gry i próbował schwycić kozłującą piłkę. – Ja ją biorę w depozyt!

Nie zdążył jednak spełnić groźby, ponieważ Kajtek Talar okazał się szybszy i zręcznym zwodem wyprowadził piłkę ze strefy zagrożenia. Mecz potoczył się dalej bez przeszkód, bo ku radości zarówno zawodników, jak kibiców w osobach Bawolika i Henia Lermaszewskiego do Prokopa przyszedł jakiś gość i odciągnął go na bok. Za chwilę zaś bez większych ceregieli ujął Prokopa pod ramię i poprowadził do służbówki.

265

– O co chodzi? – cieć był trochę przestraszony.

– O pańskiego lokatora – mężczyzna pokazał legitymację, a potem nie pytając, czy można, zasunął firanki w oknie. – Co pan ciekawego może powiedzieć o obywatelu Wrotku? – zasiadł przy stole i wskazał Prokopowi miejsce obok siebie. – Coś się może w jego życiu zmieniło? Chodzi o standard – wyjaśnił. – Może jakieś luksusowe śmieci pan zauważył?

Dozorca odchrząknął. W końcu kapitan Pazurek miał prawo wiedzieć, co się dzieje w kamienicy przy Złotej 25. Dzielił się właśnie swoimi spostrzeżeniami z przedstawicielem służb specjalnych, kiedy rozległ się brzęk tłuczonego szkła i do stróżówki przez wybite okno z impetem wpadła piłka.

– Ja ich chyba zabiję! – wrzasnął zdenerwowany. – Sam pan widzi, jaki tu element mieszka!

Pazurek poklepał go po ramieniu, podziękował za współpracę i zniknął, Prokop zaś wybiegł rozsierdzony na podwórze. Zaniepokojona jego wrzaskami Ewa wyjrzała przez okno.

– Andrzej! Chłopcy chyba szybę wybili! Zejdź tam.

Andrzej, zajęty pakowaniem podróżnej torby, puścił mimo uszu prośbę żony. W zasadzie był już gotowy do wyjścia, ale jeszcze raz sprawdził w lustrze swój wygląd, poprawił krawat, przyczesał włosy i na koniec przetarł szmatką nowe, lśniące półbuty.

– Czy koniecznie musisz wyjeżdżać akurat na niedzielę? – Ewa uważnie obserwowała niecodzienne zachowanie męża. Był zniecierpliwiony i napięty. Kładła to na karb przepracowania i coraz to nowych zadań, które raz po raz na niego spadały.

– Ile razy mam ci powtarzać, że jest u nas „Rok wysokiej jakości" i że muszę sprawdzać kooperantów?

– tłumaczył podniesionym głosem, nie patrząc przy tym żonie w oczy jak każdy, kto nie lubi i nie umie kłamać. Mówił coś o łożyskach i o Świdniku, i o tym, że postara się wrócić jak najszybciej, ale tak naprawdę chciał już być za drzwiami i nie musieć opowiadać tych wszystkich bredni.

– Tylko ta praca i praca... – westchnęła Ewa, wciskając mu kanapki na drogę. – Czy po to ludzie są razem...?

To ostatnie zdanie dźwięczało mu jeszcze w uszach, kiedy mknął swoim fiatem wśród malowniczych pól i lasów na spotkanie z Niką. Od pewnego czasu pracowała przy remoncie starego wiejskiego kościółka, co bardzo utrudniało im spotkania, ale za to, ilekroć udało im się być razem, było to prawdziwe święto dla obojga.

Zaparkował samochód opodal kościoła i po cichu wszedł do środka. W półmroku nie dostrzegł nikogo na rusztowaniach. Zaczął się więc skradać wzdłuż bocznej nawy prawie pewny, że dziewczyna skryła się za najbliższym filarem i że tam ją znajdzie... Zarzuciła mu ręce na szyję, kiedy mijał ów filar, szczęśliwa jak dziecko, któremu udało się sprawić niespodziankę dorosłemu. Przyciągnął ją do siebie i wręczył bukiet polnych maków zebranych po drodze. Roześmiała się i podała mu identyczny. Wpatrywali się w siebie roziskrzonym wzrokiem, uszczęśliwieni, że tym drobnym gestem potwierdzili wzajemne uczucia.

– Brakowało mi ciebie w Warszawie... – szepnął Andrzej.

– A mnie ciebie w życiu! – powiedziała na wpół zalotnie, na wpół przekornie jak ktoś, kto wstydzi się lub boi poważnych wyznań.

– Ciekawe, czym sobie na to zasłużył ten polny dzięcioł? – niespodziewanie odezwał się gdzieś z góry kobiecy głos.

Nika podniosła głowę wypatrując Mety na rusztowaniu.

– W tych czasach, kiedy wszyscy są gorsi, niż o sobie myślą, on okazał się lepszy – powiedziała ni to do przyjaciółki, ni to do Andrzeja. – Na dziś mam dość... – oświadczyła nagle, rozprostowując plecy, po czym zaczęła wrzucać pędzle do kubełka i porządkować porozstawiane wszędzie farby.

– Dlaczego tyle pracujesz? Czy po to ludzie są razem? – Andrzej bezwiednie przytoczył retoryczne pytanie żony. Jednak w przeciwieństwie do Ewy uzyskał na nie odpowiedź lakoniczną, bo lakoniczną, ale zawsze...

– Bo muszę.

– Zawsze się mądrzyłaś, że artysta jest wolny – próbował żartować, ale czuł, że za tą wymijającą odpowiedzią kryje się coś poważnego.

Pozbierała jakieś szmaty i butelki i oddalając się z całym tym majdanem w stronę wyjścia, rzuciła:

– Najpierw trzeba być człowiekiem... A dopiero potem artystą.

Nie zrozumiał, co właściwie chciała przez to powiedzieć. Meta z politowaniem pokiwała głową:

– Ty smętny matole! Wlazłeś w jej życie, a nic o niej nie wiesz! Choćby tego, że Nika płaci za mieszkanie matki i że w końcu musi ją wziąć do siebie.

– Mówiła przecież, że matka jest z ojczymem. Że rozwiodła się dla niego... że to wielka miłość...

Metę zaczynał irytować ten polny dzięcioł. Właściwie nic przeciwko niemu nie miała, lubiła go nawet, ale ta jego naiwność była czasami nie do wytrzymania.

– Nie wiesz, że jak dwie osoby kochają się z wzajemnością, to nie może się dobrze skończyć? – pouczała jak stara doświadczona kobieta. – Ten ojczym to beznadziejny alkoholik. Bije jej matkę przynajmniej raz w tygodniu – zniżyła głos jakby w obawie, że Dominika usłyszy, o czym mówią. – Tak, tak, drogi inżynierze Romeo, za czyjąś miłość zawsze ktoś płaci.

Andrzej poczuł się nieswojo, nie był pewny, kogo tak naprawdę Meta ma na myśli opowiadając to wszystko, ale ona nie zwracała uwagi na jego zakłopotanie i korzystała z okazji, by mu uświadomić to, o czym dawno powinien wiedzieć:

– Kiedy jej matce odbiło na tle bruneta w randze kapitana żeglugi wielkiej, to na wiele lat zapomniała o córeczce...

– Nigdy mi o tym nie mówiła...

Meta uśmiechnęła się ironicznie.

– Jako oficer postępu technicznego zdobądź się na niebagatelny dla ciebie wysiłek i spróbuj pomyśleć, skąd Nika ma takie kompleksy? – Głupia mina Andrzeja i zdziwiony wzrok potwierdzały przypuszczenia dziewczyny, że ten pszenno-buraczany amant nie odkrył jeszcze, na czym polega główny problem Niki. – Że nie jest warta miłości! – westchnęła trochę teatralnie, a potem dodała już całkiem poważnie: – Takie fortece bronią się do upadłego przed zdobywcami, ale kiedy już się poddadzą – jest to kapitulacja bezwarunkowa! Nawet wobec takiego mutanta jak ty!

Nie bardzo wiedział, jak zareagować, więc obrócił wszystko w żart. Umoczył palce w kropielnicy i spryskując Metę wodą święconą, wypowiedział uroczyste słowa:

– Wybaczam ci, córko, bo sama nie wiesz, co mówisz...

– W głębi duszy jednak odczuwał niepokój. Szczęście, zawrót głowy, ekstrawaganckie eskapady, dziwny świat Niki wolny od codzienności, która od lat trawiła jego własne życie, to musi mieć swoją cenę...

Te wszystkie myśli kołatały mu po głowie, kiedy wychodził z kościoła. Tuż za jego progiem zastąpiła mu drogę Nika.

– Gdzie jesteś w tej chwili? – zapytała patrząc mu badawczo w oczy. – Na zebraniu w fabryce czy w delegacji?

– Akurat teraz muszę ci odpowiedzieć?

Chwycił ją w ramiona i zaczął całować tak namiętnie, jakby pragnął udowodnić i jej, i sobie, że poza ich miłością nie istnieje nikt i nic. Nika równie gorąco oddawała mu pocałunki.

– Co wy robicie, grzesznicy, ofiary występnej miłości? Tu, koło kościoła i plebanii?! Na oczach sługi bożego?

– Meta żartowała, ale tak naprawdę bała się, że jeśli kochanków przyłapie proboszcz, obie, ona i Nika, stracą u niego pracę.

– Lepiej grzeszyć i potem żałować, niż żałować, że się nie grzeszyło! – oświadczyła Nika i chwyciwszy Andrzeja za rękę pobiegła z nim do swego pokoiku.

Meta niejedną godzinę spędziła na schodach werandki, paląc papierosa za papierosem.

Wrotek należał do tych mężczyzn, którzy są przekonani, że nieuchronny dla innych proces starzenia się ich nie dotyczy i że w dalszym ciągu przyciągają kobiety jak magnes. „Teksty" przystojnego podrywacza, które przed laty pobrzmiewały jak przywołujący łanie ryk byka na rykowisku, teraz były jedynie wytartymi frazesami. Ilekroć na horyzoncie pojawiała się kobieta w wieku „jeszcze do wzięcia", Mundek zapominał o siwiejącej głowie i tracącej młodzieńcze kształty figurze i zachowywał się jak kogut.

– Wiesz, na czym polega moja tragedia? – tokował na korytarzu wytwórni filmowej, bezwstydnie wykorzystując wyraźną słabość, jaką Luśka z archiwum od dawna do niego miała. – Spodobały mi się biodra Haliny, a wziąłem ją całą. Ślub i pobór do wojska to formy pozbawienia wolności, za które nie ma sankcji – westchnął.

Uśmiechnęła się zalotnie.

– Zawsze jest szansa... Rozwód.

– Mam coś lepszego! – zawołał. – Prawdziwy mężczyzna powinien mieć dwie żony! Jedną od przyszywania guzików – ściszył głos i zajrzał dziewczynie głęboko w oczy.

– Drugą do miłości! Chcesz być tą drugą – to idę na to! Luśka poczuła się nieswojo pod jego spojrzeniem. I chociaż wiedziała, że to tylko gra, odpowiedziała poważnie:

– Nie wiesz, że prawdziwa kobieta chce być dla prawdziwego mężczyzny i jedną, i drugą równocześnie?

W lot pojął, że przekroczyli cieniutką granicę między poważnym zauroczeniem a wygłupem, i żeby to zatuszować, obrócił całą sprawę w żart:

– Na litość boską! Kiedy kobietom wreszcie zaskoczy, że jednej kochać bez przerwy nie sposób? Nawet w operze są antrakty!

Lusia błyskawicznie podjęła żartobliwy ton i wymykając się pod ramieniem Wrotka, powiedziała na odchodnym:

– To poszukaj mnie, jak już tę operę zdejmą z afisza!

Uśmiechnął się do siebie i przez chwilę z przyjemnością przyglądał się sylwetce oddalającej się korytarzem dziewczyny.

Gdyby mniej był zajęty podziwianiem zgrabnych bioder Luśki, z pewnością zwróciłby uwagę, że księgowa, która zawsze wylewnie się z nim witała, mijając go teraz na korytarzu ledwo mu się odkłoniła, przyspieszyła kroku i szybko zniknęła za drzwiami gabinetu Bednarskiego.

– Przepraszam, że tak długo to trwało, ale musiałam grzebać w zeszłorocznej dokumentacji. – Lekko drżącymi rękami podała dyrektorowi jakieś papiery. – Tu jest zlecenie wyjazdu pana Wrotka. – Rzuciła wylęknione spojrzenie w stronę stojącego przy oknie mężczyzny z notesem w ręku.

Bednarski podziękował jej i kiedy zamknęła za sobą drzwi, powiedział:

– Ja w to jakoś nie mogę uwierzyć. To zwykły zbieg okoliczności, że materiały z Gdańska zachodnie telewizje ujawniły akurat po jego wyjeździe. To nie są nawet poszlaki...

Kapitan Pazurek podniósł wzrok znad notatek i popatrzył na Bednarskiego jak na słabo rozwiniętego ucznia:

– Wie pan, że jego żona jest celniczką?

Dyrektor rozłożył bezradnie ręce... A potem już tylko wypełniał polecenia kapitana... Zaprowadził go do archiwum, gdzie Pazurek opieczętował drzwi, a następnie zażądał kluczy od wystraszonej Lusi, która ze łzami w oczach przysięgała, że o niczym nie wie.

On jednak z kamienną twarzą oświadczył:

– Teraz nikomu nie wolno tego otwierać. Aż się sprawa wyjaśni...

Kiedy opuszczali archiwum, czyli tak zwany bunkier, powiedział do Bednarskiego:

– To sprawa polityczna. Ktoś za to musi być ukarany.

Tego dnia Halina wróciła do domu na miękkich nogach. Koszmar przesłuchania, podejrzenia o ułatwianie przerzutu materiałów godzących w ludową ojczyznę, wreszcie strach przed utratą pracy – wszystko to sprawiło, że nerwy jej puściły. Z wypiekami na twarzy oskarżała męża, że przez niego mogą ją posadzić, że zrobił jej świństwo i że od początku była przeciwna całej tej historii. I żeby chociaż coś z tego mieli, nowy samochód albo meble, albo w ostateczności rejs statkiem po Adriatyku, ale nie, nic z tych rzeczy!

– I po co ci to było? Po co? – dopadła Mundka i szarpiąc nim wściekle powtarzała raz po raz: – Po co? Po co?

Dla niego było to oczywiste: wtedy w Gdańsku obiecał, że świat się dowie, co tam się stało, i on, Wrotek, obietnicy dotrzymał, żałował tylko, że Halina nie może tego pojąć.

– A świat gówno to obchodzi! – odpowiedziała mu bliska płaczu.

Spojrzał na rozdygotaną, spoconą z emocji kobietę, która tak bardzo bała się o swoją malutką stabilizację, że nie potrafiła już nawet zrozumieć żadnych innych racji poza swoimi własnymi, i zrobiło mu się jej żal ...

– Nic nam nie grozi – powiedział obejmując ją.

– Nie dojdą...

Halina natychmiast skorzystała z okazji, by przytulić się do męża całym ciałem.

– A jeśli...? – zapytała drżącym głosem.

– Ty zawsze masz wyjście... – szepnął jej do ucha.

– Żeby się odciąć od zdrajcy, weźmiesz rozwód!

Wyprężyła się jak tygrysica, która czuje zagrożenie, i rzuciła krótko:

– Ja?! Nigdy!

Wrzaski chłopców, rozgrywających podwórkowy mecz, mimo zamkniętych okien natrętnie wdzierały się do mieszkania Stroynowskiej, skutecznie uniemożliwiając Kajtkowi skupienie się nad opanowaniem angielskich czasowników, co cierpliwie ćwiczył podczas lekcji z Bizancem.

– Im mniej chleba, tym więcej cyrku i propagandy sukcesu – mruknął hrabia, kiedy kolejny okrzyk „gol!" dotarł do jego uszu. – Trzeba być barbarzyńcą, by czcić jakiegoś tam... Szarmachę czy Klejnę...

– Szarmacha i Deynę! – poprawił go Kajtek zdumiony, że można nie znać tych nazwisk.

273

– A cóż oni takiego zrobili, że żyjesz z ich imieniem na ustach? – dopytywał się Bizanc. – Zbudowali Rzym? Napisali nieśmiertelne tragedie?

Kajtkowi wystarczyło, że zakwalifikowali się do Mistrzostw Świata.

– A Deyna ma fantastyczne „rogale"! – mówił z żarem w oczach. – To król środka pola!

Alfred z politowaniem przysłuchiwał się chłopcu. Nawet nie śmieszył go zapał, z jakim mały opowiadał o swoich idolach, w końcu świat ma takich królów, na jakich zasługuje. Tylko co ci młodzi winni, że urządzono im taki właśnie świat...

– Całe szczęście, że Szekspir nie urodził się w naszych czasach. Zamiast „Ryszarda III" musiałby opisać głębie duszy króla środka pola, władcy motłochu, na który składają się kibice.

Kajtek nie bardzo pojmował treść wywodu swojego nauczyciela, toteż z westchnieniem ulgi powitał dzwonek telefonu. Hrabia poszedł odebrać, a on tymczasem zaczął przyglądać się wiszącym na ścianie odznaczeniom wojskowym, których poprzednio tu nie było.

– Tego nie dostaje się za strzelenie gola – powiedział po powrocie Bizanc, wskazując krzyż Virtuti Militari i Krzyż Walecznych.

– To pana? – chłopak z niedowierzaniem popatrzył na podpierającego się laską starego człowieka.

Alfred pokręcił przecząco głową:

– Odzyskałem rodzinną pamiątkę – uśmiechnął się.

– Ale jeśli chcesz być prymusem socjalistycznej szkoły, lepiej, żebyś nie wiedział, co stało się z tym, kto na nie zasłużył. – Przeniósł wzrok na stojącą nieopodal fotografię młodego oficera. – To był mój brat. Sowieci zamordowali go w Katyniu – spojrzał na Kajtka, który stał z miną nie przygotowanego do lekcji ucznia. Nietrudno było zgadnąć, że chłopak nie ma pojęcia, o czym stary pan mówi. Bizanc westchnął: – Musisz wiedzieć, że historia to spis faktów, które nie powinny się zdarzyć. Pewne zbrodnie jedni chcą ukryć – dlatego inni muszą o nich pamiętać... – Podszedł do sekretery i z małej tajnej szufladki wyciągnął połówkę papierosa. Zapalił. – Bez kłamstwa nie byłoby prawdy... – zaciągnął się głęboko, patrząc przy tym niespokojnie w stronę drzwi. – I dlatego, gdyby ktokolwiek cię pytał, czy ja palę papierosy, możesz spokojnie powiedzieć, że nic ci o tym nie wiadomo!

Kajtek uśmiechnął się niepewnie. Nie wiedział, jak powinien zareagować ani co zrobić, ale jednego był pewien: przyjmie każdy warunek, byle tylko hrabia wtajemniczył go w te wszystkie intrygujące i tajemnicze sprawy, o których mu tak zawile opowiadał.

Od tego czasu zaczął przychodzić do Bizanca nie tylko na lekcje angielskiego, ale także na nieformalne lekcje historii.

Adam Rygier zaczynał się poważnie niepokoić. Od pewnego czasu Martyna przestała się z nim spotykać, a co gorsza odpowiadać na telefony. Był pełen najgorszych przeczuć, zwłaszcza że zdążył poznać wszystkie nękające ją lęki, skrupuły i obawy. Bał się, że wydarzyło się coś, co być może zadecyduje o losie ich obojga, a on o tym nie wie, bo z niewiadomych przyczyn ukochana kobieta odwróciła się od niego. Za bardzo mu na niej zależało, żeby miał to zostawić własnemu biegowi.

– Śledzisz mnie? – w głosie Stroynowskiej czuło się rozdrażnienie, ale i zaskoczenie na widok przyjaciela, który niespodziewanie pojawił się przed kościołem Wizytek, gdzie wstępowała od czasu do czasu. Nie miała ochoty ani na rozmowę, ani tym bardziej na zwierzenia, wiedziała jednak, że należą mu się przynajmniej wyjaśnienia.

– Coś się stało? – zapytał, kiedy siedzieli już w samochodzie.

Zaskoczył go ton, jakim poinformowała go o telefonie Beaty i o jej powrocie. W głosie Martyny nie było radości, choć wiedział, jak bardzo na córkę czekała. Mimo to uznał, że przyjazd Beaty może dużo zmienić.

– Może wreszcie zdecydujesz się powiedzieć jej, że chcemy być razem.

– Nie tylko to musiałabym powiedzieć... – odwróciła głowę i przez chwilę wpatrywała się w migające za szybą samochodu obrazki. – Dlaczego wszystko dzieje się nie w porę?

– Wszystko dzieje się w porę! – Adam aż za dobrze znał ten metafizyczny smutek swojej partnerki, jej pytania i wątpliwości wykraczające daleko poza pospolitą codzienność i na ogół wiedział, jak reagować: – Żyjemy tylko tu i teraz! Innego życia nie będzie! Pozwól sobie na szczęście! – wyciągnął rękę, żeby dotknąć jej włosów, ale ona uchyliła się.

– Zostaw mnie! – w jej głosie zabrzmiały nutki histerii.

Zatrzymał samochód. Znajdowali się nieopodal leśniczówki, w której do niedawna mieszkał Sochejko. Adam co jakiś czas robił zdjęcie staremu, zawsze w tym samym ujęciu: drzewo, które Sochejko zasadził, pod nim krzesło i on na tym krześle. Drzewo z roku na rok było coraz większe, a człowiek coraz mniejszy, aż pewnego dnia zabrakło człowieka, zostało tylko puste krzesło... Wraz ze śmiercią starego Martyna straciła ostatnią wątłą nadzieję na jakiekolwiek wiadomości o Klarze. Teraz Adam chciał sfotografować to puste krzesło.

– Zapytaj mnie, co chcę przez to powiedzieć...
– Dla ciebie to tylko artystyczne skojarzenia! – zareagowała ostro. – A dla mnie to kolejne pożegnanie z Klarą! Nie dał się sprowokować. Spokojnie przekonywał ją, że całe życie cenzurowała swoje uczucia, że odbierała sobie prawo do miłości, bo nie była pewna, czy sprawdziła się jako siostra i matka, i że czas najwyższy, by odpuścić sobie grzechy, których nie popełniła ani wobec Klary, ani wobec Beaty.
– Co ty wiesz, co ty wiesz...? – powtarzała prawie go nie słuchając. – Adam... ja właściwie... powinnam zniknąć z twojego życia! Nie chcę cię zniszczyć... Lepiej odejdę...
Tego się bał najbardziej, że Martyna ze strachu przed samą sobą zacznie uciekać, że przerazi ją perspektywa szczęścia, którego mogłaby w życiu zaznać.
– Więc tak mało dla ciebie znaczę? – zaryzykował.
Gwałtownie potrząsnęła głową:
– Właśnie dlatego, że tak dużo znaczysz! Ale ja wiem... że ty tak wiele zmieniłeś w swoim życiu, żeby być wolnym... – głos uwiązł jej w gardle. – Ja... ja nie mogę ci tego zabrać...
– zaczęła biec przed siebie, jakby ta ucieczka miała ją wyzwolić od wszystkich problemów, a on wołał za nią:
– Martyno! A kto mówił, że odkąd jesteśmy razem, to nawet ryby śpiewają?
Zatrzymała się. Nie wiedziała, jak ma mu powiedzieć, że stało się coś takiego, co ich rozdzieli... co musi ich rozdzielić, czy ona tego chce, czy nie...
Zdecydowała się na wyznanie w kilka dni później. Leżała w ramionach Adama przepełniona miłością i czułością. On te uczucia odwzajemniał w dwójnasób. Delikatny i uważny na każde drgnienie ciała kobiety, rozpoznawał bezbłędnie jej nastroje i oczekiwania.
– Najprawdopodobniej jestem w ciąży... – powiedziała.

- To wspaniale! - przytulił ją mocno do siebie. - Teraz będziesz musiała wyjść za mnie!
- Ale... ja nie chcę, żebyś cokolwiek musiał - zaprotestowała. - Wciąż powtarzasz, że chcesz być wolny...
- Zapytaj mnie dlaczego? Bo każdy zostanie kiedyś zapytany, jak wykorzystał swoją szansę. A może moją szansą jest to, co nam się przydarzyło? - całował ją delikatnie i gładził jej włosy, aż spowodował, że uśmiechnęła się i popatrzyła na niego z wiarą, że wszystko się jakoś ułoży. Zaczęła zbierać się do wyjścia. Nie mogła zostać u Adama, choć dziś bardzo tego chciała, ale wieczorem miała przyjechać Beata.

Rygier przyglądał się, jak Martyna przed lustrem poprawia rozburzone włosy. Podszedł do niej i wpatrując się uważnie w odbicie ukochanej, zapytał:
- Powiesz jej? - Na to pytanie nie umiała jeszcze odpowiedzieć. - To może zacznij od tego, że chcemy być razem... - w jego głosie wyczuwało się napięcie, choć próbował je ukryć.

Uśmiechnęła się niepewnie. Odwzajemnił jej uśmiech... Martyna błyskawicznie zrobiła zakupy na powitalną kolację dla córki, wpadła na chwilę do domu, żeby się przebrać, i pobiegła na dworzec. Na peronie zjawiła się na tyle wcześnie, że miała jeszcze trochę czasu, aby rozejrzeć się po nowym Dworcu Centralnym.

Kiedy zapowiedziano pospieszny z Zakopanego, poczuła ucisk w dołku... Z niepokojem wypatrywała znajomej twarzy w oknach wolno wjeżdżającego pociągu, ale nie zauważyła córki. Biegła potem od wagonu do wagonu, sądząc, że przegapiła ją, Beaty jednak nie było wśród podróżnych...

Po powrocie do domu dowiedziała się od wuja, że Beata dzwoniła zaraz po jej wyjściu. Odwołała przyjazd.
- Mówiła, że życzy ci szczęścia.

Martyna odetchnęła głęboko i opadła na fotel jak ktoś, kogo nagle uwolniono od ciężkiego obowiązku.

– Gdyby wiedziała, co ja jej mam do powiedzenia...

Bizanc zaintrygowany spojrzał na siostrzenicę, spodziewając się jakiegoś dalszego ciągu, ale ona nic więcej nie powiedziała, za to dostrzegła zmięte opakowanie po czekoladzie, które Alfred próbował przed nią ukryć w kieszeni szlafroka.

– U mnie pożądanie zawsze było silniejsze niż strach przed grzechem – wyznał z rozbrajającą szczerością.

– Tylko dlatego nie zostałem księdzem, lecz kawalerzystą.

Wizyta u ginekologa ostatecznie położyła kres rozterkom i przerażeniu, w jakim Martyna żyła od dobrych kilku tygodni. Lekarz autorytatywnie stwierdził, że żadnej ciąży nie ma, a objawy, jakie odczuwała Stroynowska, to jedynie wynik nerwowego rozstroju. Z jednej strony poczuła niewymowną ulgę, z drugiej zaś coś na kształt rozczarowania i smutku. Ku jej zaskoczeniu Adama również nie ucieszyła ta wiadomość:

– Szkoda... Już sobie pomyślałem, że będę to dziecko fotografował co miesiąc w jednym i tym samym fotelu. Zapytaj mnie po co?

Ze ściśniętym wzruszeniem gardłem zapytała:

– Po co?

– Żeby uwierzyć, że człowiek nie rodzi się tylko raz.

Tej nocy kochali się jak szaleni, jakby chcieli sobie nawzajem podziękować za dobro, jakiego jedno od drugiego doznawało.

Ewa stała z dzienniczkiem Kajtka w ręku i przyglądała się, jak Andrzej znowu pakuje się do drogi. A miał przecież pójść na wywiadówkę do szkoły i dowiedzieć się, co ich syn przeskrobał, że wychowawca przysłał specjalne wezwanie. Sprawa wyglądała poważnie, tymczasem Andrzeja niewiele to obchodziło...

– Co ja na to poradzę, że mi władowali w ramach komisji jakościowej wizytację Radomia? – jak zwykle denerwował się ponad miarę, ilekroć zmuszony był kłamać. Nie patrzył Ewie w oczy, niby to zajęty porządkowaniem jakichś szpargałów, i marzył, żeby jak najszybciej wyjść z domu, by uniknąć wymówek żony i dalszych krętactw.

– Jesteś tylko inżynierem czy także ojcem? – pytała idąc za nim do przedpokoju. – Mógłbyś z nim raz szczerze porozmawiać!

– Dobrze... jak wrócę... – obiecał spoglądając w lustro, by sprawdzić, jak się prezentuje.

– Kiedy wracasz? – zawołała za nim, kiedy był już na schodach.

– Jak najszybciej! – odpowiedział przyspieszając kroku. Od godziny Nika już na niego czekała, a przecież obiecał jej, że tym razem postara się być wcześnie. Jadąc do niej wiedział, że po miłosnych uniesieniach tam również będą wymówki, tłumaczenia się, wykręty.

– Wiesz, kim ja dla ciebie jestem? – powiedziała mu niedawno z goryczą. – Niedzielą! Jestem dla ciebie niedzielą po sześciu powszednich dniach! – z bezsilną złością uderzyła pięścią w sztalugę. – Tylko że dla mnie każdy dzień miał być niedzielą! Tak sobie powiedziałam! Próbował protestować, ale go nie słuchała.

Ewie nie pozostało nic innego, jak wybrać się do szkoły. Spóźniła się trochę, bo kiedy przyszła, rodzice siedzieli już w klasie, ale na jej widok wychowawca przeprosił zebranych i wyszedł do niej na korytarz. Rozglądając się lękliwie na boki i ściszając głos zapytał:

– Czy u państwa w domu rozmawia się o ... o Katyniu? – był tak wystraszony, że słowo „Katyń" z trudnością przeszło mu przez gardło. Wyciągnął z kieszeni jakąś kartkę papieru, którą, jak oświadczył, zdjął z gazetki ściennej. Chciał się dowiedzieć, czy Talarowa rozpoznaje charakter pisma swojego syna. Była przerażona, bo autor ulotki przyrównywał Stalina do Hitlera...

– Skąd pan wie, że to on? – wykrztusiła wreszcie.

– Bo Kajtek już dwa razy poruszał ten temat na lekcji historii.

Wracając do domu zastanawiała się, od kogo Kajtek usłyszał o Katyniu i jak właściwie powinna na to wszystko zareagować, jak mu wytłumaczyć, że są rzeczy, o których nie powinno się głośno mówić. Postanowiła poczekać z tym na Andrzeja.

Chłopiec ze spokojem przyjął „rewelacje", jakie matka przyniosła ze szkoły. Dziwił się tylko, że tak się zdenerwowała.

– Przecież to prawda, że ruscy zamordowali tam polskich oficerów.

– Nawet jeśli, to nie powód, żeby o tym głośno mówić! – Ewa odruchowo ściszyła głos.

– Jak ktoś zgodzi się na jedno kłamstwo, zgodzi się i na sto! – oświadczył chłopak, zadowolony, że może powtórzyć to, czego nauczył go Bizanc.

Ewa wzruszyła ramionami.

– Tak dziś wszyscy żyją.

Kajtek spojrzał na matkę z politowaniem:

– Pan Bizanc mówi, że „wszyscy" to żadne usprawiedliwienie.

Czuła, że się czerwieni pod spojrzeniem syna. Ten Bizanc! Nie za takie lekcje mu płacili! Nie umiała sama podjąć decyzji, jak rozstrzygnąć ten problem. Po kilku dniach poruszyła tę sprawę w czasie kolacji, kiedy Kajtek był właśnie na lekcji u hrabiego.

– Wytłumacz swojemu starszemu synowi – powiedziała do Andrzeja przyciszonym głosem, gdy Krzysio odnosił talerze do kuchni – że nie każda prawda nadaje się do powtarzania!

Zabrzmiało to tak, jakby Ewa dokładnie wiedziała, że prawda o Katyniu nie jest jedyna, o której głośno się w ich domu nie mówi. Nie patrząc żonie w oczy szepnął:

– I tak się właśnie zaczyna nasza schizofrenia...

Zrozumiała, że nie znajdzie u Andrzeja wsparcia. Wobec tego sama postanowiła, że skończy z lekcjami u Bizanca.

Parę dni później Nika zaproponowała Andrzejowi przejażdżkę.

– Po co tu przyjechaliśmy? – zdziwił się, kiedy kazała mu się zatrzymać przed jednym z bloków na Wrzecionie.

– Żebyś przestał już dla mnie być panem Niedzielą – odpowiedziała enigmatycznie. A potem wskazała palcem okna mieszkania na pierwszym piętrze i oświadczyła, że jego właściciel za kilka miesięcy wyprowadzi się i ona będzie mogła zacząć remont, a potem zamieszkać tam. Już się dogadali co do ceny i ona nawet zadatkowała.

Zaskoczyła go, choć właściwie powinien był się tego spodziewać. Sprawy między nim a Dominiką zaszły przecież wystarczająco daleko i dziewczyna miała absolutne prawo snuć plany. Żeby ukryć popłoch, odwrócił głowę i wtedy spostrzegł jakichś chłopców grających z ojcem w piłkę.

– Wiem o czym myślisz – usłyszał spokojny głos Niki. – Sama też musiałam zrozumieć, że aby coś zyskać, trzeba coś stracić. Masz trochę czasu, żeby to załatwić...

Przygarnął ją do siebie gwałtownie jak tonący, który chwyta się brzytwy, i okrył gorącymi pocałunkami. W tej chwili nie miał wątpliwości, że pragnie być tylko z nią.

Od pewnego czasu mieszkanie Bawolików przypominało cygański tabor. I nie była to wina Teresy ani jej synowej Magdy, bo obie starały się, jak mogły, o utrzymanie względnego porządku, ale liczba osób mieszkających na tak małej powierzchni uniemożliwiała jakąkolwiek przyzwoitą egzystencję. Trzeba było niemalże ekwilibrystycznych umiejętności, by poruszać się między porozkładanymi na podłodze materacami, dziecinnym wózkiem, maszyną do szycia, manekinem krawieckim i Bóg wie czym jeszcze... Bawolik wolał spędzać czas na podwórku bawiąc najmłodszego wnuka, niż siedzieć w tej graciarni, gdzie ciągle śmierdziało praniem i suszącymi się pieluchami. Jacek po pracy w FSO imał się różnych zajęć – od malowania mieszkań do naprawy cudzych samochodów – byle tylko jak najmniej przebywać w domu. A że ciągle brakowało pieniędzy na wpłaty do spółdzielni mieszkaniowej, więc nikt nie miał o to do niego pretensji. Wydawało im się, że ta gehenna nigdy się nie skończy, że upragnione mieszkanie spółdzielcze dla Jacka i jego rodziny jest jak linia horyzontu, którą się widzi, ale do której nie można się zbliżyć.

I oto pewnego dnia do drzwi mieszkania Bawolików zapukał niejaki Juryś, kolega Kostka z dawnych lat – pewny siebie, hałaśliwy, dobrze ubrany, z drogim, złotym zegarkiem na przegubie i sygnetem na palcu. Ucieszyli się z tej wizyty obydwoje, i Teresa, i Kostek. Mężczyźni wyściskali się, powspominali stare czasy, zwłaszcza ów słynny mecz, po którym cała drużyna Cracovii nocowała u Bawolików.

Szanowało się wtedy przeciwnika, bo i sport był czymś innym. Wypili za przeszłość, która bezpowrotnie minęła, i przeszli do problemów dnia dzisiejszego.

– A co wy tu żyjecie jak Cyganie?! – zapytał bezceremonialnie Juryś. – Takiego burdelu to najstarsi Indianie nie widzieli!

Zawstydzili się. Teresa bąknęła coś o spółdzielni mieszkaniowej i o braku pieniędzy, a Kostek dodał, że póki nie uzbierają na pełny wkład, muszą tak żyć na kupie.

– A ile wam brakuje? – dopytywał się gość.

– Czterdzieści tysięcy – westchnęła Teresa.

Juryś zaśmiał się.

– A mieć czterdzieści i nie mieć czterdziestu – to razem osiemdziesiąt! – rechotał ubawiony własnym dowcipem.

Wypili kolejkę. I wtedy Teresa zapytała, co on właściwie robi w Warszawie, skoro, jak mówił wcześniej, prowadzi klub na Śląsku.

– Nie uwierzysz, Kostek, ale... ja specjalnie do ciebie przyjechałem. – Juryś najwyraźniej chciał dać odczuć Bawolikowi, że jego wizyta jest dla dawnego kolegi zarówno wyróżnieniem, jak i wielką szansą. – Chcemy ci w PZPN-ie urządzić taki jubileusz na pięćdziesięciolecie, że najstarsi Indianie czegoś takiego nie pamiętają! – protekcjonalnie poklepał po ramieniu zaskoczonego Bawolika.

– Jest propozycja, żebyś pojechał do Monachium na Mistrzostwa Świata pomachać chorągiewką jako boczny.

– Ale ja nie mam uprawnień międzynarodowych. Ty, taki działacz, o tym nie wiesz?

Juryś znowu się roześmiał:

– A kto jest w Wydziale Sędziowskim, jak nie ludzie ze Śląska? Dziś górnik panem, a pan dziadem, nie? – mrugnął porozumiewawczo i przechylił kieliszek. – W przyszłą niedzielę sędziujesz nam mecz – powiedział niby to bez związku, nie patrząc na kolegę.

Kostek potwierdził i dodał, że to już ostatni mecz w jego karierze, bo latka lecą i trzeba ustąpić pola młodszym.

– Jeszcze się załapiesz do Monachium – pocieszył go Juryś. – Jak moi chłopcy wygrają!

Bawolik odstawił nietknięty kieliszek i przyglądając się spod oka gościowi, oświadczył:

– Moim zdaniem umoczą.

– Co ty?! To drużyna towarzysza Gierka i „Decymbra"! Chyba rozumiesz, że my musimy wygrać! – powiedział z naciskiem, lekko już zniecierpliwiony tępotą, jaką wykazywał Kostek. – Jeden gwizdek i po herbacie! – tłumaczył zły, że musi wykładać kawa na ławę. – Wystarczy jeden karny! – patrzył spod oka na Bawolika. Nie rechotał już i nie był taki pewny siebie.

Gospodarz podniósł się od stołu jak ktoś, kto dalszą rozmowę uważa za bezprzedmiotową:

– Dla jasności: chcesz, żebym zrobił wam ten mecz?! – spytał.

I wtedy Juryś zaczął go przekonywać, że klub spada, a jak klub spadnie, to i on poleci na zbity pysk i dlatego prosi Kostka o wyświadczenie mu tej przysługi po starej przyjaźni i oczywiście nie za darmo. Wydobył z kieszeni plik banknotów i rozkładając je jak talię kart, czekał na odpowiedź.

Kostkowi w oczach pociemniało. Wskazując gościowi drzwi wycedził przez zęby:

– Szkoda, ale pewnie prędko się nie zobaczymy...

Juryś wzruszył ramionami.

– Żeby ktoś tak sobie sam pluł do zupy, tego najstarsi Indianie nie pamiętają! – wychodząc wręczył Teresie swoją wizytówkę i poprosił, żeby mimo wszystko postarała się jeszcze przemówić mężowi do rozsądku.

Nie po raz pierwszy Bawolikowa nie rozumiała postępowania Kostka. Jak mógł przepuścić taką okazję! Jak mógł tak potraktować człowieka, który dawał im szansę na lepsze życie! Wystarczyło przecież tylko jedno słowo, a ich los całkowicie by się odmienił!

– Wiesz, do kogo mówisz? – ryknął Kostek. – Mnie redakcja „Raz-dwa-trzy" przyznała tytuł piłkarza fairplay!

– Kiedy to było, Kostek! – z politowaniem pokiwała głową.

– Ale było! – powiedział już spokojniej. Argument, że świat jest inny i sport jest inny, nie miał dla niego znaczenia, w każdym razie nie na tyle, by usprawiedliwić ześwinienie się.

Próbował ją o tym przekonać, ale uparcie powtarzała, że dziś nie strzela się bramek za lemoniadę jak za jego czasów, że sport to zwyczajna dojna krowa i tylko on ciągle biega za romantyka z tym swoim gwizdkiem. Nagadałaby mu o wiele więcej, ale przestraszyła się jego piorunującego wzroku i tonu, jakim powiedział:

– Zapomnij nawet, że mi to powiedziałaś!

Tej nocy Teresa długo nie mogła zasnąć, wzdychała, przewracała się z boku na bok, wreszcie nad ranem podjęła decyzję. Pobiegła do Talarów zaraz po wyjściu Andrzeja do pracy i bardzo zdenerwowana zapytała Ewę, czy pozwoli jej zadzwonić w ważnej sprawie.

– No oczywiście – powiedziała Talarowa i dyskretnie usunęła się do kuchni.

Bawolikowa drżącą ręką wykręciła numer, po chwili odezwał się Juryś.

– Zgodził się... Przekonałam go jakoś... – mówiła ściszonym głosem, starając się nadać mu swobodny ton.

– Na sto procent! – zapewniała, kiedy Juryś przypomniał, że za takie pieniądze nie gra się w ciuciubabkę. – Tylko że my musimy wpłacić jeszcze w tym tygodniu... – gryząc nerwowo paznokcie czekała, co powie jej rozmówca. Ale on zaśmiał się tylko, jak zwykle pewny siebie, i oświadczył, że jest przygotowany na całą sumę i może ją wypłacić choćby zaraz. Umówili się w „Europejskim" o dziewiątej rano następnego dnia.

– Niech się dzieje, co chce... – szepnęła do siebie Teresa odkładając słuchawkę. Otarła pot z czoła i zasłoniła twarz rękoma. Tak zastała ją Ewa.

– Pani Tereso, co pani?! – zawołała przestraszona.

– Nic, nic... – Bawolikowa pobiegła do drzwi. – Dziękuję za telefon.

Teraz o niczym już nie myślała, nie zastanawiała się. Najważniejsze, że klucze do nowego mieszkania będą jeszcze w tym kwartale.

Mecz warszawskiej drużyny z gośćmi ze Śląska przyciągnął jak zawsze rzesze kibiców, a ponieważ był ostatni, w którym sędziował Bawolik – przyszli również prawie wszyscy lokatorzy ze Złotej. Teresa usiadła osobno i w napięciu śledziła rozwój wypadków na boisku. Mocno zaciskała kciuki i modliła się w duchu, żeby Ślązacy wygrali, bo tym samym to, co zrobiła, nie wyszłoby na jaw. Niestety ani los, ani Bóg nie byli jej przychylni.

Jeszcze w pierwszej połowie meczu szło jako tako, szala zwycięstwa przechylała się raz na jedną, raz na drugą stronę, ale już w drugiej zdecydowaną przewagę mieli piłkarze z Warszawy. Juryś coraz częściej i coraz groźniej spoglądał w stronę trybun, tam gdzie siedziała Teresa. Odwracała wzrok, by na niego na patrzeć. Ostatecznie nerwy odmówiły jej posłuszeństwa, gdy Kostek zamiast oczekiwanego przez gości karnego podyktował rzut wolny, a potem na dodatek nie uznał im bramki, odgwizdując spalonego. Wtedy spanikowana zerwała się z miejsca i uciekła. Żegnał ją ogłuszający ryk kibiców i gwizdek kończący zwycięski mecz drużyny warszawskiej.

Gdyby Prokop po powrocie z meczu tak bardzo się nie spieszył, żeby jak najszybciej napić się ze szwagrem, to być może lepiej by się przyjrzał dwóm obcym mężczyznom stojącym w bramie na Złotej. A tak zapytał tylko pro forma:

– Panowie kogo uważają?

Groźnie wyglądający osiłek warknął:

– Nikogo... Przed deszczem się kryjem.

Prokop spojrzał zdumiony.

– Przecież nie pada...

– Wicherek zapowiadał, że ma być – dorzucił drugi facet. – Co, telewizji pan nie wierzy?

Dozorca wzruszył tylko ramionami i nie pytając o nic więcej, dołączył do szwagra, który już przebierał nogami pod drzwiami służbówki. Pili w najlepsze, kiedy rozległ się przeraźliwy, nieludzki krzyk. Prokop błyskawicznie otrzeźwiał i wybiegł z mieszkania. W bramie, w kałuży krwi, leżał z połamanymi nogami zemdlony Kostek Bawolik, a obok niego metalowy pręt, którym posłużyli się oprawcy.

– Ludzieeee! – ryknął dozorca na całe gardło. – Dzwońcie po pogotowie! Bawolika pobili!

Kiedy zajechała karetka pogotowia, lekarz z trudem przecisnął się przez tłum otaczający nieprzytomnego Kostka. Mieszkańcy kamienicy – nic nie rozumiejąc – patrzyli na Teresę, która klęcząc przy mężu powtarzała jak w obłędzie:

– Co ja zrobiłam!? Co ja zrobiłam?! Przebacz mi, Kostek! Przebacz, błagam! – a ponieważ nie reagował na jej słowa, zawołała histerycznie:

– To przeze mnie! Przeze mnie! Przeze mnie!!!

Dziwiono się potem trochę, że Bawolikowie tak szybko dostali mieszkanie dla syna, a zwłaszcza, że nie bardzo się tym cieszą. Teresa odwracała oczy, ilekroć była mowa o tym mieszkaniu, szczególnie zaś deprymowały ją uwagi Henia Lermaszewskiego, którymi, jak się Teresie wydawało, chciał dać do zrozumienia, że czegoś się domyśla:

– Jak nie pochodzisz, to nic nie załatwisz! Prawda, pani Bawolikowa? – I patrzył na nią spod oka. Tak samo patrzył, kiedy pomagał jej wtaszczyć na górę pudło z kolorowym jowiszem, na który Kostek dostał talon z PZPN-u na pięćdziesięciolecie. – Ciekawe, czy gdyby panu jeszcze ręce złamali, toby pan dostał dwa talony – pytał Henio zerkając na chmurnego Bawolika.

Nie doczekał się odpowiedzi, bo Kostek po wypadku prawie w ogóle przestał się odzywać. Przede wszystkim jednak nie rozmawiał z Teresą, mimo że skakała koło niego i każdym gestem żebrała o jakiekolwiek słowo. Zaciął się, zamknął w sobie i tak trwał nieprzejednany i nieczuły na wszelkie wyjaśnienia i na błagalne, pełne pokory spojrzenia żony.

– Ja chciałam, żeby nam się raz poprawiło... – tłumaczyła, kiedy po wyprowadzeniu się Jacka siedzieli już sami w przestronnym nagle mieszkaniu. – Darujesz mi to kiedyś, Kostek?

I wtedy nieoczekiwanie odezwał się:

– Może...

Uczepiła się tego jednego słowa jak najpiękniejszej obietnicy.

– Kiedy? Kiedy, Kostek?

– Jak Polska zdobędzie pierwsze miejsce!

Przypadła do rąk męża i całując je mówiła:

– Zdobędzie! Musi zdobyć!

Na mecz Polska–Argentyna prawie wszyscy wprosili się do Bawolików, bo tylko oni mieli kolorowy telewizor, a poza tym w kupie przyjemniej się oglądało i emocje były większe. Teresa przygotowała zakąskę, a mężczyźni zadbali o resztę. Wznosząc raz po raz toasty „za naszych", coraz głośniej i z coraz większym znawstwem wypowiadali się o meczu.

– Nasi ich wyślizgają bez mydła! – twierdził lekko już podcięty Prokop. – Te Argentyńce to są podwórkowe grojki. Dobrzy do tanga!

Bawolik był zgoła odmiennego zdania:

– Nie ma mowy! Przerżniemy! Jak mamy wygrać, kiedy Górskiemu coś odbiło i ustawił Gorgonia jako libero?! – denerwował się. – Oni są lepsi technicznie. Będzie dwa do jaja...

Prokop zerwał się z miejsca:

– O ile zakład, że Argentyna umoczy? – wyciągnął dłoń do Bawolika. – Stawiam syrenkę szwagra! A pan...?

– Mogę... Mogę ten telewizor postawić! – Kostek w obronie własnego autorytetu gotów był na wszystko.

– Człowiek to jedyne bydle, co robi interesy... – stwierdził filozoficznie Henio przecinając zakład. – Widział kto kiedy psa, co by się mieniał na kości?

Gol dla Polski, nagrodzony dzikim rykiem zgromadzonych, zagłuszył wywody Lermaszewskiego. Cieszyli się wszyscy oprócz gospodarza, który siedział zachmurzony.

– Cóż to za plebejskie namiętności ta kopana piłka – sarkał Bizanc, kiedy do pokoju wtargnęła entuzjastyczna fala okrzyków: „Gol! Gol!". Chciał zamknąć okno, żeby wrzaski nie przeszkadzały mu w lekcji z Kajtkiem, ale chłopak był szybszy. Zerwał się od stołu. Dopadł okna i wychylając się do połowy, zawołał rozgorączkowany:

– Kto wygrywa?!

Z dołu odpowiedział mu zachrypnięty od głośnego dopingowania Krzysio:

– Myyy!

W poczuciu zbiorowego triumfu Kajtek potrząsnął zaciśniętymi pięściami. Chciał podzielić się radością ze swoim nauczycielem, ale wyraz bezbrzeżnej pogardy dla rozrywek ludu, jaki malował się na twarzy starego hrabiego, ostudził go natychmiast.

– Wszyscy dziś patrzą – bąknął rozżalony i na Alfreda, i na rodziców, którzy nawet w takim dniu nie darowali mu tej lekcji.

Bizanc fuknął lekceważąco:

– Bo wszystkim u nas widać potrzebny jest pretekst – jak zwykle podkreślił ze szczególną intonacją słówko „wszystkim", a widząc pytające spojrzenie ucznia, wyjaśnił:
– Jak nasi wygrają, cała przodująca klasa będzie pijana z radości, a jak przegrają – to z żalu! Tak czy siak – pobijemy kolejny rekord w spożyciu trunków – perorował zapominając, że bezlitośnie zmuszony dziś do lekcji nastolatek ma w nosie „futbol a sprawa polska" i że obchodzi go wyłącznie wynik piłkarskich zmagań. Chłopiec w napięciu wsłuchiwał się w odgłosy docierające z podwórka, podczas gdy Bizanc w najlepsze tłumaczył, że nie lubi Anglików, ponieważ pozbyli się generała Sikorskiego i wynaleźli futbol. Kajtek nie doczekał już końca wywodów hrabiego. Kiedy chóralny wrzask lokatorów obwieścił zwycięstwo polskiej drużyny nad Argentyną 3:2, wybiegł, by cieszyć się z innymi.

Tylko Bawolikom nie było do śmiechu. Prokop, mimo że ledwo trzymał się na nogach od nadmiaru trunku, nie zapomniał o zakładzie i zażądał wygranego telewizora.

– Zostaw pan choć do końca mistrzostw! – prosił Henio, ale dozorca uparł się, że zabierze go od razu.

Nie było wyjścia. Zapakowali telewizor do pudła i oddali chwiejącemu się na nogach nowemu właścicielowi. Lermaszewski chciał mu pomóc, przewidując jak najgorszy rozwój wypadków, ale Prokop odepchnął go i zataczając się, zaczął znosić telewizor na dół. Finał był zgodny z przewidywaniami Henia. W pewnej chwili Prokop źle wymierzył i zamiast postawić nogę na stopniu trafił nią w pustkę. Próbując złapać równowagę, wypuścił z rąk zdobyczne trofeum. Usłyszeli huk i charakterystyczny brzęk tłukącego się szkła.

– Dawka większa niż życie – skomentował Henio patrząc z żalem na szczątki, które jeszcze parę minut wcześniej były telewizorem marki Jowisz.

Dzień, w którym polscy piłkarze mieli rozegrać mecz z Włochami, był kolejnym tego lata dniem powszechnej narodowej mobilizacji. Gorączka rosła udzielając się nawet najzagorzalszym przeciwnikom futbolu, a czas liczono od meczu do meczu. I właśnie w tym historycznym dniu Wrotek po powrocie z urlopu po raz pierwszy zjawił się w wytwórni. Opalony i wypoczęty zaszedł do archiwum.

– A gdzie Lusia? – zapytał niemile zaskoczony widokiem otyłej kobiety zajmującej jej miejsce.

– Została zwolniona – nowa pracownica nie ukrywała zdziwienia, że on o tym nic nie wie.

– Byłem na urlopie... – wymamrotał oszołomiony. Zaczerpnął głęboko powietrza jak ktoś pozbawiony przez chwilę tchu niespodziewanym ciosem i szybko wybiegł.

Na Stegny, gdzie mieszkała Lusia, gnał jak wariat. Przed jej blok zajechał w chwili, gdy Polska obejmowała prowadzenie w meczu z Włochami dwa do jednego, a z pootwieranych szeroko okien płynęła fala euforii. Zatrzymał się na kilka sekund przed wejściem do klatki, wsłuchując się w triumfalne okrzyki rodaków zebranych przed telewizorami, po czym ruszył na górę... Kilka razy naciskał dzwonek, zanim Lusia mu otworzyła. Stała przed nim blada, nie uczesana, z podkrążonymi oczami, całkowicie załamana. Na jego widok rozpłakała się.

– Dopiero dziś się dowiedziałem... – wybąkał, kiedy weszli do pokoju.

– I co teraz ze mną będzie? – szlochała. – Za co mnie wywalili? Ja przecież tego nie zrobiłam! Ktoś mi podłożył świnię!

Mundek spuścił wzrok.

– Ja wiem, kto to zrobił – powiedział cicho.

Przestała nagle płakać i utkwiła w nim pytające spojrzenie.

Przez chwilę wahał się, czy wyznać prawdę, miał ochotę zapaść się pod ziemię, uciec dokądkolwiek, byle tylko nie patrzeć w oczy tej wymizerowanej dziewczynie, ale ona stała przed nim i czekała na odpowiedź. Wtedy opowiedział, jak i po co wyniósł z archiwum te nieszczęsne taśmy. Nie chciała tego słuchać. Krzyczała, że to świństwo, że przez niego ciągali ją na konfrontacje, że przez niego nie będzie miała z czego żyć! W napadzie histerii zaczęła okładać go pięściami. Wściekła i rozżalona wymierzała ciosy na oślep, powtarzając:

– Ty egoisto! Ty egoisto!

Próbował ją obezwładnić i uspokoić, ale ona wyswobadzała się z jego uścisku z jakąś niezwykłą siłą. Wreszcie wyczerpana walką poddała się.

– Luśka... Nie dam ci zrobić krzywdy... – mówił tuląc dziewczynę w ramionach. – Słyszysz? Wrócisz do roboty – gładził ją delikatnie po włosach, a ona miękła coraz bardziej, poddając się już bez zastrzeżeń jego pieszczotom.

– Wszystko wezmę na siebie. Pójdę i powiem, jak było
– obiecywał.

Przywarła do niego całym ciałem. Była w tym wdzięczność, zaufanie, wiara w jego słowa, ale i spontaniczny
odruch kobiety skrywającej dotąd swoje uczucia...

Kiedy rano obudził się w jej łóżku, Luśki już przy nim
nie było. Błyskawicznie oprzytomniał. Wkładając spodnie,
rozglądał się po skromnym mieszkanku umeblowanym
tanimi sprzętami i poczuł skurcz w sercu.

– Kawa czy herbata? – zapytała Lusia, gdy stanął na
progu kuchni.

Nie chciał jeść śniadania. Spieszył się. Zrozumiała to po
swojemu.

– Do żony? – zapytała. Bardzo się starała, żeby jej głos
brzmiał naturalnie, ale on wyczuł w nim żal.

– Nie zgadłaś. Idę prosto do Bednarskiego.

Przeraziła się, kiedy oświadczył, że chce się przyznać,
że dotrzyma danego jej słowa.

– Myślisz, że mi zależało tylko na riki-tiki-tak? Naprawdę chodzi mi o ciebie! – Ruszył do drzwi, ale ona
była szybsza, przekręciła klucz w zamku i chowając go
pod bluzką powiedziała coś, czego się najmniej spodziewał:

– Obiecaj, że tego nie zrobisz! Mnie i tak by nie
przyjęli do pracy, a ty...ty byś poszedł siedzieć! – objęła
go kurczowo, jakby własnym ciałem chcąc go bronić
przed niebezpieczeństwem i wyrzekła słowa, jakich nigdy
jeszcze nie usłyszał z ust żadnej kobiety: – Ja mogę być
wszystkim: sklepową, bileterką, ale ty masz talent! Musisz
mieć szansę robienia takich właśnie filmów!

Przytulił ją do siebie mocno i gładził po włosach. Nie
chciał, żeby spostrzegła, jak bardzo był wzruszony.

Halina powitała go awanturą, co oczywiście nie było dla
niego zaskoczeniem po całonocnej nieobecności, ale zniósł

to dzielnie, a nawet zdobył się na pewne bohaterstwo, butnie zapowiadając tygodniową nieobecność w domu, jeśli Polska zdobędzie mistrzostwo świata. Wobec takiego zagrożenia Halinie nie pozostawało nic innego, jak z całego serca życzyć przegranej drużynie Kazimierza Górskiego w decydującym meczu z Niemcami.

Tego jeszcze dnia Wrotek poszedł w parę miejsc, pogadał z tym i owym i już po niecałym tygodniu Luśka miała pracę w Pewexie. W dodatku zarabiała o dwa tysiące więcej.

– Jak tyś to załatwił? – dopytywała się, kiedy zaszedł do niej, żeby się dowiedzieć, co słychać.

– Są dwa rodzaje filmowców – odpowiedział jak zwykle pół żartem, pół serio – Tacy, których wszyscy znają. I tacy, którzy znają wszystkich.

Dziewczyna uśmiechnęła się i rozglądając się wokół, czy nikt nie widzi, podała mu ukradkiem papierową torbę.

– Odłożyłam specjalnie. Austriacka nocna koszula – dodała, zniżając głos, jakby chodziło o nie byle jaki skarb.

Mundek zbliżył się do niej i szepnął prosto do ucha:

– To nie wiesz, że ja śpię nago?

– To damska... dla twojej żony.

Przestał błaznować. Z czułością spojrzał na tę brzydko-ładną dziewczynę pozbawioną jakiejkolwiek taniej kokieterii i pozy i pomyślał, że może to jedyna kobieta, jaką zna, która naprawdę zasługuje na miłość.

To spotkanie od początku zaczęło się pechowo. W rezultacie oberwania się chmury nad Stuttgartem gigantyczna ulewa zamieniła boisko piłkarskie w basen. Przez dobrą chwilę zgromadzeni przed telewizorami kibice przeżywali katusze niepewności; nie było bowiem wiadomo, czy mecz w ogóle się odbędzie, ale kiedy zapadła decyzja, że

mimo fatalnej pogody dojdzie do spotkania Polska-
-RFN, pojawiły się wątpliwości, czy w tak niesprzy-
jających warunkach można liczyć na pokonanie przeciwnika.

– My jesteśmy z techniką do tyłu – uspokajał Bawolik
mieszkańców kamienicy, którzy przyszli do Lermaszewskich obejrzeć epokowy mecz. – Im cięższe warunki, tym
lepiej dla nas – przekonywał.

Stary Lermaszewski był jednak sceptyczny:

– I znów wyjdziemy z Niemcami jak w trzydziestym
dziewiątym! – mruknął.

Tylko Prokop nie tracił wiary i jak zwykle chciał się
zakładać, że polska drużyna wygra. Tym razem jednak nie
znalazł chętnego, który by zechciał cokolwiek postawić,
wszyscy bowiem mieli jeszcze świeżo w pamięci nie-
szczęsny los nowego telewizora Bawolików.

Rozkręcała się właśnie druga połowa meczu, kiedy do
Lermaszewskich wtargnął zdesperowany Bizanc. Mówił
coś o urwanym kurku w łazience i o tym, że woda zalewa
mu mieszkanie, ale nikt go nie słuchał. Rozognieni
emocjami i alkoholem lokatorzy dopingowali swoich
piłkarzy wrzeszcząc na całe gardło.

– Tam się leje! Poważna awaria! – próbował ich przekrzyczeć Bizanc.

Dozorca machnął ręką, jakby się odganiał od uprzyk-
rzonej muchy:

– Nie teraz, panie Bizanc, nie teraz! Tu się losy Polski
decydują!

Hrabia wzruszył ramionami i chciał wyjść, ale w tej
samej chwili Prokop ryknął: – Brawo nasi!

Alfred zatrzymał się i zerknął na ekran telewizora, na
którym dwudziestu dwóch dorosłych facetów podobnych
do siebie jak dwie krople wody uganiało się za piłką.

– A którzy to nasi? – zapytał półgłosem siedzącego nieopodal Wrotka.

Mundek był zgorszony ignorancją Bizanca, mimo to wyjaśnił mu, kto jest kto, i w miarę rozwoju sytuacji tłumaczył zasady gry.

Stary hrabia, który początkowo stał tylko w progu, jakby nie mogąc się zdecydować, czy spektakl go interesuje, czy nie, po chwili przycupnął na podsuniętym mu przez gospodarzy krzesełku i wpatrując się w ekran, z rosnącym zaangażowaniem reagował na to, co działo się na boisku. Po kwadransie zapomniał, z czym tu przyszedł, i spełniając wraz z innymi kolejny toast „za naszych", krzyczał:

– No co jest?! Dlaczego ten Szarmach nie strzela?! Gola! Golaaa!!!

O potopie w mieszkaniu przypomniał sobie dopiero po skończonym meczu, a że polska drużyna przegrała, wypadało jeszcze zalać robaka. Koniec końców przywlókł Prokopa na górę, kiedy woda wylała się już na klatkę schodową, bo Martyna nie nadążała ze zbieraniem. Stroynowska z przerażeniem stwierdziła, że wuj nie tylko jest nietrzeźwy, ale do tego w nadzwyczajnej zażyłości z Prokopem.

– Owszem... Jestem ciut-ciut podcięty... – bełkotał dozorca grzebiąc coś przy wannie. – ... Ale to z powodu, że jestem patriota i nie mogę Niemcom darować, że nas wykosili... – tłumaczył się Martynie, która z niepokojem śledziła jego nieporadne ruchy.

– Niech pan nie traci ducha, panie Edziu – pocieszał go Bizanc. – Jak Szarmach dostanie ze trzy dobre centry od Gadochy czy od Laty, przyłoży łeb i mamy trzecie miejsce!

– Brazylia nas wykiszkuje, panie Bizanc! – Prokop chwiejąc się na nogach usiłował trafić kluczem we właściwą nakrętkę. – Te negatywy są sprytne jak pchły w kożuchu.

Alfred przysiadł na brzegu wanny i perorował z lubością, posługując się świeżo wyuczonym żargonem i nowo zdobytą piłkarską wiedzą:

– O ile się pan chce założyć, że to my wykiszkujemy Brazylię?

Martyna, która weszła do łazienki, żeby poprawić makijaż przed wyjściem na koncert, aż zamarła ze zdziwienia, słysząc język i poufały ton, jakim wuj rozmawiał z lekceważonym dotychczas przez siebie cieciem. Nie zdążyła jednak nawet otworzyć ust, by wyrazić dezaprobatę, kiedy strumień zimnej wody siknął jej prosto w twarz, uniemożliwiając wypowiedzenie czegokolwiek... Dozorca właśnie rozpoczynał próbę sprawności zreperowanego, jak twierdził, kranu...

– A tak się cieszyłam na ten koncert... – bliska płaczu patrzyła na ociekającą wodą suknię.

– Trzeba zawołać hydraulika! – poradził Adam wchodząc za nią do łazienki.

Prokop ćmiąc papierosa ruszył do kuchni.

– A po co tu hydraulik? – wzruszył ramionami i nie spiesząc się, zaczął zakręcać główny dopływ wody. – Od czego jest pan Prokop?!

Bezczelność dozorcy zatkała ich, ale po chwili roześmiali się serdecznie. Niewątpliwie mieli przed sobą człowieka przyszłości, istotę pewną siebie i bez kompleksów.

Andrzejowi coraz trudniej było wymyślać przekonywające kłamstwa i usprawiedliwiać wydłużające się nieobecności w domu. Wiedział, że balansuje na krawędzi i czuł nieuchronność decydującej rozmowy z Ewą, tym bardziej że i Nika coraz natarczywiej na to nalegała. Już jej nie zadowalały ukradkowe spotkania, wygospodarowywane przez Andrzeja godziny czy nawet dni... Chciała wyłączności. I kiedy on triumfalnie oznajmiał jej, że może zostać do rana, ona nie kryła rozdrażnienia.

– A co to się stało, że możesz być ze mną w nocy?

– Oficjalnie jestem na trzeciej zmianie – odpowiadał w dobrej wierze, nie zdając sobie sprawy, że właśnie tą szczerością rani ją najbardziej.

– Trzecią zmianą jeszcze nigdy nie byłam, panie Niedziela. To coś nowego.

Chciał ją wziąć w ramiona i udowodnić, jak bardzo jest dla niego ważna, ale ona w takich chwilach nie miała ochoty na miłość. Czuła się tą drugą, niczym więcej...

1 sierpnia był jednym z takich kradzionych dni, który Andrzej mógł spędzić z ukochaną. Rodzina poszła na groby powstańców, a on pod pozorem pracy na trzecią zmianę pojechał na spotkanie z Dominiką do jej nowego mieszkania, które od pewnego już czasu remontowała. Znowu przypomniała mu, co powinien zrobić, żeby zasłużyć na klucze do ich wspólnego królestwa. Nalegała, żeby zrobił to jak najszybciej, tłumaczyła, że w życiu nieraz się kocha, tak jak nieraz ma się grypę, ale tylko raz jest się chorym z miłości.

Słuchał, jak zawsze oszołomiony tym, jak i co mówiła, urzeczony jej innością – od sposobu ubierania się po sposób wyrażania myśli – gotów w takich chwilach wszystko jej przyrzec i wszystko obiecać.

– Jestem taką wariatką, która nie chce być dla ciebie tylko tą drugą! Nie chcę! Nie chcę! – powtarzała jak rozkapryszone dziecko, wyrywając się z jego objęć.

– Między mną a Ewą nic nie ma – próbował tłumaczyć się w najbanalniejszy sposób pod słońcem. – Ale są chłopcy... Musisz zrozumieć... Gdyby się dowiedzieli... – jąkał się zrozpaczony.

Przerwała mu brutalnie:

– Więc kiedy mają się dowiedzieć? Po maturze czy może po magisterium?!

Im dłużej brnęli w te wyznania i oskarżenia, tym mocniej każde kolejne słowo raniło jak wbity w skórę cierń. Andrzej liczył, że jego gorące pocałunki zamkną usta Nice i wyciszą pytania. Kiedy nadzy leżeli obok siebie, myślał, że Nika nie wróci już do nich. Ona jednak oparła się na łokciu i pochyliła nad nim.

– I co z nami dalej będzie?

– Widzisz... Matka mi zawsze powtarzała: żyj tak, żeby nikt przez ciebie nie płakał... – zawahał się.

Dominika wpatrywała się w niego oczami pełnymi łez.

– A ja? – zapytała cicho. – Boże... Nigdy nie myślałam, że będę płakać z miłości. – Odwróciła twarz, żeby nie patrzeć na zakłopotanego Andrzeja i ukryć słabość, która ją upokarzała. Sięgnęła po stojącą na stole butelkę wina. Napełniła kieliszek i wypiła duszkiem. Podeszła do telefonu i wykręciła numer.

– Powiedz jej... Bądź sobą...

Przerażony zdążył tylko jęknąć:

– Nika, to wymaga czasu... – i usłyszał dalekie:

– Halo! Halo!...

– Łączę z inżynierem Talarem... – Dominika podała mu słuchawkę.

– Andrzej, gdzie ty jesteś?! – pytała zdenerwowana Ewa. Mimo uszu puściła pokrętne wyjaśnienia męża, który bąkał coś o trzeciej zmianie i o nawale pracy. Nie powiedziała mu, że dzwoniła do fabryki i że nie mogli go nigdzie znaleźć, bo nie to było w tej chwili dla niej najważniejsze. – Już prawie północ, a Kajtek do tej pory nie wrócił do domu! – wołała histerycznie załamującym się głosem. Mówiła, że dzwoniła również do kolegi Kajtka, z którym ich syn miał tego dnia pełnić wartę przy grobach powstańców, ale tamten chłopiec też nie wrócił. – Coś się musiało stać! – zaciskała kurczowo dłonie, by opanować ich drżenie. – Boże, Boże, tak się boję!

– Już jadę! – Andrzej rzucił słuchawkę i w pośpiechu zaczął szykować się do wyjścia. Starannie unikał wzroku Dominiki, która wpatrywała się w niego z napięciem. Nie miał jej nic do powiedzenia. Nie w tym momencie. Teraz był w nim tylko strach...

Ewa krążyła po mieszkaniu jak błędna. Raz po raz wyglądała przez okno, wypatrując w ciemnościach syna, biegła do drzwi na dźwięk najcichszego nawet skrzypnięcia schodów na klatce z nadzieją, że to on... Przyszedł wreszcie, grubo po północy, a raczej dowlókł się półżywy, boso, z poranionymi do krwi stopami. Sycząc z bólu, kiedy matka opatrywała mu nogi, krótkimi, urywanymi zdaniami opowiadał, jak zwinęło ich dwóch tajniaków sprzed Dolinki Katyńskiej, potem wywieziono ich gdzieś daleko za Warszawę, tam kazano wysiadać, oddać buty i wracać pieszo do domu... Była tak szczęśliwa, że go odzyskała, iż w pierwszej chwili nie dopytywała się o szczegóły, tym bardziej że chłopak, śmiertelnie zmęczony, na siedząco zapadał w sen... Dopiero później dowiedziała się, że jej syn pełniąc wartę w Dolince Katyńskiej – co samo w sobie z punktu widzenia władz już było naganne – uprawiał „wichrzycielstwo", objaśniając gromadzącej się wokół młodzieży treść zatkniętych tam transparentów w rodzaju: „Katynia nie zapomnimy. Hańba mordercom". Doskonale wiedziała, komu zawdzięczał tę edukację, i postanowiła – tym razem już nieodwołalnie – że w nowym roku szkolnym zrezygnują z usług Bizanca jako korepetytora.

Andrzej wpadł do mieszkania tuż po powrocie Kajtka.

– Gdzieś ty był?! – ryknął od progu.

Ewa podniosła oczy znad miski z wodą, w której obmywała nogi syna:

– To raczej ty powiedz, gdzieś był! – powiedziała, opanowując wzburzenie. – Bo w fabryce cię nie było! Wiedział, że tej rozmowy już dzisiaj nie uniknie...

Bizanc ze zrozumieniem przyjął zapewnienia młodego Talara, że rezygnuje z dalszej nauki angielskiego, ponieważ rodziców chwilowo nie stać na opłacanie lekcji. Alfred był pewny, że to jedynie wymówka i że w istocie chodzi o coś zupełnie innego...

– Pojmujesz w lot nie tylko angielski, ale i historię. I obawiam się, że to jest główna przyczyna, dla której twoi rodzice rezygnują z lekcji... – przyjaźnie poklepał Kajtka po ramieniu jakby dla podtrzymania go na duchu, bo wyraźnie było widać, że chłopak czuje się zażenowany i zawstydzony.

Nie chciał go więcej peszyć ani zmuszać, by kłamał, więc niby to zainteresowany doniesieniami Dziennika Telewizyjnego zaczął się wpatrywać w ekran. Nagle w trakcie informacji o tym, że z okazji rocznicy rewolucji październikowej delegacja metalurgów i hutników radzieckich zwiedziła hutę Katowice, a nazajutrz ma się udać do Nowej Huty, na ekranie pojawiła się twarz kobiety tak łudząco podobnej do Martyny Stroynowskiej, że Bizanc aż zmartwiał...

– Okulary! Prędko! – zawołał krztusząc się z przejęcia. Zanim jednak Kajtek podał mu okulary, lektor omawiał już następny temat. – Idź do domu... – poprosił zmienionym głosem. Chłopak zaniepokojony przyglądał się starszemu panu, ale nie odważył się zapytać, co go tak poruszyło. Kiedy wyszedł, Bizanc natychmiast chwycił za telefon i zamówił błyskawiczną z Zakopanem...

– Nawet gdyby to było złudzenie, trzeba sprawdzić! – gorączkowo przekonywał Beatę. – Czy możesz jutro pojechać do Krakowa?

Beata wahała się, przede wszystkim chciała wiedzieć, co matka o tym sądzi. Było już tyle niewypałów...

– Martyna nic nie wie... Musisz pojechać do Krakowa! – nalegał podekscytowany.

Tej nocy dziewczyna nie mogła zasnąć. Długo zastanawiała, się jak powinna postąpić... Wyjazd do Krakowa oznaczałby, że znowu poddała się temu, przed czym między innymi uciekła. Czy wolno jednak zlekceważyć taki sygnał?... Nad ranem podjęła decyzję. Wyjeżdżając nie wyjawiła siostrze Hortensji prawdziwego celu swej podróży.

Zlokalizowanie radzieckich gości nie było trudne. W hotelu „Francuskim", gdzie ich zakwaterowano, udzielono jej potrzebnych informacji.

– Mam im przekazać pozdrowienia od naszej szkoły – wyjaśniła recepcjoniście, który mierzył ją nieufnym spojrzeniem. Po krótkim wahaniu powiedział jej jednak, dokąd pojechali.

Na wawelskim dziedzińcu zjawiła się w chwili, kiedy grupa radzieckich hutników wysiadała właśnie z autokaru. Podeszła do nich i wśród tłumu wypatrywała kobiety, która wedle zapewnień stryja miała być łudząco podobna do jej matki. Spostrzegła ją od razu. Podobieństwo z Martyną było niezaprzeczalne mimo koszmarnej wiecznej ondulacji i dwóch złotych zębów, którymi błysnęła, kiedy głośno się zaśmiała.

– Czy pani jest Klarą? – zapytała Beata wprost, gdy zbliżyła się do niej.

Kobieta zaledwie przez ułamek sekundy zatrzymała wzrok na Beacie, po czym wzruszyła ramionami i odeszła ze swoimi. W pierwszej chwili dziewczyna chciała dać za wygraną – w końcu, zgodnie z życzeniem wuja, podjęła próbę, a że nic z tego nie wyszło, to już nie jej wina, rozgrzeszała się w duszy. Potem jednak ruszyła w ślad za tajemniczą kobietą. Nazajutrz przyjechała do Warszawy, żeby zdać relację Bizancowi. Martyna, na szczęście, była gdzieś w mieście. Hrabia leżał w łóżku złożony grypą.

– Więc to ona czy nie ona? – kaszląc co chwila domagał się od Beaty jasnej odpowiedzi.

– Nie wiem... Skóra jakby z mamy zdarta, ale kiedy do niej mówisz, patrzy na ciebie jak z drugiego brzegu rzeki... – zamyśliła się. – Przyznam ci się do czegoś. Jak ją zobaczyłam tak z bliska, to przeszedł mnie dziwny prąd... Całkiem jak wtedy, kiedy szłam do komunii... To jej wizytówka. – Podała wujowi mały kartonik z wypisanym cyrylicą imieniem i nazwiskiem: Kławdia Smoktunina, inżynier, kandydat nauk. I zaczęła opowiadać. Jak najpierw poszła za tą Kławdią do Sukiennic i przy stoisku z pamiątkami jeszcze raz zapytała, czy jest Klarą, ale tamta nie tylko nie podjęła rozmowy, lecz po prostu uciekła. Potem prawie siłą wdarła się do jej pokoju w hotelu, ta Rosjanka jednak, kiedy jej powiedziała, że ma w Polsce siostrę, nie chciała o niczym wiedzieć ani słyszeć. Tak była wystraszona, że wypchnęła Beatę za drzwi, a na dowód, że jest całkiem kimś innym, dała tę właśnie wizytówkę.

– To trzeba sprawdzić! – zadecydował Alfred, chowając kartonik pod poduszkę – A na razie matce ani słowa...

Na trzy dni przed swoimi imieninami Andrzej, wszedł do domu z wielką, skórzaną walizą. Chciał ją gdzieś upchnąć, zanim Ewa zobaczy, ale ona właśnie wychodziła z łazienki i zdziwiona zapytała:

– Gdzieś się wybierasz?

Skłamał na poczekaniu:

– Dostałem od kolegów na imieniny.

– Pospieszyli się... – powiedziała bezbarwnym, obojętnym tonem, jakby to, co działo się tu i teraz, było odległe i zupełnie jej nie dotyczyło.

Andrzej nie zwrócił na to uwagi, bo miał w tej chwili zupełnie inny problem na głowie. Dominika wyznaczyła mu ostateczną datę przeprowadzki.

– Przyda ci się – powiedziała wręczając mu walizę.

– Masz być mój w dniu wernisażu! – zażądała kategorycznie.

Nie wiedział, jakim cudem załatwiła sobie ten wernisaż w prestiżowym miejscu na Starym Mieście, ale zdawał sobie sprawę, ile on dla niej znaczy. Znał także termin. Był krótki. Pozostało mu zaledwie parę dni na załatwienie rodzinnych spraw, a ciągle nie miał pojęcia, jak się do tego zabrać. Pomagał Nice w rozmieszczaniu obrazów w „Largactilu" i kiedy byli razem, cieszył się z nią jej sukcesem, nie wyobrażał sobie życia bez niej i snuł plany na przyszłość. Ciągle jednak odsuwał od siebie rzecz najważniejszą – ostateczną rozmowę z Ewą. Do domu wracał coraz później, wślizgiwał się po nocy jak złodziej, żeby nie budzić żony i chłopców, a potem wymyślał jakieś idiotyczne kłamstwa. Tak bardzo był pochłonięty swoimi problemami, że nie spostrzegł zmiany w zachowaniu Ewy, nie zauważył, jak bardzo zmizerniała i przycichła... Aż do ostatniej nocy, kiedy wrócił od Niki z mocnym postanowieniem, że tym razem upora się z tą sprawą... Jak zwykle zdjął w przedpokoju buty, żeby nie hałasować, ale Ewa nie spała...

– Jesteś głodny? – zapytała.

Pokręcił przecząco głową.

– Nawet herbaty nie chcesz? – z trudem powstrzymywała cisnące się do oczu łzy.

Dopiero teraz Andrzej przyjrzał się żonie.

– Co się stało? Znów coś chłopcy... – podszedł bliżej i ujął ją za ramiona. Spostrzegł jej podkrążone oczy i chorobliwą bladość... – Co się stało? – powtórzył.

Łzy popłynęły jej z oczu.

– Co teraz będzie...? Kto się nimi zajmie? – szlochała zapominając, że mąż o niczym nie wie. Żeby go nie martwić, nie przyznała się, że pewnego dnia podczas mycia wyczuła zgrubienie pod pachą. Chciała się upewnić, że to nic poważnego, i poszła z tym do Lidki, a ta po wstępnych oględzinach skierowała ją do doktora Skórki. Kazał pobrać wycinek, twierdząc co prawda, że nie ma powodu do strachu, bo to tylko badanie rutynowe, ale wynik nie potwierdził tego optymizmu. – W poniedziałek mam iść na operację – powiedziała cicho. – Czeka mnie mastektomia...

Był tak oszołomiony, że w pierwszej chwili nie wszystko z tego, co mówiła, docierało do niego, dopiero jak wymówiła słowo „mastektomia", przeraził się, że to wyrok.

– Ewa! Co ty? Co ty... – powtarzał zduszonym głosem i mocno ją do siebie tulił.

Płakała w jego ramionach, a on nie wiedział, jak ją pocieszyć i jak zagłuszyć wyrzuty sumienia...

Parę dni później była już na onkologii w szpitalu na Wawelskiej, a on został sam z chłopcami i z tą kartką, którą zostawiła mu w zamkniętej kopercie na biurku: „Naucz naszych synów tego, czego ciebie uczyła twoja matka: żyj tak, żeby nikt przez ciebie nie płakał". Brzmiało to jak testament, a egzekutorem, jak na ironię, miał być właśnie on, uplątany w romans z dziewczyną, której obiecywał, że jej nie skrzywdzi, a teraz nie chciał nawet przyjmować od niej telefonów. Synom zapowiedział, że nie ma go w domu dla nikogo, bez żadnych wyjątków!

Operacja Ewy miała się odbyć dokładnie w tym samym dniu co wernisaż Dominiki w „Largactilu". Tylko że Nika nic o tym nie wiedziała... I podczas kiedy Andrzej siedział półprzytomny na szpitalnym korytarzu, czekając na wynik operacji żony, ona odchodziła od zmysłów, czekając na niego z otwarciem wystawy... Dawno już minęła wypisana na zaproszeniach godzina, a Nika ciągle jeszcze wierzyła, że Andrzej przyjdzie. Wreszcie kazała Mecie zadzwonić.

– Błagam cię... Sprawdź tylko, czy on już wyjechał! – język zaczynał się jej plątać od nadmiaru wypitego z rozpaczy wina.

Meta opierała się.

– Znowu stchórzył! – syknęła. – Oni tacy są! Chodź, czas zaczynać... Wszyscy czekają dobre pół godziny!

– Oni tyle mnie obchodzą, co artykuł wstępny w „Trybunie Ludu"! – parsknęła pogardliwie. Bez Andrzeja nic nie miało sensu. – Zadzwoń! – nie ustępowała.

Meta wreszcie się zgodziła. Odezwał się jeden sygnał, drugi, trzeci, piąty... I nikt nie podniósł słuchawki.

Wtedy stało się coś, czego Meta najbardziej się obawiała. Przyjaciółka bez słowa opróżniła dwa kieliszki jeden za drugim. Chwiejąc się na nogach wyszła na środek salki i przemówiła do zebranych:

– Witam snobów, cmokierów, zawistników i wszystkich znawców, których sąd o tym... – zatoczyła ręką krąg, wskazując obrazy – ... gówno mnie obchodzi! – pociągnęła łyk z kieliszka i zaśmiała się. Odpowiedziały jej pojedyncze śmiechy tych, którzy uznali jej wystąpienie za osobliwy happening. – Miałam dziś wyjechać do Imagilandii... Ale was tam nie zabiorę, bo wy mnie nic nie obchodzicie! – krzyknęła na wpół histerycznie, na wpół pijacko. – Nikt mi tam nie jest potrzebny! Nikt! – zatoczyła się i o mało nie upadła.

Meta przepchnęła się do niej przez tłum wzburzonych gości, tak że zdążyła ją podtrzymać, ale katastrofie nie dało się już zapobiec. Obrażona publiczność zaczęła wychodzić, tylko młody fotoreporter pracował jak szalony, pstrykając zdjęcia na prawo i lewo.

Kiedy Ewa po operacji ocknęła się z narkozy, pierwszą osobą, jaką ujrzała przy swoim łóżku, był Andrzej. Zmoczoną w wodzie watką zwilżał jej usta.

– Jesteś... – próbowała uśmiechnąć się do niego, ale nie dała rady. – Wiesz... kiedy wieźli mnie tam... – z trudem artykułowała poszczególne słowa – ... pomyślałam, że jak otworzę oczy, to chcę zobaczyć to, co jest dla mnie najważniejsze... – urwała, bo sił jej zabrakło, ale wpatrywała się w niego tak intensywnie, jakby oczami chciała wyrazić całą swoją miłość.

– Jestem... – powiedział cicho i nachylił się do jej dłoni.

– Co ja bez ciebie znaczę...? – wyszeptała. – Nic... – I leciutko dotknęła jego włosów...

Nie musiał już podejmować żadnych decyzji. Jedyna rzecz, jaka mu została do zrobienia, to ostateczne zamknięcie sprawy Niki. Po powrocie do domu napisał do niej list, wziął ofiarowaną mu niedawno walizę i pojechał do jej mieszkania. Niczym nie ryzykował. Wiedział, że nie zastanie tam Dominiki, bo była przecież na otwarciu własnej wystawy. Kiedy przekroczył bramę domu przy Brzozowej, uświadomił sobie, że wszystko, co od tej chwili robi, dzieje się po raz ostatni. Po raz ostatni jest w tym miejscu i po raz ostatni wchodzi do mieszkania, z którym łączy go tyle cudownych wspomnień. Postawił walizę na środku pokoju i rozejrzał się dookoła, jakby na zawsze chciał zapamiętać to wnętrze... W zaciśniętej kurczowo dłoni ciągle trzymał klucz... Zdawał sobie sprawę, że nie może zostawić go sobie na pamiątkę, że musi się go pozbyć, by w ten sposób ostatecznie uwolnić się od Niki... Wolno zszedł ulicą w stronę skarpy i tam z rozmachem rzucił klucz, jak najdalej mógł. W ciemności usłyszał tylko brzęk metalu – spadł widać na jakiś kamień.

Powrót z dalekiej podróży

Minęło półtora roku od operacji i wszystko wskazywało na to, że Ewa najtrudniejszy okres dochodzenia do siebie ma już za sobą. Stosunkowo szybko odzyskała siły fizyczne i nie tylko stanęła na nogi, ale była teraz o wiele aktywniejsza niż poprzednio; zgłosiła się w szpitalu jako ochotniczka do pracy z kobietami zagrożonymi mastektomią, tłumaczyła im, jak prowadzić rehabilitację po operacji, a przede wszystkim, jak przez to wszystko przejść. Stawiając siebie za przykład przekonywała, że każda z nich ma szansę na odchowanie dzieci, jeśli tylko będzie w to dostatecznie mocno wierzyć. Lekarze bardzo cenili tę pomoc, bo nic lepiej nie działało na pacjentki jak widok energicznej, zadbanej kobiety, która zaledwie kilkanaście miesięcy wcześniej podobnie jak one leżała załamana na onkologii po amputacji piersi, a jednak potrafiła się pozbierać. Biegała teraz o wiele częściej do fryzjera, odwiedzała gabinety kosmetyczne i kupowała modne ciuchy. Zgodziła się nawet objąć opieką artystyczną chór dziecięcy przy kościele, do którego również zaczęła zaglądać częściej niż poprzednio.

Proboszcz nie ukrywał zadowolenia, bo bardzo wzrosła frekwencja, odkąd zapowiedział, że próby będzie prowadziła pani, która kiedyś śpiewała w „Mazowszu". Trochę się zdziwiła, skąd ksiądz ma takie informacje, ale okazało się, że to konspiracyjna działalność Krzysia, co jak dobry duch czuwał nad matką, intuicyjnie odgadując jej nastroje i potrzeby. Nigdy nie zapominał powiedzieć jej, że ładnie wygląda, kiedy wracała od fryzjera, i pochwalić nową sukienkę, którą wkładała po raz pierwszy. Pilnował też, żeby i ojciec o tym pamiętał.

Andrzej także starał się psychicznie wesprzeć żonę, zwłaszcza w pierwszych miesiącach po operacji, kiedy nie umiała dać sobie rady z przeświadczeniem, że nie jest pełnowartościową kobietą, że kalectwo i przebyta choroba eliminują ją z życia. Jednak z czasem zaczęło mu się wydawać, że Ewa ten problem pokonała, i miał nadzieję, że ich życie wreszcie wróci do rytmu sprzed operacji. Tak się jednak nie stało.

– Sukienki, sweterki, jak nie fryzjer, to kosmetyczka, lodówka pusta, własne dzieci nie mają obiadu, za to parafia ma chór dziecięcy! Ja tego nie rozumiem! – zwierzał się Langowi, kiedy ten przyszedł do FSO, żeby obejrzeć swojego fiata montowanego dla niego na tak zwanej linii dyrektorskiej.

– Bo nie jesteś kobietą. Mastektomia to ogromny wstrząs, a te sukienki, fryzjerzy, kosmetyczki to mechanizmy obronne, próba potwierdzenia, że jest się kobietą, a nie amazonką – tłumaczył Lang przyglądając się jednocześnie zjeżdżającym z taśmy pojazdom.

– Ale ona nigdy taka nie była! – jęknął Andrzej. – Mnie się coraz trudniej z nią dogadać. Albo przesiaduje w kościele, albo organizuje jakieś spotkania kolegów z „Mazowsza".

– Czy ty nie rozumiesz, że ona w ten sposób tłumi swój lęk? Ta nadaktywność, to szukanie uznania to typowe reakcje. – Karol wlepił wzrok w lśniącego, wiśniowego fiata, który właśnie opuszczał halę.

– To jeszcze nie twój – uspokoił go Talar. Wyszli na parking i po chwili usłyszeli ostry klakson. Nadjeżdżało auto profesora Langa, wyposażone w podwójne fińskie ogrzewanie, opony marki Pirelli i lampy Boscha.

– Lakier delta? – upewnił się Karol.

– Bezapelacyjnie! – Andrzej z zachwytem i z nie ukrywaną zazdrością patrzył na nowiutki samochód.

– Przecież to dyrektorska linia. Sam o wszystko zadbałem! – powiedział z dumą.

Pan profesor uśmiechnął się ironicznie.

– Polak potrafi – mruknął pod nosem. – A wracając do Ewy... Zrób jej niespodziankę.

Andrzej zwrócił pytający wzrok na przyjaciela...

– No, o czym ona marzyła? – podpowiedział mu Lang.

Talar rozpromienił się. Jak mógł na to nie wpaść! Oczywiście! Spełnienie marzeń to najlepsza terapia!

– Dziękuję ci, Karol! – serdecznie ściskał dłoń Langa.

– Wiem, o czym ona zawsze marzyła!

Sprawę załatwił błyskawicznie; jeszcze tego samego dnia zapisał rodzinę na wycieczkę zakładową nad Balaton i kupił w Pewexie najmodniejszy kostium kąpielowy dla żony. Był prawie pewny, że tym ją uszczęśliwi, bo przecież od lat często mówiła, że pragnie choć raz w życiu spędzić kilka dni nad ciepłym morzem.

Wkroczył do domu dumny z siebie jak paw. Chłopcy głośnym „hurra" przyjęli wiadomość o wyprawie na Węgry. Andrzej spojrzał wyczekująco na Ewę. Była zaskoczona i onieśmielona.

– Ale... ale czy ja mogę się w tym pokazywać? – niepewnie przyłożyła kostium do siebie.

– Bezapelacyjnie! – oświadczył Andrzej. – Idź przymierz! – powiedział popychając żonę do łazienki. – Uwaga! Będzie pokaz mody! – jego entuzjazm był ciut-ciut przesadzony, a wesołość odrobinę zbyt hałaśliwa, ale przecież on też miał swoje lęki i obawy, które starał się jak najgłębiej ukryć.

Ewa przez chwilę ściskała kostium w dłoniach, zanim zdecydowała się go przymierzyć. O ileż byłoby to prostsze, gdyby miała silikonową protezę. W uszach dźwięczały jej ciągle słowa matki, która niespodziewanie wpadła do niej któregoś dnia z rewelacją, że w Szwecji wykonują takie zabiegi i że po paru miesiącach obie piersi są nie do odróżnienia. Przywiozła prospekty i adresy i długo opowiadała o siostrze aptekarza Horoszczaka, która przeszła podobną jak Ewa operację, a teraz wróciła ze Szwecji zupełnie odmieniona, nawet czucie jej wróciło w nowej piersi. Matka była tak tym podniecona, że zapomniała o problemie, który w przypadku jej córki warunkował jakąkolwiek decyzję w tej sprawie, a mianowicie, skąd wziąć pieniądze na taki zabieg. Nie stać ich było nawet na nowy samochód na raty, a co dopiero mówić o wyjeździe do Szwecji. Ewa westchnęła i powoli zaczęła się przebierać. Przypomniało się jej zdanie, które matka powiedziała wtedy na zakończenie: „Chyba jesteś dla niego ważniejsza od auta?". Otóż tego nie była tak całkiem pewna...

Zza drzwi łazienki dobiegała ją głośna muzyka. To Krzysio przygotowywał dla niej „podkład muzyczny". Kiedy pojawiła się w pięknym, elastycznym kostiumie kąpielowym w różnokolorowe prążki, trzej jej mężczyźni powitali ją gromkimi brawami. Zaczerwieniła się jak nastolatka, ale po chwili nabrała pewności i przeszła się po pokoju krokiem modelki. Andrzej z przyjemnością zauważył, że żona ciągle ma doskonałą figurę, a defekt był zaledwie zauważalny dla tych, co o nim wiedzieli. Po raz pierwszy od bardzo długiego czasu znowu zobaczył w Ewie kobietę. Ona to natychmiast dostrzegła w jego oczach, ten charakterystyczny dla wszystkich mężczyzn błysk, i tak ją to uszczęśliwiło, że w spontanicznym odruchu podbiegła do męża i pocałowała go w policzek. Podeszli też synowie, gratulując matce wspaniałego wyglądu, a ona przygarnęła ich do siebie przepełniona miłością i od dawna nie odczuwaną radością.

★

Było wczesne czerwcowe popołudnie, kiedy w mieszkaniu Stroynowskiej rozległ się dzwonek. Początkowo zadźwięczał cicho i niepewnie, potem już znacznie głośniej.

Dopiero w tej chwili Beata oprzytomniała. Zerwała się od biurka tak gwałtownie, że zrzuciła trzy opasłe tomy, przez które mozolnie brnęła, by zaliczyć letnią sesję egzaminacyjną na swojej pedagogice. Otworzyła drzwi.

– Przepraszam, czy jest pan Bizanc? – na progu stał nieznajomy mężczyzna w średnim wieku, miętosząc w dłoni jakąś kopertę.

Beata przyglądała mu się nieufnie.

– Nie – odpowiedziała wreszcie. – Ale to mój wuj.

Speszył się. Widać było, że nie bardzo wie, jak postąpić, w końcu zdecydował się:

– Bo ja z Moskwy wiozę list i miałem przekazać panu Bizancowi. – Wręczył dziewczynie sfatygowaną kopertę z niezdarnie wypisanym adresatem. Nie było wątpliwości, że to do hrabiego.

Mężczyzna odszedł, a Beata jeszcze przez chwilę stała w otwartych drzwiach i wpatrywała się w kopertę. Czyżby to był list od niej? Już przeszło rok temu Alfred napisał do Klary-Kławdii. Czekali na odpowiedź najpierw wierząc, że nadejdzie za miesiąc, może za dwa, może za pół roku. Wreszcie przestali wierzyć, że ta kobieta kiedykolwiek odpisze, a jednak... Położyła list na stoliku w pokoju wuja.

Bizanc ostatnio coraz rzadziej opuszczał dom, a jeśli już, to na krótko. Męczyła go astma, która przyplątała się do cukrzycy, i bóle w stawach, często budził się zmęczony i nie miał ochoty wstać, cóż, po prostu wiek coraz dotkliwiej dawał mu się we znaki. On jednak z uporem walczył ze słabością i nawet kiedy nie czuł się najlepiej, starał się wyjść z domu bodaj na kwadrans.

Leżącą na stoliku kopertę zauważył, jak tylko wszedł do pokoju. Poczuł mrowienie w krzyżu. Rozerwał ją drżącymi rękami i przebiegł wzrokiem kilka pierwszych linijek napisanych cyrylicą, ale niewiele rozumiał, bo literki skakały mu przed oczami. Podał list Beacie. Ta z trudem odczytywała kolejne zdania, z których wynikało, że Klara-Kławdia tak długo zwlekała z odpowiedzią, ponieważ czekała na okazję, żeby podać list do Warszawy. Wreszcie się nadarzyła – poprosiła o przysługę pewnego polskiego profesora, który przebywał w Moskwie na zaproszenie jej instytutu.

– Tam również i poczta jest tak rozwinięta, że nie tylko zajmuje się wysyłką listów, ale także ich czytaniem – mruknął Bizanc i zastukał laską w podłogę, ponaglając Beatę, żeby trochę szybciej czytała.

– Boże, pozapominałam już tych krzesełek – usprawiedliwiała się. – „Budu striemitsia letom prijechat' z ekskursjej Inturista..." – sylabizowała nieporadnie, aż Bizanc się zdenerwował.

– Ty się uczyłaś rosyjskiego w szkole, a mnie się udało skończyć wyższe studia: pięć lat łagru! – Wyrwał jej kartkę z rąk i kazał sobie podać szkło powiększające. Pochylił się nad listem. – Wybiera się do nas! – powiedział po chwili wzruszony. – „Nadiejus czto maja partorganizacja dopomożet w odierżanji pasporta..." – odczytywał na głos dalsze fragmenty listu. – Już teraz wiesz, na czym polega wpisana do naszej konstytucji przodująca rola partii? – Zakaszlał. Z emocji brakowało mu tchu. – Że to ona da ci paszport. Da albo i nie! Ale chyba Klara zasłużyła na paszport, skoro wie, czego się bać! Choćby poczty! – potrząsał kopertą, kasząc i krztusząc się przeraźliwie. Beata szybko podała wujowi inhalator i sięgnęła po list. Miała same wątpliwości. Jeśli to naprawdę Klara, to dlaczego ani słowa nie napisała o matce, o siostrze, o transporcie do Kazachstanu? Ale kiedy doszła do zdania: „Eto budiet poworoczywanje z dalekowo putieszestwia", nie wiedziała już, co o tym myśleć.

– To jest odpowiedź na twoje pytanie – powiedział cicho Bizanc, ciągle z trudem łapiąc powietrze – że będzie to dla niej powrót z dalekiej podróży.

Beata pokręciła głową.

– Ale ja dalej nie wiem, czy ona to ona... – Chciała jeszcze raz przejrzeć list, jakby spodziewając się, że znajdzie w nim coś, czego przedtem się nie doczytała, co być może jej umknęło z powodu niedostatecznej znajomości rosyjskiego, ale usłyszeli zgrzyt klucza w zamku. Wracała Martyna. Bizanc błyskawicznym ruchem wyrwał Beacie list.

– Dziś tego się już nie dowiemy. – Drżącymi rękami upychał kartki w kopercie.

– Ona ma nie wiedzieć? – upewniła się Beata nie do końca przekonana, czy dobrze robią, trzymając całą sprawę w tajemnicy przed matką.

– Znowu ma się łudzić? – Alfred wiedział, że nie znajdzie już sił, by pomóc siostrzenicy w razie kolejnego rozczarowania. Przyrzekł więc sobie, że powie jej o wszystkim dopiero wtedy, kiedy uzyska całkowitą pewność. Nie mieli jednak czasu, by o tym podyskutować, bo tym razem dzwonek zadźwięczał dużo ostrzej niż poprzednio. Martyna była wściekła.

– Co tu się dzieje? – rzuciła na podłogę siatki z zakupami, kiedy wreszcie otworzono jej drzwi. – Zamknęliście się na zasuwę?

– Nastawiałam zegar – powiedziała ni w pięć, ni w dziesięć Beata. – Przecież wiesz, że spóźnia się ostatnio jeszcze bardziej niż ty!

Niespodziewanie dla samej siebie Martyna zaczerwieniła się. Rzeczywiście nie grzeszyła ostatnio punktualnością pochłonięta swoimi sprawami, ale przecież był to jeden z najważniejszych momentów w jej życiu, być może decydujący o całej jej przyszłości.

Kilka dni temu spędziła z Adamem popołudnie na Chomiczówce. Początkowo nie rozumiała, w jakim celu zawiózł ją właśnie tam, do tego okropnego, szarego blokowiska.

– Bo tu jest miejsce wielkich decyzji! – powiedział tajemniczo, rozstawiając statyw. – To tu zdecydowałem, że rzucam architekturę. A dziś postanowiłem rzucić coś jeszcze...

Martyna z trudem przełknęła ślinę:

– Mnie...? – zapytała wstrzymując oddech.

Nie odpowiedział, jakby w ogóle nie usłyszał jej pytania. Wpatrzony w kamienny pejzaż, wskazał ręką przed siebie:

– Widzisz ten sosnowy gaj? Widzisz te dwie wiewiórki?

Zaskoczona rozglądała się dokoła, ale poza monotonią osiedla niczego więcej nie dostrzegała.

– Tam był lasek. Piękny zagajnik ze strumykiem. Pół hektara. – Adam patrzył w stronę wybetonowanego boiska przed budynkiem tysiąclatki. – Miałem tu zaprojektować osiedle. A ten lasek uznałem za jego serce, za jego płuca. – Wyciągnął z torby zdjęcie sporego formatu i podał Martynie. – Wtedy je zrobiłem. – Sielski obrazek nijak się miał do widoku, jaki teraz rozciągał się przed nimi.

– Wycięli wszystko! Co do jednego drzewka! A strumyk zasypali... – głos mu zadrżał, jakby ciągle nie mógł się pogodzić z tą zbrodnią dokonaną na przyrodzie. – Zapytaj mnie, co wtedy zrobiłem?

Martyna nie miała cienia wątpliwości:

– Rzuciłeś pracę!

– To też. Ale najpierw rozpętałem piekło w pracowni, podarłem swoje projekty.

Pstryknął zdjęcie, uwieczniając jakiś wyjątkowo ohydny fragment osiedla.

– Nie żałujesz?

Spojrzał jej głęboko w oczy, jakby pragnął zasygnalizować, że to, co za chwilę powie, ma dla niego wyjątkową wagę.

– Każdy kiedyś będzie zapytany, co zrobił z szansą swojej wolności.

– Przez kogo? – oczekiwała jakiejś deklaracji z jego strony, ale Adam nagle zatrzymał się w pół słowa, jakby ciągle jeszcze nie gotowy do podjęcia ostatecznej decyzji.

– Może... przez Pana Boga? – powiedział wymijająco.

Uśmiechnęła się trochę zawiedziona.

– Przecież ty jesteś ateistą!

– Ale łudzę się, że... On o tym nie wie. – Objął Martynę i zanurzył twarz w jej włosach.

W czasie drogi powrotnej do domu niewiele ze sobą rozmawiali. Martyna była zamyślona. Rozmowa, jaką nie tak dawno odbyła z wujem, nie dawała jej spokoju.

– Czym on jest dla ciebie? – zapytał wtedy stary hrabia.

A ona mu odpowiedziała, że odkąd straciła nadzieję na odnalezienie Klary, Adam jest dla niej wszystkim. Pozwolił jej zrozumieć, czym jest miłość... że miłość nie polega jedynie na patrzeniu sobie w oczy, ale na patrzeniu w tym samym kierunku...Nauczył ją mówić to, co myśli i czuje...

– To dlaczego, jeśli się tak rozumiecie z Adamem, nie chcesz się z nim związać? – wuj przyglądał się jej badawczo i jakby z pretensją, że swoim postępowaniem zakłóca ład moralny. – A może to on nie chce się wiązać? – spytał podejrzliwie.

Dobrze pamiętała swoją odpowiedź: że dla mężczyzny słowo „wolność" to pewien mit i jeśli Adam sam jej powie, że chce wziąć ślub, to będzie znaczyło, że wygrała z mitem! Na razie to się jeszcze nie stało...

Ogłoszona w Dzienniku Telewizyjnym w dniu świętego Jana decyzja rządu o podwyżkach cen mięsa o 69 procent, masła i serów o 50 procent, cukru o 100 procent uderzyła w naród jak grom z jasnego nieba!

– To ja chyba będę musiała kraść! – oświadczyła dramatycznie Lidka, wsłuchując się w przemówienie premiera Jaroszewicza, który w sejmie kwiecistą nowomową uzasadniał potrzebę zmiany cen. Zrozumiała z tego tyle, że jej patriotycznym obowiązkiem jest cieszyć się z tej podwyżki, bo w zamian za to tańsze będą lokomotywy i silniki okrętowe! Ona jednak, egoistycznie i nieideowo, drżała o swój byt, tak jak miliony podobnych do niej ludzi zagrożonych jeszcze większą nędzą i upokorzeniem.

– Dobrze, że twój ojciec tego nie dożył – westchnęła Jasińska.

Milczący dotąd Mietek podniósł głowę znad rozłożonych na stole podręczników i notatek.

– Pewnie – burknął. – Boby go teraz ludzie zlinczowali! – wycelował palec w stronę ekranu telewizyjnego. – Wszystko robią w imieniu przodującej siły narodu: i poprawki do konstytucji, i podwyżkę cen! A teraz im ta przodująca siła wystawi rachunek! – w jego głosie było tyle nienawiści,

319

że obie kobiety aż zadrżały. – Grudzień siedemdziesiątego niczego ich nie nauczył! – wpatrywał się w zgromadzonych na sejmowej sali przywódców partii. – I znowu wróci na tapetę nasz narodowy sport... Kryterium uliczne.

Lidka zamarła.

– Mieciu! Tylko ty się teraz przypadkiem w nic nie wdaj! – błagała syna przerażona.

Wzruszył obojętnie ramionami, jakby chciał matkę uspokoić, że to już go nie interesuje.

– Ja się dość naszarpałem w sześćdziesiątym ósmym! – mruknął. – Teraz mam co innego na głowie – wskazał stosy książek i zeszytów.

Lidka pomyślała, że Mietek jest już za dorosły i za dużo przeszedł, by dać się wciągnąć w uliczne awantury, ale zbyt dobrze go znała, by mu całkowicie ufać. Nie wiadomo, co jeszcze może mu strzelić do głowy. Mimo to odetchnęła z ulgą.

Stary hrabia nie posiadał się ze zdumienia.

– Ktoś, kto Polakom podnosi ceny kiełbasy i wódki, jest samobójcą! – szczerze ubawiony przysłuchiwał się wypowiedziom tak zwanych przypadkowych przechodniów w telewizyjnej sondzie ulicznej. Dziwnym zbiegiem okoliczności wszyscy jak jeden mąż popierali sejmową uchwałę. – Jeszcze jeden dowód, że historia nie jest nauczycielką życia. – Upił łyk herbaty i oświadczył niespodziewanie:

– A ja o ten cukier nie mam do nich pretensji.

Beata zdziwiła się:

– Dlaczego?

– Bo mam cukrzycę.

Oboje się roześmiali, ale Beata zaraz spoważniała.

– Ciekawe, co jutro tatuńcio napisze. – Chciała być złośliwa, a nawet cyniczna, ale Bizanc wyczuł, jak bardzo jest spięta. Pogładził ją czule po głowie. Siedziała u jego stóp jak zwykle, kiedy razem oglądali telewizję.

– Wiesz, kogo mi Jan przypomina? – powiedział. – Pewnego sąsiada z łagru. Kiedy umierał, poprosił mnie, żebym się za niego pomodlił. – Sam nie możesz? – zapytałem go... – Ja nie mogu. Ja komunist!

Beacie zrobiło się smutno...

Tylko jeden mieszkaniec domu na Złotej miał w tym dniu inne zmartwienie niż podwyżki cen. Tym kimś był Henio Lermaszewski. Jego Danuśka, wezwana pilnie przez ojca, pojechała na wieś. Obiecała, że będzie z powrotem najdalej za dwa dni. Termin mijał, a jej nie było. Henio krążył po mieszkaniu wściekły i pełen najgorszych podejrzeń. Powodów co prawda nie miał, ale on swoje wiedział, a zwłaszcza że na zimne należy dmuchać. Próbował obejrzeć Dziennik Telewizyjny, lecz niewiele do niego docierało, bo myślał cały czas o żonie. Nie zainteresował się nawet wtedy, gdy ojciec, ciągnąc go za rękaw do okna, powiedział:

– Heniuś, tam jakaś lewizna odchodzi! Prokop szmugiel przywiózł!

Kiedy indziej złapałby taką okazję w lot, bo dobrze było mieć jakiegoś haka na dozorcę, ale nie dzisiaj.

– Co mi tam szmugiel! – warknął. – Tatuś lepiej powie, co jest z Danuśką? Miała dziś wrócić... – po raz setny spojrzał na zegarek i tępo wlepił wzrok w ekran.

Stary kręcił głową z ubolewaniem:

– Ty z tej zazdrości to jesteś gorszy jak Hitler! Godzinę policyjną byś dla niej ogłosił!

– Maksymalnie! – zaperzył się Henio. – A widział kiedy tatuś kobitę, co by nie miała się z czego spowiadać?

– Tylko jedną... – wyznał ojciec. – Twoją matkę.

Henio nie miał wątpliwości, że co się tyczy matki, to ojciec ma absolutną rację.

– Maksymalnie wyjątkowy przypadek! – zawołał z przedpokoju. – Ale za moją Danuśką każdy się ogląda, a za mamą tylko tatuś! – dodał półgłosem, sposobiąc się do wyjścia, bo nagle uznał, że dłużej już w domu nie wytrzyma męki oczekiwania.

Tymczasem Prokop ze szwagrem korzystając, że ludzie siedzieli przed telewizorami, a na dworze z wolna zapadał zmierzch, w pośpiechu przenosili z syrenki do służbówki worki z cukrem. Tak byli tym zaaferowani, że nie spostrzegli dziury w jednym z worów, przez którą sypał się cukier znacząc biały ślad. Spłoszyli się więc, kiedy nagle w bramie natknęli się na Lermaszewskiego.

– Ile to teraz dają za spekulację? – Henio podsunął Prokopowi pod nos palec oblepiony białymi kryształkami.

Dozorca wymienił porozumiewawcze spojrzenie ze szwagrem.

– Pilnuj pan lepiej swojej żony – syknął nie wypuszczając niedopałka z ust.

Cios okazał się celny. Lermaszewski przełknął ślinę. Chyba po raz pierwszy w życiu zabrakło mu języka w gębie.

Danusia wróciła do domu nazajutrz półżywa ze zmęczenia, objuczona jak wielbłąd paczkami i siatkami. Wysiadała właśnie z taksówki, kiedy doskoczył do niej Henio.

– Co jest? Miałaś wrócić wczoraj! – huknął groźnie.

– Jak jeszcze raz pojedziesz do ojca i nawalisz dzień, to cię od niego odstawię na zawsze! – zagroził.

Uśmiechnęła się. Widać niewiele sobie robiła z pogróżek męża.

– Tere fere... Ty wiesz, co się dzieje z pociągami? – opowiadała wręczając mu ciężką torbę. – Przed Ursusem staliśmy sześć godzin, bo tam jakiś strajk czy co... – urwała w pół słowa, bo nagle kątem oka dostrzegła Prokopa, który niby coś tam przy bramie majstrował, a tak naprawdę wyciągał uszy w jej stronę jak zawsze ciekawy, o czym rozmawiają jego lokatorzy. – Ostrożnie! – zawołała do Henia, który nogą popychał ceratową torbę. – Tam są wiśnie! Tylko skąd teraz cukier do nich wziąć?

– Zapytaj pana Prokopa. Dla niego nawet worek cukru to małe piwo przed śniadaniem!

Prokop nie odpowiedział na zaczepkę, ale za to nie odmówił sobie przyjemności popatrzenia na nogi młodej pani Lermaszewskiej.

– Myślałam, że się wścieknę w tym pociągu. – Danusia przebrana już po podróży i odświeżona przysiadła obok Henia. W telewizji mówili właśnie o garstce „wichrzycieli", którzy próbowali wzniecić rozruchy w Radomiu i Ursusie, mimo że większość klasy robotniczej przyjęła podwyżki cen ze zrozumieniem. – Tyle godzin w tym upale musiałam stać przed Ursusem.

– A kto ci kazał do ojca jeździć? – burknął opryskliwie.

– Wiśnie można na Grójeckiej kupić i to lepsze, jak te wasze!

To była szczera prawda, ponieważ owoce, przywiezione przez Danusię, po wielogodzinnej podróży właściwie do niczego się nie nadawały. Ale nie o wiśnie teraz szło.

– Wiesz, po co mnie wezwał? – zrobiła minę dziecka, które koniecznie chce komuś powierzyć swój największy sekret, ale Henio nie zainteresował się wpatrzony w ekran telewizora, na którym pojawił się właśnie Piotr Jaroszewicz i komunikował narodowi, że zwrócił się do prezydium sejmu o wycofanie rządowego projektu.

– Widzisz, jaki mają cykor?! – zawołał z satysfakcją.

– Ciekawe, czy Prokop wie, że cukier znowu staniał?

Nic jej to w tej chwili nie obchodziło.

– Muszę pojechać do Londynu! – powiedziała z wypiekami na twarzy.

Zareagował gwałtownie:

– Co ja słyszę? A dlaczego nie do Honolulu?

Podekscytowana zaczęła szybko wyjaśniać, że tatuś dostał od rządu londyńskiego krzyż za partyzantkę i prosił, żeby mu go przywieźć.

– Szkoda, że to nie spadek! Krzyży pełno na cmentarzu! – uciął sprawę Henio.

– Muszę pojechać... – jęknęła błagalnie.

Pokręcił przecząco głową. Tego by tylko brakowało, żeby wypuścił Dankę samą w świat! Już by jej nie zobaczył...

– Sama nie pojedziesz! – oświadczył.

– A razem? – nalegała.

Wzruszył ramionami. Naiwność żony była rozbrajająca.

– A kto za nas zapłaci? Kto nas zaprosi? Może królowa angielska?

Danusia jednak na wszystko miała gotową odpowiedź. Wreszcie wyprowadziła go z równowagi tak, że nie chciał więcej rozmawiać na ten temat. Wróciła do sprawy, kiedy znaleźli się w małżeńskim łóżku, i bez skrupułów wykorzystała sytuację. Stęskniony Henio na widok nagiego ciała żony zgodził się na wszystko. Nie pozwoliła mu zbliżyć się do siebie, zanim uzyskała obietnicę, że razem pojadą do Londynu i że on weźmie na siebie problem zaproszenia. Wtedy uległa.

Do decydującej rozmowy z Adamem doszło szybciej, niż się Martyna spodziewała, a to za sprawą wystawy fotograficznej i towarzyszącego jej konkursu, do którego Adam zgłosił wspaniałe zdjęcie zatytułowane „Lekcja historii". Okazało się jednak, że komisja kwalifikacyjna odrzuciła jego pracę.

– Powtórzyć panu ich opinię? – komisarz wystawy, sympatyczny, ale niewiele mogący człowiek, patrzył na Adama ze współczuciem. W ręku trzymał zdyskwalifikowany fotogram przedstawiający człowieka, który odsiedział dziesięć lat, a potem drugie tyle czekał na protezę.

– Odkryli, że tym człowiekiem na zdjęciu jest słynny major Żor z AK, i uznali to za dywersję. Pytali, co pan chciał przez to powiedzieć. No i nie uszło ich uwagi, że pułkownik stoi na tle przedwojennej mapy Polski, a trzymana przez niego proteza wskazuje w lewo!

– No to co? – w głosie Adama wyczuwało się agresję.

Komisarz uśmiechnął się wyrozumiale.

– Tam leży terytorium naszego sojusznika – tłumaczył niczym uczniowi w szkole. – No i ten tytuł: „Lekcja historii"... Uznali to za ewidentną aluzję, że ofiara historii tą protezą wskazuje, gdzie należy szukać winnych. – Odchrząknął i odruchowo zniżył głos: – Gdyby to ode mnie zależało, miałby pan pierwszą nagrodę! Ale ja jestem tylko komisarzem wystawy, a pan ma... przyjaciół.

Adam krążył między porozkładanymi na podłodze zdjęciami z hut i kopalń, pokazującymi sielskie pejzaże albo uśmiechnięte rodziny lub chłopów na traktorach.

– Niech mnie pan zapyta, co ja o nich myślę.

– Chroń mnie od przyjaciół, bo przed wrogami sam się jakoś obronię – komisarz jeszcze raz rzucił okiem na nie dopuszczone do konkursu zdjęcie. – Czy mógłbym to prywatnie zatrzymać? – spytał nieśmiało.

Adam kiwnął głową na znak zgody i wyszedł. Jeszcze tego samego dnia zaczął się pakować. Kiedy Martyna jak zwykle wpadła do niego wczesnym popołudniem, zdejmował właśnie ze ściany zdjęcie Sochejki. Z początku nie uwierzyła, że on naprawdę chce wyjechać na dłużej. Sądziła, że Adam po prostu myśli tylko o odpoczynku gdzieś w leśniczówce z dala od miasta, ale kiedy zaczął jej tłumaczyć, że ma po uszy ludzkiej zawiści, że tylko natura jest od niej wolna, zrozumiała, że to coś bardzo poważnego i że on już podjął ostateczną decyzję.

– Znaczy, że jestem ci niepotrzebna... – Martyna z trudem wypowiedziała te słowa. – I pewnie nigdy nie byłam dla ciebie kimś ważnym... – spuściła głowę, chcąc ukryć przed nim swoje rozczarowanie i ból.

W spontanicznym odruchu już, już miał ją przytulić, ale powstrzymał się, jakby i w tej sprawie podjął decyzję.

– Zapytaj mnie, kiedy uwierzę, że ja jestem dla ciebie kimś ważnym.

Podniosła na niego pytające spojrzenie.

– Kiedy pojedziesz tam ze mną! – powiedział powoli, patrząc na nią w napięciu.

Jej odpowiedź nie wymagała słów. Przypadła do Adama i tuląc się do niego z całych sił, każdym pocałunkiem dawała mu do zrozumienia, że bez niego i z dala od niego nie będzie umiała żyć.

– Naprawdę tego chcesz? – pytała, ciągle szukając potwierdzenia. – Naprawdę?

On także chciał znać odpowiedź na to samo pytanie, też nie był pewien, czy ona naprawdę tego chce.

– Muszę się najpierw zapytać w domu – zażartowała, a potem dodała już całkiem serio: – Nie wiem, jak moi to przyjmą...

Wracając do domu zastanawiała się, w jaki sposób i kiedy ma o tym powiedzieć Beacie i wujowi. Wreszcie uznała, że im szybciej zakomunikuje im swoją decyzję, tym mniej czasu pozostawi sobie na ewentualne rozterki. Weszła do mieszkania, gotowa od progu chwycić byka za rogi. Niestety nikogo nie było. Zawiedziona spojrzała na zegarek, zastanawiając się, gdzie też poniosło domowników, i wtedy zauważyła, że szafkowy zegar stojący w rogu pokoju wyraźnie się spóźnia. Podeszła, by go wyregulować, i wówczas wzrok jej padł na ukryte pod wahadłem zegara jakieś papiery. Wyciągnęła je i zaczęła przeglądać: najpierw starą „Gazetę Krakowską" z zamieszczonym tam zdjęciem delegacji radzieckich hutników, a potem list od Kławdii... Wpatrywała się w to pożółkłe już nieco zdjęcie i nie wierzyła własnym oczom... Drżącymi z emocji rękami wyjęła z koperty list. Przeczytała raz i drugi... i świat jej zawirował... Osunęła się na krzesło i tak trwała, dopóki nie usłyszała zgrzytu klucza w zamku. Wówczas zerwała się na równe nogi i pobiegła do przedpokoju.

– Co to ma znaczyć?! – krzyczała histerycznie, potrząsając papierami. – Jak mogliście mi to zrobić!? To ona... to Klara żyje, a wy... – głos jej uwiązł w gardle, patrzyła tylko oszalałym wzrokiem na wuja i córkę jak na ostatnie kanalie.

– To podłość! Podłość! – wykrztusiła wreszcie.

Bizanc próbował przemówić siostrzenicy do rozsądku:

– To nie tak, Martyno... Czytałaś list uważnie? Ona sama nie wie, kim jest.

– Może nawet lepiej, żebyś jej nie poznała! – dodała Beata. Chciała wyjaśnić, dlaczego tak sądzi i co się wtedy w Krakowie wydarzyło, ale matka nie dała jej szansy. Doskoczyła do niej i szarpiąc ją i potrząsając mówiła zduszonym głosem:

– Jak możesz... Jak możecie...

– Zostaw ją! – Alfred ciężko dysząc usiłował odciągnąć Martynę od córki. – To była moja decyzja! – zaniósł się kaszlem. Wsparł się na lasce i niemym gestem błagał o inhalator.

Martyna puściła Beatę, pozwalając jej zająć się Bizancem, ale sama nie pospieszyła wujowi z pomocą. Złożyła papiery w jakąś teczkę i wybiegła z nimi z domu, mocno zatrzaskując za sobą drzwi.

Do Adama wpadła jak bomba. Zanim zaskoczony jej nagłym powrotem zdołał o cokolwiek zapytać, ona już rozłożyła przed nim „Gazetę Krakowską".

– Czy nie da się tego powiększyć? Żeby można było coś rozpoznać? – pytała z nadzieją.

Przyjrzał się zdjęciu uważnie i zaczął rozumieć, co się stało.

– Nie – powiedział po chwili. – Zresztą nic to nie da!

Opowiedziała mu, jak najbliżsi zataili przed nią to, co dla niej najważniejsze, że nigdy im tego nie zapomni i nie daruje i że teraz, kiedy już wie, że Klara żyje, liczą się dla niej tylko dni i godziny dzielące ją od przyjazdu siostry.

– Doczekamy się jej razem. – Adam zbliżył się do Martyny, żeby ją przytulić i ukoić nieco jej wzburzenie, ale odepchnęła go. – Powiedziałaś im, że wyjeżdżasz? – zapytał cicho.

Pokręciła przecząco głową. Jak mógł ją o to teraz pytać? W takiej chwili? Przecież to oczywiste, że ona nie może wyjechać, że musi tu być i czekać na Klarę.

Adam dobrze wiedział, że przegrał, że tej przeszkody nie pokona, mimo to spróbował zaproponować rozwiązanie:

– Gdy to się stanie – wrócimy! Żyj swoim życiem...

Ale Martyna cały czas przecząco kręciła głową, jakby była w jakimś mechanicznym transie. Składała papiery do teczki i przyciskając je do piersi, mówiła:

– To jest właśnie moje życie!

– A nasze! – wybuchnął Adam. – Ono się już nie liczy?

– Nie teraz – wyszeptała patrząc mu błagalnie w oczy, jakby prosiła o wybaczenie czy choćby o zrozumienie. Nie pozwoliła pocałować się na pożegnanie – może w obawie, że ulegnie... Nie odpowiedziała też na pytanie, które Adam zadał jej tuż przed wyjściem:

– Zapytaj mnie, czy jest dla człowieka inny czas niż teraz.

Wiedziała, że nie, ale nie było sensu o tym mówić. Powoli zamknęła za sobą drzwi.

Samolot z Londynu ze Szczepanem Pocięgło na pokładzie schodził już do lądowania na warszawskim Okęciu, a Lidka ciągle jeszcze tkwiła w taksówce uwięziona w ulicznym korku. Raz po raz niecierpliwie spoglądała na zegarek, to znów sprawdzała w lusterku swój wygląd niepewna, czy zrobi dobre wrażenie na szwagrze. Czuła teraz ten sam ucisk w dołku, jak tego dnia, kiedy przyszła wiadomość z Czerwonego Krzyża, że Szczepan – brat Tolka – poszukuje w Polsce rodziny. Była zdumiona, bo mąż nigdy jej o nim nie wspominał. Pomyślała wówczas, jak mało wiedziała o Tolku, o jego przeżyciach i cierpieniach. Być może gdyby dane im było więcej czasu spędzić ze sobą, on pozwoliłby jej dotknąć najbardziej bolących ran... A może to była jej wina, że zajęta tylko sobą, swoim dramatem, nie dość uważnie go słuchała? Jeszcze raz rzuciła okiem w lusterko. Szczepan znał ją jedynie ze zdjęcia i kilku listów, które ze sobą wymienili, tym bardziej więc zależało jej, żeby wypaść w jego oczach jak najlepiej, a tymczasem wyglądało na to, że na początek spóźni się na lotnisko... Zdenerwowana zaczęła poganiać taksówkarza, ale ten rozłożył bezradnie ręce. Kiedy nareszcie ruszyli, samolot właśnie wylądował.

Szczepan Pocięgło, starszy pan, ubrany w stylu angielskich dżentelmenów, niezbyt przystojny, ale za to o budzącej zaufanie twarzy, w której dominowały wąsy i dobrotliwie patrzące oczy, dobry kwadrans rozglądał się po poczekalni w nadziei, że ktoś się jednak po niego zjawi. Oczekujących ubywało, a on ciągle wypatrywał nieznanej bratowej. Wreszcie uznał, że nie ma sensu dłużej tkwić na lotnisku, i ruszył na postój taksówek.

– Gdzie lecimy? – młody kierowca w skórzanej kurtce pierwszy chwycił walizkę Pocięgły. – „Bristol"? „Europejski"? „Grand"? – dopytywał się, okiem znawcy oceniając grubość portfela przyjezdnego. Szybko się jednak zniechęcił, kiedy Szczepan z charakterystycznym lwowskim zaśpiewem zapytał:

– A któren chętny do Przemyśla si pokatulać? – rozglądał się wśród taksiarzy. – Tylko tam i zurik.

Nie zdziwiła ich ta propozycja, bo byli przyzwyczajeni do najdziwaczniejszych kursów, ale jakoś nikomu nie chciało się jechać tak daleko. Wreszcie jeden z nich, starszy już mężczyzna, zdecydował się czy to dlatego, że żal mu się zrobiło starego lwowiaka, czy też z innych powodów, dość że zapakował walizę Pocięgły do kufra i ruszyli w drogę na południe.

W tym momencie na lotnisko wpadła Lidka, ściskając w dłoni przywiędły bukiecik fiołków, ale w poczekalni nikogo już nie było.

W drodze do Przemyśla Szczepan nie był zbyt rozmowny, wiercił się na siedzeniu i tylko co jakiś czas pytał, ile jeszcze kilometrów przed nimi. Taksówkarz próbował zagadywać o to i o owo, ale Pocięgło zbywał go.

– Hulaj, hulaj tatu złoty – ponaglał zniecierpliwiony.
– Siły w pikuletach tobi brakuji?

Kierowca uśmiechał się życzliwie na dźwięk tej tak inaczej, ale jakże swojsko brzmiącej polszczyzny i dodawał gazu, sądząc, że klientowi bardzo się do kogoś spieszy. Kiedy jednak znaleźli się na przedmieściach Przemyśla, okazało się, że jego pasażer nie ma w tym mieście żadnego interesu, chce tylko podjechać pod samą granicę. Zatrzymali się na pustej szosie w przepisowej odległości od biało-czerwonego szlabanu.

Wtedy Szczepan wysiadł z taksówki i pieszo poszedł w stronę słupów granicznych. Kiedy znalazł się przy szlabanie, stanął i długo wpatrywał się w dal, jakby mógł cokolwiek tam dojrzeć...

– Ile będzie stąd do Lwowa? – zapytał taksówkarz dyżurnego wopistę, który wyszedł ze swojej budki zaintrygowany widokiem elegancko ubranego mężczyzny, stojącego bez ruchu przy szlabanie.

– Stąd to już jak splunąć. Góra osiemdziesiąt – chłopak przewiesił karabin przez ramię i ruszył w kierunku Szczepana. Chciał go przegonić, ale nagle zatrzymał się zdumiony. Po twarzy starszego człowieka spływały łzy, a on pełną piersią wciągał w płuca powietrze z taką zachłannością, jakby miało mu ono wystarczyć na całe życie...

Taksówkarz nie mógł się nadziwić:

– To po to było taki karwas drogi jechać?

– Luftu lwowskiego si nachapać – wyjaśnił Pocięgło, kiedy wracali już z powrotem. – Takiego luftu na całym świeci ni ma – westchnął zapatrzony w oddalający się coraz bardziej graniczny szlaban, oddzielający go na zawsze od rodzinnego miasta.

Na Złotą zajechali wcześnie rano. Prokop kręcił się akurat z miotłą przy bramie, kiedy z taksówki wysiadł szykownie ubrany pan z elegancką walizą na kółkach i skierował się prosto pod 25. Dozorcę aż skręcało z ciekawości, żeby się dowiedzieć, do kogo ten bez wątpienia cudzoziemiec przybył. Obstawiał Bizanca, a tu niespodzianka – nieznajomy zapukał do Jasińskiej! Lidka szykowała się właśnie do wyjścia.

– Kto tam? – zapytała, zanim otworzyła drzwi. W odpowiedzi usłyszała swojsko brzmiący głos:

– A co si pytasz, kobito? Otwieraj!

O mało nie zemdlała na dźwięk tego śpiewnego akcentu.

– Jezus Maria! – krzyknęła. – Jakbym Tolka słyszała!

W progu stał uśmiechnięty od ucha do ucha Szczepan i wyciągał do niej ramiona.

– Bratowa, zgadza się? – upewnił się, zanim zamknął ją w mocnym uścisku. – Szczepku jestem! – przedstawił się oszołomionej Lidce. W tym momencie spostrzegł wynurzającego się ze swojego pokoju zaspanego Mietka. – A to na sicher Miećku, tak? – Nim chłopak zdążył cokolwiek powiedzieć, już został wyściskany. – Dawaj gęby, stryjku przyjechał! – grzmiał radośnie, całując go jak z dubeltówki.

Rozgościł się bez zbędnych ceregieli, szczęśliwy, że nareszcie jest wśród swoich. Lidka zawstydzona przepraszała za spóźnienie na lotnisko, ale on machnął na to ręką, bo aż za dobrze wiedział, jaką plagą są uliczne korki, a poza tym, jak uczy doświadczenie, nie ma tego złego, co by na dobre nie wyszło. Opowiedział o wyprawie do Przemyśla i przystąpił do wypakowywania prezentów. Po chwili na stole stały już słoiki z kawą, puszki z herbatą, kakao i czekolada, jakieś rajstopy, pończochy i Bóg wie co jeszcze.

– A dla bratowej takie, o, ubranko od Maxa i Spencera – rozwinął sweterek z delikatnej, angorowej wełny. – Z miarą jakoś udało się trafić. – Zadowolony oceniał okiem znawcy wymiary speszonej nieco Lidki. – A dla mamuni meszty – podał Jasińskiej parę wytwornych rannych pantofelków, o jakich marzyć by nawet nie śmiała. Dla Mietka miał komplet kolorowych flamastrów, eleganckie pióro w etui i płyty. Twarz mu się rozjaśniła, kiedy spostrzegł, że zrobił chłopakowi przyjemność. Widać było, że z serca te wszystkie prezenty, że obdarowywanie bliskich sprawia mu radość. Nagle wzrok jego padł na wiszącą na ścianie fotografię Tolka w mundurze wojskowym... – Oj biedny ten mój bracisku...Ostatni raz my jeszcze na białych niedźwiedziach się widzieli... – oczy mu się zaszkliły, a głos zadrżał. – Potem Tolu ten mundur założył, a ja beretkę u Andersa – westchnął wzruszony.

Patrzyli na niego z prawdziwą sympatią. Nie był pięknym mężczyzną, ale z jego oczu biła taka dobroć i ciepło, tyle szczerości było w zachowaniu, iż powiedzieć by można, że na pewno ma piękną duszę.

– A obecnie szwagier... znaczy Szczepan, co porabia? – zapytała Lidka, żeby odwrócić uwagę gościa od smutnych wspomnień. – Bo kiedyś pisał, że miał piekarnię w Londynie?

– Buło, ale mynuło – roześmiał się. – Obecni to ja jestem luftinspektor od kolei, co do lampy naftę leji – potoczył rozbawionym wzrokiem, bo wiedział, że nie zrozumieli lwowskiego dowcipu. – Za emeryta rządu Jej Królewskiej Mości jestem – wyjaśnił.

Mimo ożywienia widać już było zmęczenie na twarzy gościa. Wielogodzinna podróż, emocje, wzruszenia – to wszystko dawało znać o sobie.

– Pan z takiej drogi... Niech się pan zdrzemnie – zaproponowała Jasińska.

On jednak odmówił. Chciał się tylko umyć i ogolić.

– A potem trzeba mi do Tola hulać – oświadczył. – To najpierwsza sprawa z tych dwóch, co ja mam tu do załatwienia.

– A jaka druga? – zainteresowała się Jasińska.

– Przyjdzie i na to pora... – mrugnął do niej porozumiewawczo, ale nic więcej nie powiedział.

Na Powązki pojechali w trójkę. Uporządkowali grób, położyli kwiaty. Szczepan przez cały czas milczał. Dopiero po zmówionej modlitwie odezwał się, wskazując tabliczkę z napisem – „Śp. Antoni Pocięgło, ur. 1914, zginął tragicznie 1946":

– Tu nie beser jest. Trza dodać: urodzony we Lwowi.

Lidka tłumaczyła się, że na to im nie pozwolono, ale Szczepan z uporem trwał przy swoim:

– Trza dopisać. Absolutni! – Jeszcze raz poprawił kwiaty na grobie brata, odchrząknął i tłumiąc wzruszenie przemówił uroczyście: – Ty, Tolu, bracisku mój serdeczny, nie doczekał. Takoj sicher i ja nie doczekam. Dlatego ja, w twojej obecności, Tolu, przekazuję ostatniemu z Pocięgłów to, co si jemu należy – wyciągnął z kieszeni kopertę i wcisnął ją oszołomionemu Mietkowi do ręki.

Chłopak poczuł się okropnie. Było mu głupio i wstyd za siebie i za matkę, że wobec tego szczerego, otwartego człowieka zachowują się nieuczciwie, zatajając prawdę. Nie chciał zaglądać do tej koperty, bo w swoim przekonaniu nie miał do tego prawa, ale Szczepan czekał... Więc nie chcąc sprawiać mu zawodu, rozerwał ją. W kopercie były klucze...

– Co to za klucze? – zapytała zdumiona Lidka.

– Od chałupy – oświadczył Szczepan. – Już obecni jego. – Poklepał Mietka po ramieniu, jakby w ten sposób pasował go na prawowitego spadkobiercę.

Lidce zakręciło się w głowie.

– W Londynie? – wymamrotała.

– Gadaj do nij, ona dzwoni! – oburzył się szwagier.

– Ta w jakim Londyni? Ta Łyczakowska osiemdziesiąt

cztery! – rozwarł ramiona i ściskając Mietka z całych sił, powiedział: – My z Tolkiem nie doczekali, ale ty sicher na swoje wrócisz jako ostatni z Pocięgłów.

Mietek sponad ramienia stryja bezradnie spojrzał na matkę, szukając u niej pomocy, ale ona uśmiechała się tylko do niego ocierając łzy wzruszenia.

– Mamo... Chyba trzeba mu powiedzieć, że jego brat nie jest moim ojcem – szepnął Lidce do ucha, korzystając z tego, że Szczepan klęczał przy grobie brata i odmawiał pożegnalną modlitwę.

Położyła palec na ustach, na razie nakazując mu milczenie.

Wizyta szwagra wniosła do smutnego domu Lidki ożywczy powiew. Choć już nie najmłodszy, Szczepan miał w sobie tyle radości życia i temperamentu, że udzielało się to otoczeniu.

– Ale że też do tej pory pan się nie ożenił? – nie mogła się nadziwić Wanda Jasińska.

– Ta z kim? Ta gdzie? W Anglii? – Pocięgło patrzył na starszą panią, jakby była niespełna rozumu. – Ta to same karykatury kobity. Albo zęby do przodu jak u królika, albo rude, albo z piegami, jakby im w domu kot w wentylator nasrał... przepraszam za wentylator...

Wanda śmiała się do łez ubawiona tymi opowieściami i barwnymi porównaniami.

– Ta gdzie Angielkom do Polek! – westchnął pokazując Jasińskiej na dowód zdjęcie Lidki, które bratowa przysłała mu kilka lat temu. Potem pogrzebał w portfelu i wyciągnął podniszczoną fotografię przedstawiającą słodką blondyneczkę z dołeczkami w policzkach. Miała na sobie mundurek szkolny i dwa długie warkocze.

– To Lunia – szepnął nabożnie, wpatrując się w zdjęcie jak w święty obrazek. – Absolutni najładniejsza dziunia w całym gimnazjum! A do Królowej Jadwigi to byle ciuciurupy nie chodziły – dorzucił na wypadek, gdyby Jasińska miała jakiekolwiek wątpliwości.

– Ładniutka... – pochwaliła Wanda bez entuzjazmu.

– Ładniutka?! – oburzył się Pocięgło i zabrał zdjęcie.

– Cudo ty moji! – ucałował podobiznę Luni z emfazą.

– Jakem si tylko dowiedział, że ona obecni wdowa, nasypali piasku – jadę! I da Bóg, nie sam będę wracał do Londynu!

Jasińska pokiwała głową. A więc to była ta druga sprawa, która przygnała Szczepana do kraju. Obie z córką z całej duszy życzyły mu powodzenia, kiedy szykował się z pierwszą wizytą do ukochanej. W granatowej klubowej marynarce, w białej koszuli, z przystrzyżonym wąsem prezentował się wcale-wcale.

Na Królewską do domu bez kantów, gdzie mieszkała Lunia, obiecał go podwieźć Henio Lermaszewski, który z nadzwyczajną gorliwością kręcił się koło gościa z Londynu.

Zyskał sympatię i zaufanie Szczepana już podczas pierwszego spotkania, w czasie którego doszło do transakcji wymiany funtów na złote. Wtedy to Henio poszedł na całość i aby się godnie zaprezentować, buńczucznie oświadczył, że od żołnierza generała Andersa to nawet nie pyta, za ile te funty, tylko w ciemno wchodzi! To się Pocięgle bardzo spodobało. A teraz wiózł starego lwowiaka w konkury wystrojonego jak na wesele, z bukietem czerwonych róż tak gigantycznych rozmiarów, że jego samego zza tych kwiatów ledwo było widać.

Drzwi otworzyła mu dobrze zakonserwowana tleniona blondyna po pięćdziesiątce, mocno wymalowana i wymanikiurowana, której twarz niewątpliwie nosiła ślady dawnej urody, dziś jednak z trudem można w niej było rozpoznać uroczą gimnazjalistkę ze starej fotografii.

– Szczepan! Jeszcze nie wierzę! – rzuciła się na oszołomionego gościa z całuskami. – Ile to lat? – wyjęła mu z rąk bukiet róż, nie czekając, aż sam jej go wręczy. – Cudnie pachną! Wprost cudnie! – paplała prowadząc go do salonu.

– W Stryjskim Parku ja tobie lepsze smytrał, jak ogrodnik nie widział – rozrzewniony przypomniał jej stare dzieje jakby w nadziei, że tamte wspomnienia zagłuszą nieco rzeczywistość.

– No właśnie – powiedziała obojętnym tonem.

– A wiesz, że mam jeszcze album ze Lwowa? – zaczęła kręcić się po pokoju, zaglądając do różnych zakamarków.

– Gdzież ja go położyłam? – nie mogła sobie przypomnieć.

Szczepan tymczasem rozglądał się po wnętrzu luksusowego mieszkania, w którym wszystko – meble, dywany, obrazy, bibeloty – świadczyły o nie byle jakiej zamożności gospodarzy.

– Cudny pomieszkanie! – powiedział z podziwem.

– Lepszych u Dzieduszyckich na Kurkowej si nie widziało!

– To z przydziału – wyjaśniła Lunia. – Rysiek miał ogromne zasługi. Wprost niebywałe! – spojrzała w stronę starej biblioteki z kompletem dzieł Lenina za szkłem. Obok na biurku stał portret mężczyzny w mundurze pułkownika, a przy nim czapka z takimi samymi dystynkcjami. Wszystko przepasane czarną krepą...

– Widzę, że byłaś pod pułkownikiem, jak to się mówi – zażartował Szczepan, ale mina mu zrzedła, bo gospodyni chłodno przyjęła dowcip.

– Tak, mąż był pułkownikiem. – Podała gościowi album, który wreszcie udało się jej znaleźć.

– A ja pod Monte Cassino na sierżanta awansował! – pochwalił się licząc na małą iskierkę podziwu w jej oczach, na znajomy błysk, który na zawsze zapamiętał ze szkolnych lat. Ale jej wspomnienia dotyczyły tylko męża.

337

– A Rysiek pod Lenino – powiedziała takim tonem, jakby chciała przebić gościa zasługami pułkownika.

Szczepan nie zwrócił na to uwagi, bo myślami był przy bracie, który przeszedł przecież ten sam szlak bojowy co mąż Luni.

– Ta co zrobisz? – westchnął. – Losu nie wybierasz. Tylko najwyżej dziewczyny – szarmancko ujął dłoń swojej damy i wycisnął na niej gorący pocałunek. Uśmiechnęła się zalotnie.

– Przejrzyj zdjęcia, a ja tymczasem przygotuję coś szałowego! – obiecała znikając w kuchni.

Zagłębiony w przepastnym fotelu wolno przerzucał kartki albumu. Fotografie Luni z dzieciństwa na tle starego Lwowa przemieszane były z nowszymi zdjęciami i z okolicznościowymi wycinkami z gazet z różnych lat, ale jego interesowały tylko te przedwojenne, pożółkłe już fotografie, na których rozpoznawał znajome obiekty i miejsca: Ratusz, Teatr Wielki, Gimnazjum Świętej Jadwigi i Cmentarz Orląt widziany od strony Pohulanki... Oczy mu zwilgotniały i długo wpatrywał się w to zdjęcie, jakby chciał odczytać napisy na nagrobkach poległych dzieci. Wreszcie wzdychając ciężko przewrócił kartę albumu i zamarł... Całą stronę zajmował wycinek z gazety – na nim fotografia męża Luni, opatrzona podpisem następującej treści: „Prokurator wojskowy Rupała żąda kary śmierci dla zdrajców Polski Ludowej"... Szczepan drżącą ręką otarł pot z czoła. Nie mógł w to uwierzyć. To nie mogła być prawda, żeby ona... ta słodka istota była żoną kata!

– To mówisz, że wielkie miał zasługi nieboszczyk? – zawołał w stronę kuchni ochrypłym głosem.

Lunia zajęta przygotowywaniem poczęstunku odkrzyknęła:

– O tak! Jeszcze Bierut go dekorował! Sztandar pracy drugiej klasy. Zobacz, tam wisi!

Istotnie wisiał w pobliżu „ołtarzyka" zmarłego pana domu i biblioteki z dziełami Lenina. Dopiero teraz w pełni dotarło do Szczepana, pod czyim dachem się znalazł i co to za dom. Bezszelestnie podniósł się z kanapy i skradając się na palcach niczym złodziej, wolniutko ruszył w stronę drzwi wyjściowych, ale w przedpokoju nagle o czymś sobie przypomniał. Pędem zawrócił, porwał bukiet róż tkwiący w wazonie i wybiegł nie oglądając się za siebie.

Uciekał stamtąd szybciej niż żołnierze Napoleona spod Moskwy i był w podobnym jak oni stanie, kiedy zjawił się na Złotej...

– Taki sztemp! Taki sztemp! – powtarzał w zapamiętaniu, drąc na strzępy zdjęcie ukochanej. – Ta to bandyta jakiś! To już nie miała za kogo si wydać? Ta jej mąż to był jakiś partyjny prokurator! – nie mógł się pogodzić ze straszną myślą, że dziewczyna, o której marzył całe życie, tak się zeszmaciła. – I żeby lwowskie dziecko takiego wstydu miastu narobiło! – lamentował.

– Ma pan fart – pocieszał go Henio w sobie właściwy sposób. – Taka znajomość warta jest każde pieniądze.

Szczepan posłał mu piorunujące spojrzenie, nie przestając pastwić się nad podobizną Luni. Był naprawdę załamany.

Lidka uważała, że nie można się poddawać, bo to jeszcze nie koniec świata:

– Znajdzie Szczepan inną...

– Ali-o, austriackie gadanie! – obruszył się. – Ta w moim wieku już wszystkie dawno zaasenterowane! – westchnął bezradnie.

Lermaszewski w lot dostrzegł w tym szansę dla siebie. Pomoże staremu lwowiakowi znaleźć żonę, a wtedy łatwiej mu będzie poprosić go o zaproszenie.

– Spokojna głowa! Tego towaru u nas więcej jak u ruskich czekistów! Dopasujemy! – obiecywał. – Pan poda

339

tylko rozmiar z dokładnością do jednej dziesiątej... – wykonał dyskretny ruch rękami, opisujący rozmiary klatki piersiowej przyszłej kandydatki – ... a ja wchodzę w to! Jaka panu pasuje? Blondynka? Brunetka? Ruda? – zasypywał oszołomionego Szczepana pytaniami jak ktoś, kto prowadzi agencję towarzyską i zaraz wyciągnie z kartoteki stosowne oferty. W głowie miał już gotowy plan działania.

Jeszcze tego samego wieczoru Danuśka wyszukała w starych gazetach adresy biur matrymonialnych i skoro świt następnego dnia zgłosili w nich kandydaturę Szczepana. Nie musieli długo czekać na odzew. Listowne oferty zaczęły napływać już po kilku dniach. Odtąd codziennym rytuałem w domu Jasińskiej było ich głośne odczytywanie.

– „Jestem zgrabną brunetką o niebieskich oczach, gotową oddać serce prawdziwemu dżentelmenowi..." – Danusia, która pełniła rolę lektorki, skrzywiła się, ale pytająco spojrzała na Szczepana. On jednak nie miał zdania, przeszła więc do następnego zgłoszenia: – „Będę czekać w kawiarni w Wilanowie, bo zawsze wielbiłam Królową Marysieńkę i jestem do niej niezwykle podobna...".

Szczepan pokiwał głową z aprobatą. Danusia jednak skrupulatnie przeglądała wszystkie listy.

– Albo może to – czytała dalej. – „W szkole mówili o mnie «Niezapominajka», bo ubierałam się zawsze na niebiesko. Jestem osobą bardzo poetycką, lubię pisać wiersze..." – Jest jeszcze coś takiego: „Jestem kobietą zdolną do poświęceń dla mężczyzny, którego pokocham miłością pierwszą... Mój zawód jest międzynarodowy..." etc., etc...

Henio woził go na spotkania z wybranymi kandydatkami, ale był to ciąg samych niewypałów. Pani zachwalająca się jako drugie wcielenie królowej Marysieńki okazała się otyłą damulką z dwoma złotymi zębami na przodzie.

„Niezapominajka" była zasuszoną złośnicą, która na domiar złego na spotkanie przyprowadziła „niespodziankę" w postaci rozkapryszonego dziecka. Na jej widok Szczepan tak się przeląkł, że nawet do niej nie podszedł. Kobieta reklamująca swój międzynarodowy zawód już na pierwszy rzut oka nie pozostawiała złudzeń co do swojej prawdziwej profesji. Wyznaczyła przyszłemu narzeczonemu spotkanie w „Kongresowej" i tam pokazała, co potrafi... Gdyby nie przytomna reakcja Lermaszewskiego, biedny Pocięgło ugrzązłby w bagnie po uszy.

– Widać już nie ma takich szac-kobitek, jakie ja wymarzył... – podsumował całą akcję Szczepan, otwierając butelkę whisky. Siedzieli przy stole we trzech: Henio, Mietek i on, topiąc w zacnym trunku gorzki smak porażki.

– No i czas mi się zbierać – westchnął Szczepan, trącając się z pozostałymi szklanką jakby już na pożegnanie.

Zrobiło się smutno. I wtedy do pokoju wpadła czerwona z emocji Danusia:

– Jest! Jest! – wołała od progu. – Wspaniała kandydatka! I ze Lwowa, dentystka, zamożna z domu – wymieniała wszystkie zalety jednym tchem. – A tu jest zdjęcie – podsunęła je Szczepanowi pod nos. – Pisze, że chce się stąd wyrwać, żeby pełną piersią pooddychać wolnością!

– Ma czym. Maksymalnie – Henio z uznaniem przyglądał się kobiecie na zdjęciu.

– No, no... – Szczepanowi z podziwu aż błysnęło oko.

– Aj, Bożeńciu, tak ona mi przypomina jedną dziunię z gimnazjum... – spojrzał rozrzewniony na Danusię. – Jak ja wam się wywdzięczę?

Na to właśnie pytanie przez cały czas czekali... Henio spojrzał na żonę, dając jej znak, żeby zaczynała.

– Mógłby pan... – Danusia zaczerwieniła się po same uszy. – Chodzi o zaproszenie do Londynu – wypaliła

341

jednym tchem. – Bo mój tatuś dostał od rządu londyńskiego krzyż za AK i prosił, żebym pojechała odebrać – odetchnęła z ulgą jak ktoś, komu udało się przejść po linie, i w napięciu czekała na odpowiedź.

Szczepan milczał chwilę, zapatrzony w świeżą buzię Danusi zarumienioną teraz jak brzoskwinia, wreszcie się ocknął i huknął wesoło:

– Ta ma się wi! – pogładził ją po ojcowsku po głowie i mrugając porozumiewawczo do Henia powiedział: – Na taką, żebym ja trafił... – westchnął rozmarzony. – Ale teraz już takich nie robią...

Lermaszewski roześmiał się, ale rozpierała go duma.

Oboje z Danuśką postanowili, że zanim Szczepan wyruszy w powrotną drogę do Anglii, dadzą Panu Bogu jeszcze jedną szansę na odwrócenie losu starego lwowiaka i zorganizują spotkanie z dentystką.

– Tym razem sam pan pojedzie – zadecydował Henio, wręczając zdumionemu Szczepanowi kluczyki od swojego BMW.

– Po co te ceregieli? – wykręcał się Pocięgło, jakby nie wystarczyło, że wystroił się i wypachnił jak lord z Izby Gmin.

Młodzi Lermaszewscy byli jednak innego zdania i, co rzadko im się zdarzało, tego samego. Uważali, że skoro Szczepan chce się żenić z Polką, to musi jej zaimponować.

– Albo trzeba mieć krzyż Virtuti, albo ciotkę w sądzie, wuja w rządzie i zachodni wózek – wyliczał Henio atuty gwarantujące powodzenie w sprawach matrymonialnych. – Ta dama to pełna kultura! – wyciągnął zdjęcie eleganckiej pani stojącej na schodkach starej willi. – Pod taką musi pan zajechać z fasonem. Ona musi wiedzieć, że nie byle kto do niej uderza! – przekonywał opierającego się Szczepana, który ani rusz nie mógł zrozumieć, dlaczego za kierownicą cudzego auta będzie więcej wart niż na piechotę. Wreszcie udało się Heniowi wsadzić go do świeżo wypucowanego na tę okoliczność samochodu i zatrzasnąć drzwiczki. Pomachali mu na pożegnanie i patrzyli, jak włącza się do ruchu, dumni z przeprowadzonej akcji, ale nagle oboje znieruchomieli z przerażenia, bo oto ich piękne BMW najspokojniej na świecie zaczęło jechać pod prąd, a jego kierowca, najwyraźniej zaskoczony zachowaniem innych użytkowników jezdni, którzy niespodziewanie dla niego pojawili mu się tuż przed maską samochodu, zaczął trąbić i mrugać światłami jak oszalały.

– Co jest? Jak on jedzie? – wrzasnął Henio i popędził w stronę miotającego się w ulicznym ruchu samochodu.

Zaledwie biegnąca za nim Danusia zdążyła mu wyjaśnić, że Szczepan jedzie po swojemu, bo w Anglii jest ruch lewostronny, a już usłyszeli trzask pękającego szkła i okropny zgrzyt zgniatanej blachy. Henio zamknął oczy. Nie mógł jednak pozwolić sobie teraz na rozpacz, bo z wraka samochodu zaczęły wydobywać się kłęby pary i trzeba było ratować kierowcę.

Na szczęście niefortunny kandydat do ożenku wyszedł z wypadku z mniejszymi uszkodzeniami niż samochód Lermaszewskiego. Końcowy bilans strat to po stronie Henia skasowane auto, a po stronie Szczepana ogólne potłuczenia, zadrapania i rozcięta głowa. Leżał teraz na stole zabiegowym w ambulatorium, gdzie pracowała Lidka, a dokąd przywieźli go Lermaszewscy, i z pokorą poddawał się aplikowanym przez bratową zabiegom ani na chwilę nie spuszczając z niej wzroku.

– Ja się teraz nie dziwię, żeście to Monte Cassino zdobyli – westchnął Henio obserwując wprawne ruchy Lidki. – Tylko że straty ciężkie – podsumował swój udział w całym przedsięwzięciu.

– Ta ja wszystkie grajcary zwrócę – obiecywał zawstydzony Szczepan.

Henio machnął ręką.

– Biorę to na siebie – powiedział ponuro. – Pan niech tylko zaproszenie do Anglii pchnie!

Szczepan uniósł się lekko na kozetce, chcąc dojrzeć Henia ponad ramieniem bratowej i zapewnić go, że zaproszenia może być pewny, ale Lidka łagodnym, acz stanowczym gestem nakazała mu, żeby spokojnie leżał. Pocięgło poddał się jej miękkim dłoniom z lubością, zapominając o bólu. Pochyliła się nad nim, przycinając opatrunek i wtedy poczuł bijące od niej rozkoszne ciepło i subtelny, świeży zapach jakiejś wody. Zakręciło mu się w głowie, otworzył oczy i zobaczył jej twarz tuż nad swoją. Uśmiechnęła się do niego serdecznie, a wtedy on chwycił jej dłoń i ucałował z wdzięcznością. Wpatrywał się w nią, jakby widział ją po raz pierwszy w życiu.

– No i spotkanie przepadło! – martwiła się Danusia, kiedy już było po wszystkim i mógł opuścić szpital.

Szczepan uśmiechnął się tajemniczo.

– Ta ja już lepszą znalazł! – powiedział, z trudem podnosząc się z kozetki. – Jak to cudni, że ja te auto rozbił! – mówił wodząc rozanielonym wzrokiem za Lidką.
– Ja chyba ślepunder byłem na oba oczy, że ja do tej pory nie widział, co ja obecni widzę! – chwycił rękę spłoszonej bratowej i namiętnie przycisnął do swoich wąsisków.

Henio pierwszy otrząsnął się ze zdumienia.

– To będzie pan musiał trzy zaproszenia przysłać!

– Przyjedziesz, Lidzia...? – Szczepan wpatrywał się w oszołomioną takim obrotem sprawy kobietę i w napięciu czekał, co powie.

A jej wzruszenie odebrało głos, wreszcie powiedziała tak jakoś nieśmiało, jakby się tłumaczyła:

– Ja... ja przecież nie ze Lwowa, Szczepan... – i oblała się rumieńcem.

– Ta szkodzi nic – uspokoił ją. – Liczy się serce.

– Maksymalnie! – huknął Henio i ujął Pocięgłę pod ramię, by pomóc mu stanąć na nogach.

Na Okęcie odprowadzili go z całą paradą; były kwiaty, uściski, zapewnienia i łzy... I Henio z Danusią, i Lidka z Mietkiem żegnali Szczepana jak kogoś najbliższego i najserdeczniejszego... Pomachali mu już na pożegnanie, kiedy ze swoim brytyjskim paszportem zbliżał się do wopisty, i chcieli odejść, ale on nagle przedarł się przez kolejkę oczekujących do kontroli paszportowej i przypadł do Lidki... Objął ją i ucałował z tak młodzieńczą werwą i namiętnością, że w Lidce odezwały się od dawna uśpione już zmysły. Przytuliła się do Szczepana i objęła go serdecznie, oddając pocałunek. Potem długo patrzyła na wzbijający się do góry samolot, ocierając łzy.

Wydawało się, że w domu Talarów nareszcie wszystko wróciło do normy. Andrzej pogodził się z innym stylem życia żony, zaakceptował jej nowe potrzeby, tak jak radził mu Lang, a Ewa robiła wrażenie wyciszonej, pewniejszej siebie i pogodniejszej. Ją i synów bardzo pochłaniały przygotowania do wyprawy nad Balaton. Mówiło się o tym codziennie, snując coraz bardziej fantastyczne plany; chłopcy ściągali zewsząd rozmaite mapy i przewodniki, jakby się wybierali w podróż dookoła świata, ona gromadziła turystyczne i plażowe akcesoria dla całej rodziny. Robiła długie wyprawy do sklepów i wracała z nich obładowana jakimiś, w jej przekonaniu niezbędnymi, przedmiotami.

– Już bym chciała być w drodze – zwierzyła się Halinie w przeddzień wyjazdu. – Jesteśmy właściwie spakowani.

Ruszamy z samego rana – urwała patrząc niespokojnie na zegarek. – Została mi tylko jedna sprawa do załatwienia.

Halina spojrzała pytająco na podenerwowaną przyjaciółkę.

– Mam na drugą umówione badanie kontrolne – wyjaśniła Talarowa wyglądając przez okno. – A tymczasem Andrzej nawala...

Istotnie spóźniał się, ponieważ wynikły problemy z uruchomieniem samochodu. Ich fiat 1100 był już weteranem i zdarzało się, że odmawiał posłuszeństwa.

– A co będzie, jak on nam na trasie nawali? – martwiła się Ewa w drodze do lekarza.

Andrzej był dobrej myśli:

– Stara chabeta jedzie wolno, ale wszędzie dojedzie!

Zajrzał jeszcze pod maskę, kiedy czekał na żonę pod Instytutem Onkologii, a potem zajął się studiowaniem atlasu samochodowego przed jutrzejszą podróżą.

– Wiesz, ile nas czeka kilometrów? – zawołał do Ewy, gdy tylko ją zobaczył wychodzącą ze szpitala. Szła bardzo wolno w jego stronę i sprawiała wrażenie, jakby w ogóle nic nie słyszała. Ruszył jej naprzeciw, potrząsając mapą i dopiero kiedy się zbliżył, spostrzegł, że Ewa jest blada jak ściana.

– Kazali mi się zgłosić pojutrze z piżamą – powiedziała martwym głosem.

W pierwszej chwili do Andrzeja nie dotarł sens tych słów.

– Jak to z piżamą?

– Nie wiesz, co to znaczy? – zniecierpliwiła się. – Że będą mi robić chemoterapię.

Andrzej nie mógł uwierzyć. Przecież tak dobrze się czuła, nawet ostatnio przybrała na wadze kilogram czy dwa! Była taka aktywna i pełna wiary! Nie! Nie! To jakaś pomyłka...

346

Spojrzała na niego jak na nierozgarnięte dziecko:
– „Remisja nie trwa wiecznie" – tak powiedział profesor.
– Umilkła i przyspieszyła kroku, jakby chciała przed nim uciec i nie musieć już nic więcej wyjaśniać. Dogonił ją i delikatnie ujął pod ramię. Zrezygnowana pozwoliła się zaprowadzić do samochodu.

Zabroniła rodzinie przychodzić do szpitala. Nie chciała, żeby widzieli, jak się zmienia, jak z dnia na dzień staje się tylko wspomnieniem dawnej Ewy, jak rzedną i wypadają jej piękne, bujne kiedyś włosy... Oni jednak regularnie przyjeżdżali pod szpital i wypatrywali jej w oknie. Przyglądała się im z daleka, ale tak, by nie być widzianą.

Najgorszy był jednak powrót do domu. Tak bardzo chciała być im wszystkim wdzięczna za troskę okazywaną jej na każdym kroku, ale nie potrafiła. Drażniło ją nadskakiwanie Andrzeja i wyręczanie w domowych pracach, bo nie pozwalało jej to wrócić do normalnego życia, zapomnieć, że jest chora, drażnili ją synowie wyciszeni jacyś i zgodni – swoim nienaturalnym zachowaniem tylko jej przypominali o tym, z czym nie mogła i nie chciała się pogodzić. Przestała także chodzić do kościoła i odmówiła dalszego prowadzenia chóru, bo nie mogła przebaczyć Bogu krzywdy, jaką jej wyrządził. Ale prawdziwa udręka zaczynała się dla Ewy z nadejściem nocy, kiedy musiała położyć się w łóżku obok Andrzeja... Wstydziła się mężczyzny, z którym przeżyła tyle lat, i za nic w świecie nie chciała dopuścić do tego, by zobaczyć przerażenie w jego twarzy na widok spustoszeń, jakie poczyniła terapia na jej ciele. Sypiała więc w koszuli z długimi rękawami, szczelnie zakrywającej ją od stóp po szyję, i z głową ciasno okręconą chustką. Często jednak udawała tylko, że śpi, bo głucha rozpacz i straszne myśli nie pozwalały jej zasnąć...

– Dlaczego to spotkało właśnie mnie?! Dlaczego właśnie mnie?! – bez końca zadawała sobie to pytanie, tłumiąc poduszką szloch. Kiedyś jednak ten szloch wyrwał się jej z piersi i wtedy usłyszała w ciemności głos Andrzeja:

– No... jesteś już w domu. Już wróciłaś z dalekiej podróży... – wyciągnął dłoń, żeby ją pogłaskać, ale ona odsunęła się.

– Muszę zapomnieć o czasie, w którym jeszcze byłam kobietą – wyszeptała przez łzy.

Chciał ją objąć, przytulić, w geście miłości rozproszyć wszystkie jej obawy, ale Ewa zareagowała histerycznie:

– Zostaw! Robisz to z litości! Znajdź sobie prawdziwą kobietę! Weź sobie kochankę! – wołała.

Tłumaczył jej łagodnie, że tak jak ona kiedyś wybrała jego, tak on teraz wybrał ją. A życie go przekonało, że tylko ona się liczy, tylko ona jest ważna...

Ewa nagle się uspokoiła i spojrzała na męża nieprzyjaźnie:

– Miałeś kogoś? Miej odwagę się przyznać.

Andrzej przez chwilę zwlekał z odpowiedzią.

– Nie o to chodzi – powiedział wreszcie, próbując jeszcze raz zbliżyć się do żony. – Ale jak ci mam udowodnić, że w moim życiu nie ma nikogo ważniejszego od ciebie?

– Ale... był? – zesztywniała pod jego dotknięciem, pełna urazy i rodzących się podejrzeń.

Przesunął się na brzeg łóżka i na ułamek sekundy uciekł myślą do mansardy na Starówce... zobaczył twarz Niki... Przełknął ślinę i powiedział lekko ochrypłym głosem:

– Cokolwiek było, nigdy nie wróci... Nie wystarczy ci, że jestem z tobą? Tylko z tobą!

Ale jej to nie wystarczyło. Chciała miłości, a on miał jej do zaofiarowania poczucie obowiązku i przywiązanie!

– Nienawidzę cię! – zerwała się z łóżka i z płaczem wybiegła z pokoju.

Kiedy rano wstali, Ewy już w domu nie było. Nie po raz pierwszy próbowała rozwiązywać swoje problemy w ten sposób – uciekając od najbliższych. Podobnie jak poprzednio, tak i tym razem schronienie znalazła u matki w Skierniewicach. Andrzej natychmiast tam zadzwonił, ale teściowa nie chciała z nim rozmawiać. Czekał na Ewę cały dzień. Wieczorem nie wytrzymał... wsiadł do samochodu i pojechał do Skierniewic. Początkowo starsza pani nie wpuściła go nawet za próg domu. Błagał, żeby mu powiedziała, gdzie jest jego żona, ale ona kręciła głową.

– Wyszła zaraz po twoim telefonie. Naprawdę. I nie wiem dokąd.

Nie uwierzył.

– Nie dręcz mnie. Powiedz, gdzie ona jest?

– Coś ty jej zrobił, że tak przed tobą ucieka? – zapytała, ale pozwoliła mu wejść do środka i zostać na noc.

Andrzej wyciągnął się na kanapie półżywy ze zmęczenia i napięcia, ale niepokój i uporczywe myśli nie pozwalały mu nawet na chwilę zasnąć. Po północy zapukała teściowa. Ona też nie spała, zamartwiając się o córkę. Sprawdziła już we wszystkich znanych jej miejscach, w których Ewa mogła się ukryć, ale bez rezultatu. I wtedy do głowy przyszła jej ta myśl...

– Może ona jest u swojego ojca? – powiedziała do zięcia.

Natychmiast poderwał się na równe nogi.

– Jak to? U ojca? Przecież tak go nienawidziła za to, że was zostawił i poszedł do innej!

– Ale pytała o niego. I powiedziała coś w tym rodzaju: „Powinnam na koniec z nim się pogodzić".

– Na koniec?! Na jaki koniec!? – wykrzyknął przerażony na dźwięk tych słów, które brzmiały jak wyrok. Grunt usuwał mu się spod nóg...

– Ona chce teraz pozamykać wszystkie szufladki swego życia... – tłumaczyła teściowa cichym głosem, pełnym tłumionego bólu i współczucia.

– Tak powiedziała? – upewnił się Andrzej.

Potwierdziła ruchem głowy, dłonie jej zadrżały, ale oczy pozostały suche.

Ewa zjawiła się w Zakładach Produkcji Kabli tuż przed końcem godzin pracy dyrektora Szymosiuka. Wartownik w biurze przepustek nie chciał jej wpuścić, twierdząc, że towarzysz dyrektor przyjmuje tylko służbowo.

– Mnie przyjmie – oświadczyła stanowczo i kazała mu dzwonić do gabinetu ojca.

– Twierdzi, że jest córką... – usprawiedliwiał się speszony wartownik, kiedy dyrektor wrzasnął na niego, że wyraźnie zabronił mu łączyć z kimkolwiek.

– Którą córką?! – huknął do aparatu tak głośno, że Ewa doskonale usłyszała pytanie.

Wyrwała słuchawkę wartownikowi i powiedziała:

– Tą, którą nazwałeś kiedyś „Pisklakiem"!

Szymosiuk był nieprzyjemnie zaskoczony:

– Ewa? – upewnił się. W jego głosie oprócz niechęci wyczuć można było lęk. Tyle lat nie widział córki. Czego może od niego chcieć? Właśnie teraz, kiedy ma odejść na emeryturę? Różne podejrzenia przychodziły mu do głowy, mimo to jednak pozwolił wpuścić Ewę na górę.

– Czemu zawdzięczam tę wizytę? – przywitał ją oficjalnie w sekretariacie. – Co się stało, że przypomniałaś sobie o mnie? – rzucił niepewne spojrzenie w stronę nie domkniętych drzwi gabinetu, gdzie czekało na niego dwóch wysoko postawionych wojskowych petentów.

– Nie bój się – powiedziała, ale on, znając nieprzewidywalne reakcje córki, wolał na wszelki wypadek zamknąć drzwi. – A więc wciąż się boisz, że mogę ci przypomnieć o tamtym? – patrzyła na ojca bez nienawiści. Współczuła mu raczej życia z tym strachem, a może i z wyrzutami sumienia, że przed laty zostawił jej matkę dla kariery, bo miała brata księdza, a to mogło mu zaszkodzić w awansach. – Przyszłam, żeby ci wyznać, że... że już nie mam do ciebie żalu... Nie chcę, żebyś mnie źle wspominał – mówiła szybko, jednym tchem, jakby w obawie, że ojciec jej przerwie i że nie zdoła dokończyć spowiedzi. – Nie myśl, że to, co zrobiłeś, nie było... świństwem... Ja wszystko pamiętam, tato, ale chcę ci wybaczyć – przerwała dla nabrania powietrza, ale nie pozwoliła ojcu dojść do głosu. – Chcę też, żebyś i ty zapomniał, jaka ja byłam i czego ci życzyłam. Wybaczysz mi? – spojrzała na ojca prosząco.

Stał ogłupiały i lekko przestraszony zachowaniem córki. Zupełnie nie wiedział, jak się zachować, i po prawdzie nie bardzo rozumiał, o co jej chodzi, o jakim wybaczaniu mówi...

– Że tyle lat życzyłam ci wszystkiego najgorszego. Że cię przeklinałam – wyliczała wszystkie swoje grzechy. – Ja naprawdę chcę tylko, żeby nikt mnie nie wspominał jak złej mary... – zamilkła, bo drzwi od gabinetu się uchyliły i do sekretariatu zajrzał major, zniecierpliwiony przedłużającym się oczekiwaniem.

Szymosiuk, chcąc nie chcąc, pożegnał córkę, choć dopiero teraz zapragnął z nią szczerze porozmawiać. Zaczął podejrzewać, że coś strasznego musiało wydarzyć się w życiu Ewy. Dogonił ją samochodem już za bramą zakładów. Szła wolno ulicą ze spuszczoną nisko głową, tak by nikt nie widział spływających jej po twarzy łez.

Chwycił ją w ramiona i przytulając mocno do piersi, poprosił zduszonym głosem:

– Powiedz prawdę, „Pisklaku"...

Po tej rozmowie poczuła się lżej, jakby kamień spadł jej z serca, jakby przybyło jej sił i wiary w to, że dopóki są istoty, którym jest potrzebna, jej obowiązkiem jest dla nich żyć.

Wróciła do domu jeszcze tego samego dnia.

Na pierwszy rzut oka wydawało się, że Ewa jest pogodniejsza i spokojniejsza niż poprzednio, że w pewnym sensie pogodziła się z losem. Ale to były pozory. Andrzej dobrze wiedział, że żona tylko ciałem jest z nimi. Wykonywała domowe prace bardzo starannie, niby to uczestniczyła w życiu rodzinnym, ale myślami błądziła gdzieś daleko. Któregoś dnia przyłapał ją na tym, jak darła na kawałki stary plakat „Mazowsza". W jej ruchach nie było złości ani rozpaczy, wykonywała tę czynność wolno i metodycznie jak ktoś, kto robi porządki. Przypomniały mu się wówczas słowa teściowej, że Ewa chce „uporządkować szuflady swojego życia". Zabrał jej wtedy te plakaty, wyrwał nieomal siłą i błagał, by przestała rozmyślać, choć wiedział, że nie zda się to na wiele.

To zdarzenie nasunęło Andrzejowi pewien pomysł, który, gdyby udało się zrealizować, być może pomógłby Ewie stanąć na nogi. Ale do tego był mu potrzebny Mundek.

– Co ci to przypomina? – rozwinął przed przyjacielem słynny w latach pięćdziesiątych plakat „Wszystkie dziewczęta na traktory".

– Początek planu sześcioletniego i moją przeogromną wiarę – wyrecytował Wrotek jak z nut.

– W socjalizm? – zdziwił się Andrzej.

Mundek popukał się w czoło.

- Że przelecę wszystkie warte grzechu dziewczyny! - roześmiał się i przytwierdził plakat do półki z książkami. Patrzyła z niego śliczna, roześmiana buzia Ewy Szymosiuk - dziewczyny z "Mazowsza", którą znała wówczas cała Polska.

- To były jej wielkie chwile - powiedział poważnie Andrzej siadając do stołu, bo Halina właśnie podała kawę.

- Tak, nieczęsto wjeżdża się traktorem na mur fabryczny! - w dalszym ciągu dowcipkował Wrotek, nie zważając na nastrój gościa. - Ja byłem wtedy asystentem operatora, traktor był z Ursusa, a dziewczyna z "Mazowsza" jako wymarzona kandydatka do riki-tiki-tak - nie zwracał uwagi na karcące spojrzenia Haliny ani na jej znaczące pochrząkiwania.

- A gdyby tak do tego wrócić...? - zastanawiał się głośno Talar.

- Do czego? - Mundek wzruszył ramionami. - Teraz ja biegam za reżysera, ty jesteś mężem tej dziewczyny, a w Ursusie był strajk i są ścieżki zdrowia. Ty wiesz, że tam aresztowano dwa i pół tysiąca ludzi?! - oczy mu zaświeciły jak zawsze, kiedy zaczynał mówić o polityce, ale Halina powstrzymała go:

- On nie po to tu przyszedł. Jemu chodzi o Ewę!

Mundek zamilkł, a wtedy Andrzej przedstawił mu swój plan.

- Pamiętasz, miałeś kiedyś pomysł na cykl dokumentalny "Twarze z pierwszych stron gazet"?

- Tak, ale nie dali mi go zrobić tak, jak chciałem - mruknął niechętnie Wrotek.

- Wróć do losu tych, którzy wtedy byli wykreowani na jakieś symbole - prosił Andrzej patrząc na plakat, z którego uśmiechała się jego żona. - Mógłbyś pokazać, co robią, że nie zmarnowali do końca życia - mówił bardziej do niej niż do przyjaciela, jakby to ją, a nie jego chciał o tym przekonać. – Mundek, ona jest teraz... nieobecna! Ale ja ją znam. Ożywia się, gdy jest potrzebna, gdy jest w centrum zainteresowania.

Wrotek zaczął krążyć po pokoju.

– Solistka „Mazowsza", ozdoba ZMP, wręczała klucze do nowych mieszkań...

– A teraz jest matką, wychowuje dzieci... – podrzuciła Halina.

– Kupuję! – oświadczył Mundek. – Mam swoje materiały! Przecież to wszystko kręciłem.

Andrzej uściskał go serdecznie.

– Ale ona nie może się dowiedzieć, że to ode mnie wyszło – poprosił na koniec. – Powiesz jej, że od dawna marzyłeś o takim temacie.

– To się rozumie samo przez się.

Misternie ukartowany plan wziął jednak w łeb już w fazie wstępnej. W czasie projekcji materiałów archiwalnych, na którą Mundek zaprosił Ewę i Kuźniaka po to, by wyjaśnić im zasadę mającego powstać filmu, Kuźniak powiedział coś niefortunnego, co nasunęło Ewie podejrzenia, że za całą sprawą kryje się Andrzej. Wrotek próbował ratować przedsięwzięcie, ale ona nie chciała już o niczym słyszeć.

Kuźniak naprawdę szczerze przejął się tą historią, kiedy Andrzej wyznał mu, jak bardzo liczył na terapeutyczne działanie tego filmu.

– Tu nie ma co się bawić w psychologa! – oświadczył Kuźniak. – Tu trzeba działać! Myślałeś o Szwecji? Oni tam mają wyniki! – powiedział z uznaniem. – Musisz ją tam wysłać!

– Człowieku, ale jak?

Kuźniak ujął Andrzeja pod ramię i poprowadził przez halę wzdłuż linii dyrektorskiej.

– Wiesz, dla kogo to szykujemy? – wskazał fiata 125p w kolorze sahara. – Dla wiceministra zdrowia – wyszeptał mu prosto w ucho. – Rozumiemy się?

Andrzej przecząco pokręcił głową. Kuźniak rozejrzał się po hali i zniżając głos wyjaśnił:

– Chciał kolorek sahara, podwójne fińskie ogrzewanie, oponki Continental. Wszystko dostał! Teraz chyba nie odmówi naszemu specjaliście wysłania żony na leczenie do Szwecji? – mrugnął do Talara porozumiewawczo bardzo z siebie zadowolony. Z satysfakcją człowieka, który wiele może, przyglądał się zaskoczonemu Andrzejowi.

– Zrobiłbyś to? – nie dowierzał Talar.

Kuźniak poklepał go po ramieniu.

– Przecież jesteśmy tu w FSO jedną wielką rodziną, nie?

W spontanicznym odruchu wdzięczności Andrzej objął niezbyt lubianego kolegę.

– To kiedy on go odbiera? – zapytał rozemocjonowany.

Kuźniak roześmiał się.

– Powoli, powoli, panie inżynierze. Wszystko w swoim czasie…

Zbliżająca się rocznica rewolucji październikowej zaznaczała się zawsze nasilającą się akcją propagandową, ale w fatalnym dla władz PRL 1976 roku wysiłki, by pokazać światu, że cała Polska, od Bałtyku do Tatr, żyje wyłącznie tym wydarzeniem, były szczególnie wzmożone. Na próżno by szukać w oficjalnych doniesieniach wiadomości o tym, że w Ursusie czy Radomiu Milicja Obywatelska, wspierana przez specjalne oddziały ZOMO, pałkami wybijała z głowy klasy robotniczej wszelką myśl o prawie do stanowienia o własnym losie. Te informacje przekazywało tylko radio „Wolna Europa", ale i tak rozchodziły się w błyskawicznym tempie po kraju.

– O, dobrze, że cię widzę! – Beata, zdyszana biegiem, dopadła Mietka tuż przy wejściu do bramy domu. – Mam do ciebie sprawę... – zniżyła głos do konspiracyjnego szeptu: – Zebraliśmy na wydziale sporo grosza i rzeczy na pomoc dla tych z Ursusa, ale nie mamy żadnego konkretnego adresu. Chcemy, żebyś nam pomógł.

Mietek wzruszył ramionami.

– Ja się tym nie zajmuję – zbył ją krótko.

Była zawiedziona. Nie mogła uwierzyć, że odmawia!

– Ale przecież opowiadałeś mi o koledze z Ursusa, któremu odbili nerki na ścieżkach zdrowia! – nie ustępowała.

Dał jej znak, żeby zamilkła, bo niespodziewanie wyrósł przed nimi Prokop, który dziwnym trafem zawsze pojawiał się tam, gdzie ludzie mieli sobie coś do powiedzenia. Patrzył za nimi podejrzliwie, jak wchodzili na schody, niezadowolony, że nie słyszy, o czym mówią. Mietek chciał już sobie pójść, uznawszy temat za wyczerpany, ale Beata przytrzymała go za rękaw.

– Chyba nie można obok tego przejść obojętnie! – przekonywała go z żarem w oczach.

– Owszem, nie można być obojętnym, też byłem kiedyś taki gorący i zaangażowany, ale przeszło mi to na karnym poligonie. A teraz cieszę się, że dostałem robotę w wydawnictwie – podał jej dłoń na pożegnanie.

– Przepraszam – powiedziała rozczarowana i szybko weszła do mieszkania. Sądziła, że na kogo, jak na kogo, ale na Mietka można liczyć, pamiętała swoje szczenięce uwielbienie, jakim go darzyła w 68. Był idolem, a teraz...

– Co się z nim stało? – głośno się zastanawiała.

Martyna uniosła głowę znad rozłożonej talii kart.

– Może się już wypalił...

– Może... – Beata zajrzała matce przez ramię. – Na co stawiasz? – zapytała.

- Na to, co zawsze – przełożyła dwie kolejne karty i nagle wykrzyknęła radośnie: – O Boże! Wyszedł! Wyszedł!!!

Tym razem karty nie kłamały i zapowiedziana udanym pasjansem dobra nowina nadeszła szybciej, niż można się było spodziewać. Bizanc kręcił właśnie gałkami radioodbiornika, jak zwykle naiwnie licząc, że uda mu się poprawić jakość odbioru „Wolnej Europy", kiedy zadzwonił telefon. Zniecierpliwiony podniósł słuchawkę i z wrażenia aż przysiadł na fotelu.

– Pan Bizanc? Ja uże w Warszawie – usłyszał. – Gostinica „Solec".

To był głos Klary... Serce biło mu jak oszalałe, w ustach poczuł suchość. Tyle lat jej szukali, tyle lat czekali... Od kiedy napisała, że przyjedzie, spodziewali się jej każdego dnia, w każdej chwili. A gdy to się spełniło, stał jak sparaliżowany. Nie mógł uwierzyć, że to prawda...

– Przyjechała – powiedział ochrypłym głosem, odkładając słuchawkę.

– Kto przyjechał? – Martyna zaaferowana układaniem kart nie zwróciła uwagi na zmienioną twarz wuja.

Wtedy Bizanc powiedział tak jakoś po prostu, jakby to było oczywiste:

– Klara przyjechała.

Martynę opanowała histeryczna gorączka. Chciała biec już, zaraz, natychmiast, żeby jak najszybciej powitać siostrę, by nie uronić ani sekundy z jej pobytu. Był deszczowy, październikowy wieczór, kiedy we trójkę jechali na to najtrudniejsze w ich życiu spotkanie. Przed jasno oświetlonym hotelowym wejściem czekał autokar Inturistu, a wokół zaczynali się zbierać uczestnicy radzieckiej wycieczki. Po przesadnie eleganckich strojach można było poznać, że zorganizowano im grupowe wyjście do teatru lub na koncert.

Martyna, Alfred i Beata ściśnięci pod jednym parasolem zatrzymali się nieopodal, w napięciu wypatrując znajomej twarzy. Nagle w drzwiach pojawiła się ona, Klara-Kławdia, uderzająco podobna do Martyny, choć tęższa, bardziej pucołowata, niegustownie ubrana i uczesana. Rozpoznali ją od razu! Martyna z głośnym okrzykiem „Klara! Klara!" rzuciła się w stronę siostry, na szczęście Bizanc i Beata w porę ją powstrzymali przed dalszymi odruchami, które mogły wszystko popsuć. Zrazu Kławdia zdawała się ich nie dostrzegać. Rozmawiała ze swoimi, a potem podeszła do kierownika grupy rozdającego bilety.

– Do „Balszoj"? – upewniła się trochę nazbyt głośno i uniosła w górę bilet, dając im do zrozumienia, że spotkają się w teatrze. Nie mieli chwili do stracenia, bo autokar już ruszał. Podbiegli do pierwszej z brzegu taksówki i kazali kierowcy za nim jechać. Na plac Teatralny dotarli w momencie, gdy uczestnicy wycieczki wysiadali z autobusu i pospiesznie znikali w westybulu. Wkrótce na parkingu zrobiło się pusto. Mijały długie minuty, a Klara nie pojawiała się. Taksówkarz zaczął okazywać zniecierpliwienie.

Tymczasem Kławdia razem z innymi oddała płaszcz do szatni i poszła w kierunku widowni. Po drodze jednak skręciła do toalety i tam doczekała rozpoczęcia przedstawienia. Wtedy wyszła, odebrała rzeczy z szatni i opuściła teatr.

Martyna szła na spotkanie siostry jak w lunatycznym śnie, a po twarzy spływały jej łzy. Klara, wpatrzona w idącą jej naprzeciw kobietę, zbliżała się wolno, jakby sparaliżowana przez strach. Nie rzuciły się sobie w ramiona, bo Klara nawet nie zatrzymała się przy Martynie, tylko przeszła obojętnie i bez słowa wsiadła do taksówki.

Dopiero w domu, kiedy zamknęły się drzwi wejściowe i niczyje wścibskie uszy ani oczy już im nie zagrażały,

siostry w spazmatycznym odruchu padły sobie w objęcia...
A potem nastąpiło dla Martyny to najważniejsze: od-
twarzanie przeszłości.

– A pamiętasz, jak szłyśmy razem po kipiatok peronem
i pociąg ruszył, a ty zostałaś? – pytała rozkładając przed
Klarą stare zdjęcia z dzieciństwa.

Ale Klara-Kławdia była głucha na wszelkie pytania
o przeszłość, jakby dawno już wymazała z pamięci wszystko, co nie było dniem dzisiejszym. Ona też miała ze sobą
zdjęcia: syna Jegora w mundurze sowieckiego sołdata
i córki Nataszy w baletowym kostiumie. Z dumą mówiła
o mężu, laureacie Nagrody Leninowskiej, który podobnie
jak ona był inżynierem metalurgiem.

– A pamiętasz nasze rozstanie? Na peronie? – nie
ustępowała Martyna.

Klara uśmiechnęła się blado, ale w odpowiedzi pokazała
zdjęcie zaporożca z rodziną w tle.

Martyna ledwie rzuciła na nie okiem.

– A ciotkę Wiktorię pamiętasz? Jest w klasztorze.

I wtedy Klara odpowiedziała wprost – z trudem ar-
tykułując polskie słowa:

– A może mnie lżej było wsio zabyt'? Po co do tego
wracać?

– Możesz nie mówić – Martyna mocno przytuliła
siostrę. – Ja i tak wszystko wiem. Wiem, co przeszłaś. Ale
wróciłaś wreszcie z dalekiej podróży.

– Wot kto wrócił – Klara wyjęła z torebki wizytówkę.
– Ja kandydat nauk...U mienia tri...no, wynalazki – dodała
z dumą, niepewnie patrząc na siostrę, jakby szukała u niej
uznania i aprobaty.

Martyna opuściła bezradnie głowę, rozpaczliwie szukając
odpowiedzi na pytanie, czy człowiek, któremu odebrano
pamięć, jest jeszcze tą samą osobą? Podczas kolacji była

jak w transie. Oświadczyła nagle, że Klara musi w Polsce zostać, że ją ukryją, byle tylko z nimi została.

– Miła moja, toż niemożliwe! – Klara gładziła rękę siostry gestem osoby dojrzałej, która uspokaja rozkapryszone dziecko. – Tam u mnie mąż, dzieci...cała... – zawahała się, szukając słów: – Tam moja rodzina...

– Ale twoja ojczyzna jest tu! – zawołała Martyna.

Klara odstawiła kieliszek, wytarła usta serwetką i podnosząc się od stołu powiedziała przepraszająco:

– U mnie jutro bogaty program. Stare Miasto, Wilanów...

I wtedy Martyna zawiedziona i zrozpaczona, patrząc bliźniaczce prosto w oczy, rzuciła:

– Nie spytałaś nawet o naszą matkę... Czy ty ją pamiętasz?

W oczach Klary błysnęły łzy.

– Ja pamiętałam...Wszystko. – Ścisnęła wyciągniętą rękę siostry.

– I nie szukałaś mnie? – nie mogła pojąć Martyna.

– Ty nie wiesz, co to strach. Wy tu żyjecie w innym świecie – powiedziała Klara tuląc się do siostry.

Potem jednak jeszcze raz zmyliła czujność towarzyszy z wycieczki i pojechała z bliźniaczką na cmentarz. Dopiero nad grobem matki – kiedy wypowiadała nie używane od dzieciństwa i prawie już zapomniane słowa modlitwy i kiedy niezgrabnie wykonała znak krzyża – Martyna poczuła, że odnalazły się naprawdę.

Ostatnie spotkanie z Klarą i jednocześnie pożegnanie było pospieszne i ukradkowe. Tak jak pierwszego dnia, tak i teraz przyjechali do niej do hotelu. Miała tylko parę minut, by im obiecać, że przyśle zaproszenia, i szybko, bez czułości pożegnać się. Martyna stała nieporuszona z zastygłą z bólu twarzą, kurczowo ściskając dłoń Beaty.

„Kogo mi teraz będzie brakowało?" – myślała patrząc, jak siostra znika za drzwiami hotelu.

Odpowiedź znalazła jeszcze tego samego dnia. Nazajutrz wyjechała do Adama.

Przyjazd ciotki Klary i przeżycia z tym związane odsunęły na dalszy plan sprawę organizacji pomocy dla robotników z Radomia i Ursusa, w co tak bardzo zaangażowała się Beata. Prawdę powiedziawszy, zupełnie o tym zapomniała. Za to Mietek pamiętał o jej prośbie i któregoś dnia zaprosił dziewczynę do siebie, by przedstawić komuś, kto pracował przy zakładaniu komitetu zajmującego się obroną robotników. Tym kimś okazał się Łukasz Zbożny.

Podczas gdy jedni zbierali siły, by wesprzeć klasę robotniczą w jej rozpaczliwym proteście skierowanym przeciwko tak zwanej władzy ludowej, ta właśnie władza mobilizowała inne siły, by za wszelką cenę udowodnić prawdziwość hasła, że „Partia z narodem – naród z Partią". Wrzenie nie ominęło także FSO – robotnicy postanowili wystąpić ze swoimi postulatami na obchodach dwudziestopięciolecia fabryki, kiedy to miała się u nich zjawić cała będąca u steru wierchuszka.

– Wszędzie cię szukam, Talar! – Kuźniak wyraźnie zdenerwowany dopadł Andrzeja w zakładzie montażu.

– Jest sprawa do ciebie.

– Odpowiedź od ministra? – zapytał z nadzieją Andrzej.

Kuźniak machnął ręką, jakby ta kwestia nie warta była nawet odpowiedzi, i nie owijając w bawełnę, od razu przystąpił do rzeczy:

– Musisz wystąpić przed załogą.

W pierwszej chwili Andrzej nie zrozumiał:

– Co ci strzeliło do głowy?

– Wiesz lepiej ode mnie, co się naokoło dzieje! Jakieś protesty wypisują, komitety powołują. Trzeba dać wichrzycielom odpór ideologiczny, rozumiemy się? – zakończył z naciskiem, zły, że musi tak szczegółowo wszystko tłumaczyć. – I ty to zrobisz! – wycelował w Andrzeja palec.

– To nie moja działka. – Talar pokręcił głową. – A zresztą nie jestem partyjny.

– Właśnie dlatego tobie uwierzą – oświadczył z pełnym przekonaniem Kuźniak. – Przemówisz przeciw wichrzycielom w imieniu zdrowego trzonu naszej załogi.

– Dlaczego właśnie ja?! – bronił się Andrzej.

Kuźniak ujął kolegę pod ramię jak najlepszego przyjaciela.

– A kto za nich głowę nadstawiał? Kto walczył o BHP, jak zginął Brysiak? Oni to pamiętają...

– Pamiętają również, że ty byłeś przeciw – powiedział Andrzej, ale Kuźniak machnął ręką, jakby chciał dać do zrozumienia, że nie czas na drobiazgi, kiedy w grę wchodzą wielkie sprawy. Wyciągnął z kieszeni jakiś świstek papieru i wcisnął Andrzejowi do ręki.

– Tu masz tekst wystąpienia.

Oddał kartkę, nie czytając, i chciał odejść, ale Kuźniak nie dał się zbyć.

– Musisz, Talar. Rozumiemy się? – A na przeczący gest Andrzeja spytał:

– Jak tam Ewa? Myśli już o Szwecji?

Talar drgnął.

– Co z tą Szwecją? Ruszyło coś? – wpatrywał się w napięciu w rozjaśnioną nagłym uśmiechem twarz kolegi.

Kuźniak mrugnął porozumiewawczo.

– Coś za coś... – ponownie wyciągnął z kieszeni kartkę z przemówieniem. Ze spokojem obserwował Andrzeja jak ktoś, kto wie, że as atutowy jest w jego rękawie.

Obszerne relacje z uroczystych obchodów dwudziesto-pięciolecia FSO telewizja pokazała w głównym wydaniu dziennika, kładąc nacisk na wystąpienie inżyniera Talara, szefa zakładu montażu, który, jak wyraził się lektor, „dał odpór różnej maści wichrzycielom", przemawiając na okolicznościowej masówce. W ten oto sposób cały kraj dowiedział się, że „...nie czas teraz na bezpłodne krytykanctwo, na rzucanie kłód pod nogi władzy, jeśli chcemy, by żyło się nam dostatniej i by Polska rosła w siłę...".

Po tym wszystkim Andrzej wracał do domu z ciężkim sercem. Modlił się w duchu, żeby nikogo nie spotkać i nie musieć z nikim rozmawiać, ale już w bramie natknął się na Prokopa, który powitał go z niezwykłym uszanowaniem, wróżąc inżynierowi po takim wystąpieniu błyskotliwą karierę. Minął dozorcę bez słowa, chcąc jak najszybciej znaleźć się u siebie, ale na schodach miał pecha, bo z góry schodził właśnie Bizanc; hrabia nawet nie uchylił kapelusza na powitanie. Jednak najgorsze przyjęcie czekało go w domu. Kajtek szalał, wytaczając przeciwko ojcu ciężkie oskarżenia.

– Jesteście mistrzami świata w obłudzie! Rekordzistami kłamstwa! – krzyczał. – Tam ścieżki zdrowia, a tu inżynier Talar bije brawo!

– Zamknij się, gówniarzu! – ryknął Andrzej, waląc pięścią w stół, ale syn odszczeknął się:

– O! Cenzura i pałka – to są wasze argumenty, żeby zamknąć wszystkim gębę!

Wówczas stracił panowanie nad sobą: dopadł szczeniaka i wypchnął go z pokoju z taką siłą, że chłopak zachwiał się i runął jak długi w przedpokoju pod wieszakiem. Andrzej zatrzasnął za nim drzwi, aż zadrżały framugi, i by opanować drżenie całego ciała i oszalałe bicie serca, walnął się na kanapę. Po chwili nieśmiało zajrzała do niego Ewa.

– Otwórz teczkę – poprosił cicho. – Wyjmij stamtąd żółtą kopertę...

Zrobiła, co kazał.

– Masz skierowanie na leczenie do Szwecji – powiedział i odwrócił się twarzą do ściany.

Próbowała wytłumaczyć starszemu synowi, że w życiu zawsze jest coś za coś, nakłonić go, by przeprosił ojca, ale on uważał, że nic nie usprawiedliwia wysługiwania się katom. Zacietrzewiony w swoim młodzieńczym widzeniu świata w czarno-białych barwach, zdawał się nie dostrzegać faktu, że poświęceniu ojca matka być może zawdzięczać będzie życie. Ta prawda docierała do Kajtka wolno, bardzo wolno... Widział, jak Andrzej sprzedaje Heniowi talon na wymarzonego nowego fiata, który dostał na dwudziesto-pięciolecie, żeby matka miała w Szwecji jakieś pieniądze, zaczynał rozumieć, ile go to wszystko kosztowało, ale na słowo „przepraszam" zdobył się dopiero na lotnisku, kiedy samolot z Ewą wzbił się w niebo.

Spis treści

ukazały się:

Isabel Allende
DOM DUCHÓW

Ernest Hemingway
49 OPOWIADAŃ

Arturo Pérez-Reverte
KLUB DUMAS

Mario Puzo
OJCIEC CHRZESTNY

Wiesław Myśliwski
WIDNOKRĄG

Isabel Allende
PAULA

Mario Puzo
SYCYLIJCZYK

Irving Stone
PASJA ŻYCIA

Ernest Hemingway
STARY CZŁOWIEK I MORZE

Julio Cortázar
GRA W KLASY

Jerzy Janicki, Andrzej Mularczyk
DOM (część pierwsza)

ukażą się:

Isabel Allende
NIEZGŁĘBIONY ZAMYSŁ

Mario Puzo
OSTATNI DON

Gabriel García Márquez
STO LAT SAMOTNOŚCI

Arturo Pérez-Reverte
FECHTMISTRZ

Julio Cortázar
OPOWIADANIA WSZYSTKIE (t. 1)

Julio Cortázar
OPOWIADANIA WSZYSTKIE (t. 2)

Warszawskie Wydawnictwo Literackie
MUZA SA
ul. Marszałkowska 8, 00-590 Warszawa

tel. (0-22) 827 72 36, 629 50 83
e-mail: info@muza.com.pl

Dział zamówień: (0-22) 628 63 60, 629 32 01
Księgarnia internetowa: www.muza.com.pl

Warszawa 1999
Wydanie I

Skład i łamanie: MAGRAF s.c., Bydgoszcz
Przygotowanie do druku: P.U.P. ARSPOL, Bydgoszcz
Druk i oprawa: Drukarnia Wydawnicza im. W.L. Anczyca SA, Kraków